心中有鬼

THE MATRIMONY

一枚糖果 · 作品

花山文艺出版社

图书在版编目（CIP）数据

心中有鬼/一枚糖果著. —石家庄:花山文艺出版社,
2007.3

ISBN 978-7-80673-983-9

Ⅰ.心… Ⅱ.一… Ⅲ.长篇小说—中国—当代

Ⅳ.I247.5

中国版本图书馆 CIP 数据核字（2007）第 007758 号

心中有鬼

作　　者:	一枚糖果	策　　划:	张国岚
责任编辑:	尹志秀　李　伟	美术编辑:	美　慧
特约监制:	李耀辉	特约编辑:	丹　飞　高　琴
封面设计:	门乃婷工作室	责任校对:	成　仁

出版发行: 花山文艺出版社
地　　址: 石家庄市友谊北大街 330 号
邮政编码: 050061
网上书店: http://www.hspul.com/ecity
邮购热线: 0311—88643242
销售热线: 0311—88643227/3228/3229
传　　真: 0311—88643225
E－ｍａｉｌ: hspul@163.com
印　　刷: 北京佳信达艺术印刷有限公司
经　　销: 全国新华书店
开　　本: 710 毫米×1000 毫米　1/16
字　　数: 271 千字
印　　张: 16
版　　次: 2007 年 3 月第 1 版
　　　　　2007 年 3 月第 1 次印刷
书　　号: ISBN 978-7-80673-983-9
定　　价: 22.00 元

为了爱，不惜一切代价。

1930 年的上海，谜一样神秘莫测的城市。每个角落都可能暗藏着一个凄美决绝的爱情故事，那些故事的主角们，或许至死守护着自己纯洁的爱情，而忘掉了自己灵魂深处的阴影。

我说过要留下最美的你，就算你不在人世间也行，我一定要让你活过来。

——君初

君初和爱人曼丽早就论及婚嫁，却因为一场车祸，天人永隔。君初眼睁睁看着未婚妻香销玉陨，无力回天。

君初整个人崩溃，整日关在阴森幽阔的老宅子里回想从前，痛苦难以名状。母亲半哄半骗逼他和三三办了婚事，盼望能藉此逃脱厄运。没想到，君初益加懊丧，更骇人的是，这栋身处竹海的老宅子，总在出人不意时，传来细碎的低语，莫名的噪音，甚至，惨淡的魅影……

虽然他现在对我好，但我知道，他爱的是你，在我身上，他看到的其实是你。

——三三

三三还是个小绣娘时，就已爱上这位斯文俊朗的沈家少爷，从不敢奢望有一天真能成为他的妻。她万般珍惜这段胡涂姻缘，小心翼翼呵护着，捍卫着，即便君初再刻薄，她总笑脸相迎，只盼有那一天，君初能对她笑，唤他一声妻。

怎知君初不堪往事纠缠，精神耗弱病倒，命在旦夕。大夫叹气：病人若失去求生意志，神仙难救。听着君初辗转病榻，仍不断呼喊曼丽的名字，三三心急如焚。她红着眼眶，奔回老宅，狂喊着要阴魂不散的曼丽现身。只要能救君初一命，要她怎么样都行……

你知道爱一个人，却不能靠近他的感觉是什么吗？是痛，是无底的痛。

——曼丽

在最深爱的时刻，曼丽却被永远隔绝在君初的生命之外。她仍然记得爱人温暖的誓言，却不得不体验残酷的离别，让自己的希望一次次幻灭。

她和三三都爱着君初，为了救起深爱的人，她们推心置腹。曼丽的魂魄得以占据三三的身体，因此能前往医院探君初。两人相见，涕泪难舍，恍若梦中。君初的病渐渐好起来，对三三逐渐产生好感。曼丽却逐渐走向黑暗，妒火让她失去理智。她先是活生生吓疯了被她视为始作俑者的沈母，接下来要和三三摊牌，甚至不惜要带走她毕生的至爱君初……

出 品 人	王中军
制 片 人	王中磊　杜家毅
监 制	陈国富
编 剧	张家鲁　杨倩玲
导 演	滕华涛
主 演	黎 明　刘若英　范冰冰
摄影指导	李屏宾
剧照摄影	陈嘉亮
美术指导	冯立刚
造型设计	吴里路
音 乐	李欣芸
剪辑指导	林安儿
特效指导	许 安

华谊兄弟影业投资有限公司	出 品
南 方 电 影 有 限 公 司	
华谊兄弟影业投资有限公司	发 行
中 国 电 影 集 团	
中影集团数字电影院线有限公司	联合发行

"曼丽小姐,你没事吧?"导播老张看着隔音玻璃房里的女主播徐曼丽,她的嘴唇有点苍白,即使涂了粉也遮盖不住因为熬夜和哭泣生成的黑眼圈,影子反射在厚厚的隔音玻璃上。曼丽烫的是时下最新潮的翻卷小波浪,琉璃绿的半透明赛璐璐发卡将斜出来的几缕刘海固定,栗色小卷的头发夹于耳后,更显额头的光洁。睫毛的影子像小孩低垂的两只小手,表情也孩子气——恋爱中的女人多少都有些孩子气,固执,天真,喜怒无常。

"我没事。"曼丽摆了摆手,微笑着点点头,示意可以正常开始。

音控轨道盘虽然有点旧,但毕竟是西洋货,用了快十年了,还没更换。老张的手指枯瘦,往上轻推控制扭。

曼丽的轮廓在灯光下渐渐模糊,她今天穿着红色对襟小棉袄,勾勒出美好的身段。很多人说声音好听的大多长得不好看,曼丽算是个例外。

"各位听众朋友,今天我们要继续昨天没有说完的故事。男主角无意伤了爱人的心,事后他自己也深深懊悔。经过几天的挣扎后,他决定勇敢地跟他心爱的女人表明心迹……"

曼丽的唇型是最好看的心型。

据说这样的女孩红颜薄命。

痴情的、看不开的、放不下的都是薄命,生命的苦难厚重,谁也逃避不及抽丝剥茧般的轮回宿命。

　　曼丽考取播音员的时候有点阴差阳错,因为面容娇美,主考官丹萍建议她放弃广播电台播音员直接去考电影演员,曼丽说回去问问父亲的意见。

　　丹萍拿着一支笔,抬头劝道:"其实在摄影机前,就是注意态度的自然。一个演员的表演是不能有丝毫勉强的,一切都得和日常生活一样,否则就不堪设想了,你具备这样的气质,不当演员实在可惜。"

　　曼丽点点头,脸红红的,"我还是得问问我的父亲。"

　　电影演员,啊,明星,跟丹萍一样,衣着华美,过上等人的生活,不必为了一支口红一条丝巾省吃俭用一个礼拜,可以喝红酒,穿高跟鞋,抹法国香水,还有精品屋里那个八音盒,上面有个女童生了白色翅膀,旋转的时候清脆音乐飘出来。

　　徐曼丽的父亲徐伟良是个中药商人,说话口腔里带些中药气。最近西洋药流行,什么阿司匹林、青霉素之类,中药生意有点受挫。通货膨胀钱不再抵钱,有些东西省了,比如车子。但有些还是留着的。

　　曼丽的母亲去世以后,姨太太米雯扶了正,仍然戒不了抽鸦片的习惯,家里飘荡着檀香、甘草、烟叶混合的奇异气息,又败落,又熟悉,夏天那台摇头晃脑的大风扇吱呀吱呀地响着,让人觉得人生的苦难没有尽头了。

即使是败落,也是繁华中的败落,有荼蘼盛开凋落的影子,早年的繁华盛世被拉得长长,那是老佣人王妈的脸——米雯不喜欢年轻丫头,老点没关系——像王妈这样的就挺好。嫩的太危险,防不胜防,怕徐伟良偷偷睡了再招了做姨太太,重蹈覆辙。

越是自己出身低的越是瞧不起跟自己一样的。

米雯吞吐云雾之间用类似溶化后的麦芽糖般甜腻的声音规劝道,"是啊,一个女人家抛头露面当戏子是什么好事?老爷,我看趁早把她许配给张军统的少爷算了,现在世道不平静,找个靠山也好。"

徐伟良的腿靠在摇凳上,身体晃悠着,"听你姨妈的,有点道理。"

米雯比十九岁的徐曼丽大七岁,说话老气得多,由一个丫鬟熬到正室,学得最多的就是看人脸色说话,她瞅瞅徐伟良,又瞅瞅曼丽,"你看,你父亲说话了,嫁妆你放心,我自然不敢亏待你。"

曼丽的脸气得通红,拳头捏得紧紧的。辛辛苦苦毕了业,就是为了逃离这个家,现在才发觉努力都是徒劳,所谓的学问和知识只是在出嫁时候多一份筹码罢了。

王妈看气氛不对,赶紧过来打圆场。掀开桌上的红色绒布,是亚美老牌 1651 超等外差式收音机,木壳带灯,是两年前买的,当时只要一百七十元,背面还写

着,"除做收音机外,并能放留声机片,或做公共演讲之用,详见说明书。"

购买的地址是上海江西路三二三号亚美股份有限公司。

两年前,徐伟良的身体似乎比现在更好。

两年前,曼丽在大学,舍不得谈恋爱,怕对方看不起自己的家庭。

两年前,你在哪里呢?

王妈把电源轻轻插好,赶紧道,"呀,杨振雄的评弹开始了。小姐莫说话了,莫说话了。老爷喜欢听呢。"

"呒啥稀奇,只是因为他年纪小,好白相罢了。"曼丽嘟囔了一句。

"只顾着说别人,有本事你也进去啊,真是!"徐伟良拂了拂袖子,拿起旁边的焦三仙喝了一口。

曼丽像抓住救命稻草似的,因为这句话,奥斯邦电台多了一个如花似玉的播

音员。是民营电台,在好好百货公司的最顶层,从播音室出来可以看见大半个上海的全貌。

徐伟良虽然不乐意她干这个工作,但毕竟当广播员比当电影演员隐秘得多。何况仔细听听,曼丽的声音也不错,尤其是晚上,似乎飘到人的心里去。

本来是当新闻播音员,是替补,最近台里弄了个新节目,台长李万鼎便对曼丽道,"'爵士风情'由你来主持,要好好干!"

曼丽喜出望外,熬了一年,终于可以正式主持自己的节目了。曼丽住单位的单身宿舍,离上班的地方骑自行车三十分钟,坐电车十分钟,大部分时间是骑自行车,这样显得小腿纤细柔美,而且可以省钱。最近家里出了点事情:徐伟良从山西进来的昂贵中药在路途中遭遇劫匪——火车上遇的劫。那些鹿茸、人参、虫草全拿走以外,包装也破了,又下了一场大雨,运到上海来的时候剩下的药材全部发霉。

家里的厨师不得不辞退,因为付不起工钱,佣人王妈兼职厨师,一岗多用,开源节流。

曼丽开始给家里零花钱,每个月多则七八百,少则三四百,米雯的态度似乎也好了很多——家里的经济不好,人在钱跟前多少是要低点头——也不谈将曼丽许配给张军统的儿子张少廷的事了,怕曼丽生气不给家用了。

这样的时光,是曼丽的一生中最愉快的,忙碌,充实,轻松,没有什么太多担心,连骑自行车时都有哼着歌的心情。有时候尝试着在阳光下撒开手骑车,刺激的那一瞬间,袖子上的流苏被风轻轻吹起来,笑起来妩媚明艳,灿烂的笑容、洁白的牙齿让匆忙的行人羡慕不已。

导播老张搓了搓冻红的手，虽说播音室里有暖气，但裸露在外的双手仍然有冻僵的感觉，更显得手指纹路的枯黄。

播音室里的女子曼丽小姐已经日渐成熟，曼妙的声音让人在夜晚听得如痴如醉。能跟美女做搭档真不错，每次对着曼丽的背影，老张都有一种由衷的感叹，这么好的孩子将来被哪个有福气的小子娶来当老婆？

曼丽会做饭，中午休息的时候会骑自行车回去，简单又实在。冬天吃完中餐又支了个小煤炉子，生了炭火，干净的火钳上烤了糍粑、年糕之类，洒了细细的白糖，用报纸包好送来给电台的同事吃。两面都是焦黄的，中间裂开，露出雪白的糯米，甜而不腻，香气肆意散发，是最好的餐后甜点。曼丽看见人家吃，自己心里总是很开心。

晚上回屋子的时候，把头发散开卸妆，她画的是淡妆，拿热毛巾轻轻一擦，红嘴唇的印就赫然出现在毛巾上，眉毛也是淡淡的，照着镜子，也生出几分自怜来——这么好的女子，怎么没人来爱呢？

穿衣镜大大的，睡衣是艳丽的红，好好百货公司年底打折的时候冲进去买的，二十元钱，睡衣腋下系着一根带子，外头也是两根腰带，轻轻一扎，小巧的乳藏进去,温暖地包裹着她们。那是曼丽身体最美的一部分,坚挺而温柔地生着,将来是属于她的丈夫和她的孩子的。

房子是租的,因为是同事托的关系,房租很便宜,带洗手间的公寓一个月三百一十块,简直便宜烂了,除了春天有点潮湿外其他一切都好。

床单也是在好好百货公司买的,纯棉的一整套枕巾、被子和窗帘,湖蓝色,带小碎花,一进房间,就与花花世界隔开。房子里是极其干净的,几乎没有一点灰尘,厨房侧面有个小阳台,可以用来晾晒衣服或者看风景,趴在阳台上,街头巷尾一清二楚。因为是三楼,楼层不高,好几次曼丽都想从三楼丢个菜篮子下去,用绳子吊着,篮子里放了零钱,叫小贩把橘子、板栗之类的放进去,但终究没有实现——谁知道货物是好是坏!经过自己亲自挑选的方才称心。

家是两个星期才回去一次,工作后觉得家里没这么讨厌了。米雯最近怀孕了,挺着个大肚子在家养着,因为要照顾孕妇,额外添了个佣人,王妈亲自在保姆市场挑的,名字叫做伊玲,年龄不大,胸部却很大,是个老实巴交的少妇,还没过门,男人在打仗的时候战死了,还不知道尸体在哪里。自己孩子刚满月就过来上海,孩子是个遗腹子。将来估计米雯生了孩子奶水不足,可以让伊玲兼职做奶妈的。王妈仍在,每次曼丽回去都做一桌好吃的。徐伟良闲时喜欢靠在椅子上听收音机,吃饭的时候也听,偶尔也跟曼丽说,"叫你们台子里别尽播那些西洋音乐,咱们中国传统的,才是最好的。"

曼丽瘪瘪嘴,"听我最近的广播剧没?很多听众写信来夸我声音不错的。"

王妈也迎合着称赞,"是啊是啊,听小姐播音是很舒服的,晚上老爷听着听着就睡着了。"

曼丽噗哧一笑,差点把饭喷出来,敢情自己的声音是催眠用的。

吃完晚餐,曼丽用餐布擦擦嘴唇,心满意足地在沙发上喝茶,一边询问着米雯肚子里孩子的情况。俩人现在关系稍微好转,米雯顾着自己肚子里的货,听说孕妇不能生气不能小心眼,否则生下的孩子不会好看,于是对着曼丽态度尽量和蔼。

"医生检查了,说是明年七月生。"米雯喝下去一碗药,说是说安胎的,其实是戒鸦片的药,中医开的,药方子拿来,自己药房拿药,不用钱。

"哦,那也快了。"曼丽看着她眼皮浮肿一脸疲惫的样子,心想生小孩果然不是那么好玩的,"将来是请人来家里接生还是去西医医院里生?"

徐伟良道，"当然是请接生婆来家里，去医院里让那些大夫看啊摸啊成何体统——听说还是男医生。"

曼丽不便发表意见，生孩子这件事她没有发言权，只是讪讪道，"也好。"她的母亲当时就是因为接生婆的用具消毒不彻底落下的病根，没过几年就离世了，但她不知道其中细节罢了，只是听父亲说母亲天生身体虚弱，性格又好强，生了孩子还要到外面去跑生意，累垮了。

曼丽的母亲年轻时得得漂亮，曼丽随了她母亲。

徐伟良似乎想起了什么，对曼丽道，"你也抓紧点，看看你今年多大了，二十一了，你该找一个了。"

曼丽愣了愣，怕米雯提起张军统的公子之类，丢下一叠钱在桌子上，赶紧告辞。

这次米雯没有说什么——她顾不上了，她要用这些钱买市面上最好的水果给自己补身体，她要生下一个儿子来稳固自己在这个家庭里摇摇欲坠的地位。

新来的佣人伊玲送曼丽到门口，"小姐是回宿舍去吗？"

曼丽看了她一眼，"今天难得休息，不用值班，可能出去走走。"

"小姐慢走。"伊玲在门口道别。

曼丽回头看了她一眼，真想问她吃什么把胸部吃成这种形状的，又开不了这个口，带着满脑子的问号走上大街。一辆黄包车过来，招手即停了。

"小姐，去哪里？"拉黄包车的穿着一件褪色的汗衫，额头上汗珠滚滚，有刚刚拉过客人的痕迹，那垫子上似乎还很暖和，是男人的气息，有少许古龙水味道。按理说这样品位的男人应该是坐汽车的，又或许他赶时间，等不到出租的汽车……

"哦，到哪里呢？"曼丽向四周张望着，因为是周末，灯比以往更亮堂，行人也是大包小包。这么早回屋子里去除了看书也没有什么消遣。相熟的同事这时也在电台值班，平时女校的朋友也都结婚的结婚，恋爱的恋爱，谁有闲工夫陪她瞎逛。

一辆汽车缓缓驶来，很远就能听到高音喇叭的声音，是辆宣传车，里面一个尖锐的近乎女声的男声撕心裂肺地往死里喊，"电影《姊妹花》，当红影星伍宛云、赵白初主演，错过了一辈子都后悔啊！"

声音是录好的，所以翻来覆去播的都是这一句。《姊妹花》的电影海报曼丽看见过，贴在百货公司最显眼的地方，是部大片，据说里面两位主人公的衣服华丽时尚,除了爱情、亲情,也可以当作一部时装剧来看。

　　"去南京路芜湖电影院,快点!"曼丽看了看时间,差半个小时八点,应该来得及的。

　　"要五块钱喽,今天星期六的,那里人多又不好走。"车夫看出了顾客的焦急情绪,趁机涨价。

　　"好吧好吧。"曼丽话音刚落,身体已经在路上飞驰。嘴因为是微微张开的,清冽的冷风灌进来,闻得到自己脸上雪花膏的香气,那是自由的日子。

　　有时候一场电影可以影响人一辈子。上天总是喜欢跟我们开不怀好意的玩笑。

　　沈君初独自在南京路漫步,偶尔有几个胆大的女子回头看他。君初身材高挑但并不是模特,尤其是坚挺的鼻子,还有那双会说话的眼睛,让对他有少许好感的人不敢直视,怕被这样的眼神剥光衣服,露出内心。

　　冬日的黄昏早已经被黑暗无情吞噬,替换夕阳的是路边的霓虹。大大小小的招牌下,有身着貂皮大衣的贵妇,有喜逐颜开的商铺老板。巡捕房的巡警大大咧咧地给那些乞讨的逃荒者一顿乱踢,毫不吝惜。皮靴是上头统一定制的,一脚一脚,扎扎实实,踢在人身上的时候发出扑通扑通的声音,嘴里一般都是念叨,"小瘪三,小赤佬,南京路是你来混的吗,赶快滚!"

　　踢累了,巡警们走了,逃散的乞丐又聚拢来,流着鼻血怯生生地伸出脏兮兮的手,"大爷,太太,行行好,打发点,打发点。"

　　沈君初的风衣口袋有零钱,往地上一扔,几个乞丐扑过去争夺,有个年龄较小的拿到一块钱,感激道,"谢谢叔叔。"

　　君初点点头,他的心里是仁慈柔软的,跟外表有些出入,不少女人跟他相处后的评价都是一个词:冷若冰霜。

　　君初因为相貌英俊,又是留洋回来,在法国学的是摄影专业,家世又好,父亲去世前是上海浦发银行的董事，留下一大笔遗产。现在不用上班，只是拿分红就已经是收入丰厚了。君初前途远大，最近祖上又刚分了家，父亲生前最喜爱的就是君初，几个姨太太的孩子都只分了小部分，都是乡下的房产田地。看来男人都是精明的，看起来糊涂，内心比女人精明。

　　君初在上海霞飞路附近买了栋老房子，准备接湖南乡下的母亲正式住过来，她一个人，守着老屋，守着空荡荡的回忆，一个老寡妇，年轻的时候嫁到他乡，丈夫很快就变了心，差使她又回了乡下。名分是有，只是除了过年，平时很少见到丈夫。老了，被儿子安慰，也算是心安理得天经地义所当然了。嘴上推辞着，但心里也是乐意，从长沙到上海往返几次，累是累，心里却是愉悦的。回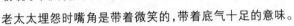到乡下跟周围的邻居埋怨道，"我说了上海太吵，还是乡下清静，我家君初说了，非得接我过去养老，唉，任性的孩子。"

　　老太太埋怨时嘴角是带着微笑的，带着底气十足的意味。

　　君初微笑的时候跟母亲很像，嘴角轻微上扬，鼻子偶尔轻微地哼一声，只有自己听见，更显得高傲了。君初本来个子就高，性格还高，让人觉得遥不可及。

　　今天来南京路是准备替即将来上海的母亲挑选些被褥，路过《姊妹花》的电影海报，突然想起一件事。浦发银行新任执行董事 MR. 杜下班前给自己来了个电话，说是给他留了电影票，是个不错的电影，请他一起去看。

　　MR.杜是法国国籍，但父亲却是中国人，因此有着蓝色的眼珠子跟黑色头发。早年君初在法国留学时就认识的，是教金融科的教授，旁听过几次课，没想到后来成了浦发银行的执行董事，一直想让君初入银行给他帮忙。君初总是觉得在电影厂当摄影师才是自己真正的兴趣——有了足够的钱，兴趣就是最重要的了。陶醉在光影世界里，君初是敏感的，那些作品，就是自己的孩子，左看右看，怎么看都是满心欢喜。

　　但好友的盛情不能谢绝，要是不看这场电影也不好。《姊妹花》不是自己公司拍的，正好可以看这个电影的摄影制作怎样——君初对于自己的拍摄手法一直是自信到自负，自己封自己是全上海最棒的摄影师。

　　海报上巨大的两个女人对自己笑着，霓虹灯下，咧着嘴，笑容长久僵持着，牙齿白森森的，每颗牙齿在寒风中有讨好的意味。

　　电影院是要进去买票的，刚准备推门，里面散场的观众潮水般涌出来，男人一脸茫然，女人眼睛红肿，小孩手里拿着爆米花——看场电影没有吃完的，舍不得丢掉，被大人抱在胸口，一颗爆米花掉在地上，惋惜地一瞥。

"开始卖票啦！"人群中不知道谁喊了这一句，在门口等待的人又冲了进去，君初知道老杜给自己留了票，也不着急进去，慢慢踱步，风衣是黑色的，领子半竖起来，咖啡色的领巾随意地围绕领口，两只手插在口袋里，显得有点放荡不羁。裤子是在法国回来时订做的，米色呢子料，裤缝笔直，鞋子也是簇新的，是佣人蓉妈拿金鸡牌鞋油仔细刷过的。那时候上海还没兴起这样时髦的装束，不免让人多看几眼。

他几乎没有把蓉妈当佣人，她带着他蹒跚学步，君初小时候爬树偷枣，蓉妈也是偷偷隐瞒着，不告诉大人。走进电影院，这么多人！看来这场电影真的很受欢迎，不知道摄影的是谁，君初的嘴角又挂起招牌式微笑，鼻子也是轻轻哼了一声，这样的表情是可爱的。

票房里突然冲出一个高大的男子，听口音是东北人，大声嚷嚷道，"票已售完！明天请早！"

哗的一声，有人叹息，有人叫骂，有人庆幸——庆幸的是那些早已经买好票的。君初费劲地挤到窗口，对刚才喊话的高大男子道，"麻烦你，我来取杜先生留的票。"

那男子抬头看了看君初，说话声音顿时软化下来，"哦，您稍等，我查一下登记薄。"少顷，继续道，"您是沈先生吧，请问您要几张呢？"

曼丽站在他身后，伸出两只手指，眼神满是渴望与焦急。好不容易排队想看场电影，如果没票了，要等到下星期，而且档期就过了。

君初愣了愣：她认识我的么？还是认识杜先生？不由自主地也伸出手指做出剪刀状，"两张。"

说出来就后悔了，不知道这女子什么目的。万一是……据说年底的治安不大好，不会是欺诈的吧？看样子那女子模样生得也是清丽，那笑容简直让人难以拒绝……

票房的男人看了看二人，也懒得声张，反正这个拿票的先生会签字的。

曼丽走过来，拿过一张票，塞了十五元钞票在君初手里，一转身就不见了。此时的君初还在皱眉思索这个人是不是骗子，回过神来，她已消失在人群中，背影很是显然，留下的那阵风，却是陌生中带些熟悉的体香。与君初相识，犹如故人归。

君初耸耸肩膀,好吧,反正等价交换。看电影先。

黑漆漆的电影院,一个工作人员拿着电筒帮忙找座位,老杜的这两张票是最好的位置,贵宾席,在楼上正中,视野开阔,空间宽广。

刚一坐下,手上的提包掉在地上,弯腰去拣,高个子弯腰总是吃力的,在地上摸索了一阵,总算找到了,拿出纸巾擦手,抬头看到一杯汽水向自己伸过来。

思想还没来得及反应,身体已经做出反应,把那汽水接了过来。而思想又在提醒自己,会不会是迷魂药掺在里面,等下乘自己睡着了,睡上四十八小时,醒来后只剩一条内裤……身体却招呼那女子坐下。

曼丽没想到拿的那张票就在这位先生的旁边,心里也是一阵喜悦,当初就是这样祈祷的。周围都是情侣一对对,这样别人会误会他们是一块儿来的,这样的小惊喜,应该可以开心一个星期。

"你好,谢谢你的票,所以请你喝汽水。"曼丽侧头说道。

君初不知道该说什么,礼貌地点点头算是表示接受她的好意。她的侧面似乎是雕刻出来的,典型的中式美女,却又多出了属于她自己的个性的东西,俏丽的睫毛和粉色的唇,又与纯粹的西派女性不同。

汽水是橘子味,从杯底冒着泡泡,酸酸的,很解口渴。君初喝了一口,看见曼丽对着自己笑,那句谢谢已经到了嘴边,刚要说出来,电影已经开场,全场一片漆黑。

电影开场,君初忽然觉得不安,有点想去洗手间方便,要从曼丽身边经过,有点唐突,两腿夹紧忍着。

《姊妹花》是一出悲剧,赚人的眼泪。

曼丽的手绢早上洗了,此时正在阳台上随风飘舞,看到姊妹分离,姐姐被送走的一幕,忍不住眼泪像流沙一样倾泻,伴随着鼻涕,肩膀一耸一耸的,抽抽搭搭。

君初用余光看了看曼丽,还真哭了,这个女人,哭起来怪可怜的,因为涂了少许胭脂,在暗淡的银幕灯光下,睫毛上沾了眼泪,有奇异的七色光芒。

曼丽哪里顾得上身边的男人,只是认真努力地哭着,觉得畅快淋漓,因为看着看着就联想到自己,眼泪多了,开始拿手指擦,不够,拿袖子抹着,觉得狼狈,后来索性不管了,有几滴从下巴滴到脖子——女人一生中流的眼泪不知道比男人多好几吨。

君初看呆了,几曾看见过如此痴情的观影者,脑子里倏的冒出四字成语"梨花

013

带雨"。真是可爱之极的新时代女性,又保留几分旧时代的传统作风,这样的冲突,让人心生怜惜。

一摸口袋,手绢也是忘记带了,叠得方方正正在办公桌上放着了,黄色格子,厚厚的一块,平素都带的,今天偏是忘记了。情急之中,抓了抓脖子,那块领巾顺势扯下来,往曼丽手里一递。

曼丽停了,不解地看了看他,君初笑着做了个抹眼睛的动作。

曼丽破涕为笑,不好意思地接了,擦了擦眼角,继续看电影。曼丽喜欢看电影的原因是看电影的时候可以一心一意在别人的故事里沉醉,在这短短的一百二十分钟,可以忘记自己是谁。

年轻的时候,觉得烦恼比谁都多,女人担忧爱情,男人担忧事业,电影让人解脱。

片尾曲响起,灯光通明,唏嘘散场,曼丽还在想着那聚散离合的场景,不愿脱身般把脸埋在手掌里回忆。

"散场了。"君初小声提醒。

"嘿,君初!I DIDN'T EVEN SEE YOU COMING IN.(我压根没看见你进来。)"老杜来了,说着流利的英文。他的眼珠子蓝中带点迷蒙的灰,跟以前教学的时候有些区别,毕竟是涉入商场,人都是蜕变一般。

"哈罗。"君初寒暄着,再看看身边的座位,已经空了。

跟老杜道别,走出电影院。因为是最后一场放映,门口已经稀稀拉拉,卖烤地瓜的小贩卖力地喊出嘹亮的口号,"热腾腾香喷喷的烤地瓜嘞……一块钱买三个,便宜卖了……"君初想找那个女子,还没问她的职业,如果遇见,可以一起吃点宵夜之类。

人群中,永远没有自己要找的那个人。

南京路,人潮汹涌,有个乞丐在唱歌,听不清楚歌词,大致的意思是岁月苦短,及时行乐,长的是磨难,短的是幸福。

心中有鬼
THE MATRIMONY

　　曼丽回家,把领巾放入盆中,搓了肥皂轻轻揉洗,泡沫愉快地爬上手背,冰沁的水浸泡着曼丽的手指,哭完以后觉得很轻松,看着那条领巾,曼丽的心怦怦直跳。

　　有人敲门,是电台的导播老张。气喘吁吁的,茶也来不及喝便道,"曼丽,快上节目!"

　　曼丽用泡沫把领巾覆盖了,小声道,"今天我休息,吴美娜代班哦。"

　　老张急了,"快点去,她晕倒了,总之你赶紧出发,我先回台里了。"

　　"哦。"曼丽赶紧洗手,披上长外套,围巾来不及系就匆匆出门了。电车来得及时,哐当哐当的向好好百货公司驶去。

　　君初回家时在楼下买了瓶红酒,君初大凡心情畅快的时候喜欢自斟自饮。客厅刚刚装修好,有新房子的油漆味,他是喜欢的,因为这些完全属于他自己。

　　最喜欢的是阁楼,有个天窗,可以看见星星与月亮。摆得整整齐齐的是相机、修底片用的箱子,桌上有一堆照片,都是剧组用的。

　　全麦威士忌在透明的杯里荡漾着恬静的红,跟头顶藏青的夜空媲美。

突然音乐若有若无,伴随着嘈杂的嗞嗞声。这台收音机其实早就应该扔了的,RCA牌的立式收音机,乍看像迷你墓碑。当时买的时候极贵,因为是美国货。请的搬家公司偏不小心,将这贵重物什从车上不慎跌落,君初心疼了好一阵,但也能继续用,敝帚自珍罢了。待母亲从长沙搬过来的时候再换一部西门子洋行销售的德利风根收音机,其实也是自己喜欢罢了。那时候的男人喜欢收音机,也有用来收藏的,一部一部,像收集古董一样,君初认识的几个HK RADIOER(香港收音机发烧友),满屋子的收音机,一有客人来就显摆,全部打开,嘭嘭声不断——比搜集女人好,收音机你可以让它随时闭嘴,女人就不能。

曼丽赶到电台的时候离播音还差十五分钟,清洁工费劲地用拖把在地上蹭,试图把那摊血迹弄干净。

"怎么了?"曼丽的眼睛鼓出来,她很吃惊的时候就是这样,完全不顾形象。

清洁工抬头看了曼丽一眼,继续拖地,"那个吴美娜小姐呕出来的。吴小姐不知道是不是中邪了,被送去医院的时候满嘴胡说八道。"

"说什么了?"曼丽将大衣挂在架子上。

"说播音室里有鬼。"清洁工不紧不慢地将拖把扭成8字形,布条是黑色的,像个黑漆漆的人头。

老张走过来,"瞎说什么呢,吴美娜是被那男人逼得崩溃了,估计又是挨了打。曼丽你快准备。"

"那我明天要休息哦。"曼丽不觉得危言耸听,什么鬼不鬼的,如果真的有鬼,就叫它帮忙打听今天看电影坐自己旁边的男子姓甚名谁,一想到这里,脸通红。

"你明天自己跟台长说去。"老张摇摇头,"要是我是台长,一个星期让你休八天,还给你发工资,总可以了吧,大小姐,快点。"

君初觉得太安静。

收音机的旋钮左右旋转,左手拿着那杯红酒,眼睛眯眯的,倘若这个样子拍一张照片,也可以迷倒几个少女。

杂音在寂静的夜晚中显得分外嘈杂。我拍,我拍,我拍拍拍。君初对着那个小墓碑收音机像对着不听话的孩子,"别吵,乖乖地说话。"说罢自己也笑了。单身的好处,自己笑给自己听。

说来也奇怪，音乐渐渐淡去，继而传出一个动听女声："这里是上海奥斯邦电台，本台以三五五公尺波段，八四五千周中波广播……现在是'爵士风情'时间。我是徐曼丽……"

君初啜了一口酒，这女的声音不错。

曼丽的嘴唇对着麦克风："……就在今天上节目之前，我去看了一部让我感动的电影。本来我是无缘看到这部电影的，但一位好心的先生帮了我……"

透过播音间的玻璃，曼丽坐在麦克风前，不经意地拿手指整理短发，扬扬眉毛，继续道，"他就坐在我身边，在我为剧情伤心得不能自已的时候——"

君初的红酒喷出来。他知道她是叫曼丽了，曼妙美丽，真是很好的名字。

"这位慷慨的先生，竟然就解下自己的领巾，递给我当手绢……实在太可爱了。"

君初听到可爱二字，呛了一口酒。想赶紧拿毛巾去擦，又舍不得离开收音机。曼丽的声音继续飘出，"直到电影结束后，我还沉浸在故事里，难以自拔……竟然忘了把领巾还给人家。真不好意思……"

君初忽然觉得不可思议。难道这一切皆是有人安排，假如是——那不是人，是神。

曼丽说道，"……这样吧，如果你有缘听见，明天晚上，七点钟，我会在——"

忽然又出现剧烈杂音，掩盖住曼丽的话语。沈君初赶紧冲到收音机跟前，对着盒子盖用力拍打，砰砰作响，一阵短暂的沉默后，终于又有了声音。

"如果你出现，领巾就还你。如果不，那——领巾就是我的啰……好，接下来为各位播放的曲子是《夜上海》，曼丽在好好百货公司祝您晚安好梦，今天的播音到此结束，谢谢各位的收听。"

晚上君初睡在阁楼上，风吹着树叶哗哗作响，他一点也不怕，满脑子都是曼丽的影子，一会儿对着自己哭，一会儿对着自己笑。她跟他以往接触的女人是有不同，其实他跟她也仅仅认识了几个小时罢了，也许她们都是相同的。上海女人，让人捉摸不透。

渐渐地睡了，脑子还是清醒地提示着：明天要去电台找她。因为没有听到约会的时间，该换个收音机了。不如买 1925 年 RCA 生产的 RADIO LA20 型电子管收音机，不知道怎样，其实当时 RCA 总共生产了 135121 台 RADIO LA20 型。单机售价是 102.5 美元！找老杜从美国带个回来划算。自己经济虽然宽裕，但该省的绝对不多花。

曼丽被老张送到屋门口，躺在床上的时候心里也是微笑。浪漫的邂逅原来更多的是人为的因素，她实在喜欢他的慷慨与热情，还有那张英俊的脸，坚毅的眼神。要是自己的男朋友就是他多好，这么想着心里一慌，失眠了，不知道明天他是否会来。

吴美娜的男朋友来寻人的时候正好遇见曼丽早晨来台里，以前偶尔见过几次，也算是认识，点点头算是打过招呼。吴美娜也算得上是曼丽的好朋友了，经常一起逛街吃东西，彼此有事的时候可以互相顶班，一同研究打羊绒衫的针法之类。吴美娜因为有阵子感染风寒的缘故，曼丽带她去过自己家开的药房抓药，徐伟良亲自把的脉，结果药到病除。吴美娜为此还专程登门致谢了。

台长办公室里正襟危坐的李万鼎戴着玳瑁眼镜，眼睛朝上张望着吴美娜的男友，"我不知道，今天医院的人说她昨天自己走了，就在隔壁流华医院，钱是电台垫的。"

那男人穿着马甲背带裤，头油涂得厚，散发出一阵腻味的香气，说话却是一点也不和气，冲着台长道，"你们把她藏好点啊，被我发现了就别多管闲事！老子还不知道她肚子里的野种是谁的！"

曼丽鄙视地看了他一眼。

油头男子扬长而去，李万鼎看见曼丽过来，问道，"什么事情，曼丽小姐。"

"哦，昨天本来我休息……"

李万鼎是欣赏曼丽的，听众来信表扬的也居多，这女孩人也勤快，为人处世不卑不亢，便接话道，"昨天的事情我听老刘说了，你今天歇着吧，我安排人顶你的节目。"

"谢谢台长。"曼丽高兴极了，但想起刚才那幕，问道，"台长，吴美娜现在……"

"唉，自求多福吧。"李万鼎推了推眼镜架子，"这孩子命不好，摊上个泼皮，赔上身体不算，现在倒讹诈钱了，说如果不给就杀了她全家。"

曼丽难过了一阵，起身离开。路过警卫室，跟那留胡茬的警卫道，"如果有人找我，叫他晚上七点到霞飞路锦绣西餐厅。"

警卫点头答应。

奥斯邦电台很容易找，就在好好百货公司的顶层——好好百货公司名气很大。仰头望去，就是那个透明的玻璃屋子，对外发布着一些消息，一些音乐，一些故事。

君初在电梯里，开电梯的小姐看了他一眼，"先生去几楼？"

"顶层，奥斯邦电台。"君初对着电梯光滑的镜面整理自己的衣领，等下见面第一句话说什么呢？

电梯小姐按了最高的十八层，一边道，"先生，您相信吗，在电梯开始运行时的同时要是憋一口气许下一个愿望，在到达的时候这个愿望就能实现。"

"哦，是吗？"君初的声音有点低沉，"我倒是不相信这个。"然后在心里许一个愿，希望能见到看电影时坐在旁边的那个小姐。电梯小姐看着他憋红的脸，偷偷地笑了笑。

电台门房前，站着一名警卫，回答君初的问话，"……是，那'爵士风情'节目的确是徐小姐主持，可她今天休假……"

君初有些懊恼，原来电梯许愿都是假的，便问道，"那总有记录吧？她在节目里说了些什么？"

警卫不耐烦地打断了，"我说先生，电台节目都是现场，主持人说话就像水龙头开闸，怎么可能字字句句都有记录！"

君初按捺性子。他心里很想揍那个警卫，但毕竟人家是警卫，腰间别着黑色的橡胶警棍，这一棍子敲下去脑袋可能会肿起一个肉包子。君初问道，"那……能不能告诉我曼丽小姐的联系方式？我是她的一个朋友，她约我今晚碰面……但听收音机的时候偏偏坏了，所以麻烦你。"

警卫打量着他——不像个坏人，当然很多坏人看起来都不像坏人——于是问道，"约你碰面？"

君初用力点头。

"然后你不知道怎么联系她？"

君初被警卫毫不客气地推出来。君初从钱包里拿出一张钞票，看着警卫。

好吧，看在钱的份上，警卫迅速把那张钞票揣进口袋里，慢条斯理问道，"你……是不是就是那个给他手绢的人？"

君初一下没懂。警卫比了比脖子："把领巾当手绢的那个？"

君初这才会意："是,是！"

警卫不说话,继续打量他,"好吧,曼丽小姐说晚上七点到霞飞路锦绣西餐厅,不见不散。"

君初点头致谢,不见不散这句话听起来真是舒服。

　　君初走出好好百货公司电梯厅时，转头对电梯小姐道，"许的愿只有一半灵验。"他的心情很好，回头对陌生人笑了笑，不知道这会给人家带来一天的好心情。

　　走到路口回头看了一眼，好好百货公司的广场上聚满了人，又在搞什么限时促销活动了？一大帮妇女挤啊挤啊，为了那些也许根本就用不着的便宜货。

　　忘记给母亲买被褥床单了，君初不好意思地抓抓头发，"明天，明天下班后一定买。明天星期天，我这记性！"

　　君初也算是个大孝子，每年过年过节必请假回家探望母亲或接她过来小住一段。现在父亲过世，自己又有房子，就滋生出接母亲过来常住的念头。还有蓉妈，也要一起孝顺，说是佣人，其实也跟自己的长辈一样了。君初在上海也算个小有身份的有钱人，但凭浦发银行这一层关系，托他办事的人很多，他架子也不大，能帮的就帮，不能帮的就请人家吃饭，搞得人家反而不好意思起来。老杜经常劝他在上海混要圆滑些、世故些，君初点头是点头，心里也是不肯改变自己做人的初衷。

　　巡捕房的警察来了，围观的众人才散开一条小路。

　　当班的有个实习警察，看见这情景弯腰吐了，可惜昨晚的火锅了。躺着的是一具女尸,身材很好,天蓝色的旗袍是最新的改良款式,鞋子是坡跟,散落在身体两旁。她是从好好百货公司的十八层天台跳下来的,很不走运,头部抢先着地,以至头骨全部裂开,眼珠子都爆出来,脑子也是一摊一摊的涂抹着,并不均匀。因为死得新鲜,那些脑子冒着热气,有点像屠宰场里的猪下水,被遗弃了,散发着绝望的气息。

"你去拿个塑料纸把尸体盖着。"老一点的警察皱眉,指挥着那个在呕吐的实习生。这样死,真是可惜,看样子这女尸不超过三十岁年纪。

"是的队长。"实习生冲到百货公司里去拿塑料布。

老巡警毕竟是经验丰富的,喊道,"散开,散开,没有什么好看的。"

接到通知,今天下午上海市长夫人要来好好百货公司购买首饰,得赶快清理现场。正想着,好好百货公司进门站岗的警卫拿着彩条硬塑料纸飞快地跑过来,对巡警队长道,"哎呀,我认识伊,伊是奥斯邦电台的吴美娜小姐啊!"

一阵混乱,有人说赶快去叫记者,也有人在旁边猜测死因。

过了一会儿,台长李万鼎赶来,确认了尸体。医院来了车,跟警察一起用简单的一副架子把吴美娜运到医院。

李万鼎的眼睛红了,吴美娜是个好女孩,这样的选择她一定是忍耐了许久的,许多不能抗争的,只有逃避罢了。假如那个男人看到了她这副惨相,看到她嘴角流血双目圆睁的惨相,应该没有什么心情再来闹事了。

吴美娜在冰冷的医院尸体库里不肯闭上眼睛。他的男人,来讹诈他的泼皮男人蹲在角落哭,"我不该打你,可我只是想让你告诉我你肚子里的孩子不是我的到底是谁的。"

红尘男女,纠缠不清,谁对谁错谁能判断? 总之,死去了的,并不能一了百了。最绝望的当属吴美娜的父亲母亲,家里唯一的经济来源就这样断了,以后的日子也不知道如何度过。

徐曼丽并不知道,她在选购东西。女人挑选任何一顶帽子和一双鞋子的时候似乎都比挑选男人认真仔细,分析价格、质地,反复地试。

这个周末是属于自己的,不必回家。曼丽选了一条黄色格子带长流苏的披肩,并不便宜,七十元钱。天气冷,顺势披在身上,肩膀一股暖流,这个披肩是第一眼看上去就特别想拥有的,犹如喜欢的人,第一眼看上去就觉得喜欢,那感觉就是正确的。

曼丽对自己的感觉非常自信。但很快就失落了,坐在锦绣西餐厅,看着窗外,地势高,好好百货公司的光束分外耀眼,人、车、灯交集在一起,流动着,无奈的日子。

这家西餐厅生意还算不错,男男女女小声交谈,轻声说话,桌上的蜡烛在烛台上安静闪烁,温暖的那团小火光,看起来很是舒坦。

餐厅老板过来问候,对于经常来吃的客人他是认识的,"曼丽小姐,在等人吗?"

"是,哦……不,今天一个人来吃,给我一盘意大利面,要鸡肉西红柿汁的。"曼丽喝了一口柠檬水,这个是免费的。

"好的。"老板记了下来。

南京路上的沈君初像条逆流而上的鱼,没有出租车,黄包车也难觅,不是隔得太远就是车上有人。以后还是自己买部车好了,福特牌的不知道怎样,听说是耗油,但性能不错,选深蓝色的,也不知道会不会老气,或者还是红色的洋派,不不,跟救火车的颜色一样……糟糕,现在不是想这些的时候!看看时间,七点十分了。曼丽小姐应该没有那么快到吧?或者已经到了?

君初越想越急,干脆跑起来,路过好好百货公司,才知道这条路今天晚上临时改为单行,因为市长太太的购物计划,巡捕房直接把这条路给封了,所有车辆一律不得通过,怪不得没车了。

从南京路开始穿越,霞飞路更是拥堵,跑起来也特别困难。君初抄了近路,从小弄堂里拐了几拐,快得像在追贼。好不容易找到那家锦绣西餐厅,再看看,八点了。

女人迟到是矜持,男人迟到就是理亏。

靠窗的位置上,吃剩的意大利面来不及收,座位却已经空荡荡,盘子里残留的西红柿汁像擦不干的血迹。君初在大厅里巡视,客人、服务生、琴师都大惑不解地望着他。

餐厅经理赶紧快步上前,"先生请问几位?"

君初仓促回道,"对不起,我……我找位徐小姐……徐曼丽小姐……"

经理应道,"喔?她刚走。"

君初扯住经理衣袖,"什么,她走了?"经理也被弄得紧张,指着窗边的位子。"是,就在老位子上,坐了一个多钟头呢。像在等人。她心情似乎不太好,平时似乎很能吃的。"

君初满脸懊恼，却不知道该埋怨谁。

好了，明天再去吧，看来电梯许愿的事情不能相信。

君初随便在摊上吃了碗海米小馄饨，味道还真不错，果记馄饨店，馄饨皮薄肉鲜，海米带些恰到好处的海味。

不知走了多久，芜湖电影院又在眼前。海报还竖立在寒风中，两个女主角的衣服显得单薄，她们是不知道冷的，君初自嘲地想，缩了缩脖子，想起自己的咖啡色领巾。

电影正在放映，门口的人稀稀拉拉，卖糖炒栗子的叫声也是有气无力，略带些糖焦味的气息让行走的人们增加些食欲。君初的衬衣衣领被风吹乱了，也懒得管。

"慷慨的先生。"

君初心里一喜，回头看了，不正是曼丽么，俏皮地笑着，手里扬着那条领巾。此时如果有背景音乐，应数《风中奇缘》最适合。天，她竟然也在这里！君初觉得这哪里是现实生活，简直是一部爱情电影，让人错愕又惊喜。

两人对望。一切尽在不言中。曼丽有点娇嗔，"我不管，你迟到了。领巾是我的了。"

君初笑着点头。

有的人相处一辈子仍然是两个世界，有的人认识一天却仿若前世相逢。

"对了，我还没有自我介绍呢，我叫沈君初，我家那收音机坏了，所以没有听到约定的地点，让你久等了，对不起。"君初跟她一路散步。

"我应该说对不起才是，拿了你的电影票不算，还贪污了你的领巾，现在还害你东跑跑西跑跑的，真是过意不去呢。"曼丽的眼睛里都洋溢着因为再次相逢而荡漾的喜悦。

"那我们就算扯平了。"君初的手插在风衣口袋里，手心都是汗，不知道为什么，这个女人让他觉得紧张又亲切。

曼丽转了个身，把领巾围在自己脖子上，"好看吧，呵呵。"

"是的，曼丽小姐很漂亮。"君初忍不住说道。

"不如我们去外滩散步，反正现在还早——沈先生的职业是什么呢？"曼丽好奇地问道。

"你猜猜？"君初加快了步子，为了赶上她的脚步。曼丽走路稍微有点快。

"我猜啊，生意人？作家？黑社会？"曼丽愉快地猜度，瞎猜，胡乱地猜，跟这个陌生男人相处曼丽有说不出的好感。

君初忍不住笑了，牙齿露出来。"我看你猜的这几个行业相差也太大了吧。我是个摄影师，电影厂里的那种。"

"哦，这样，我差点也要去电影厂当演员了呢。"曼丽叹了一口气，白色的雾从她口中呵出来，"可惜我父亲并不赞成，否则有可能跟你当同事了。"

君初笑道，"曼丽小姐说话真是俏皮得打紧。"

一个黄包车过来，开始觅的时候没有，不要的时候偏又过来，这就是打车的规律。车夫在旁边嚷嚷道，"先生小姐坐个车吧，今天一天没拉活了，便宜点，去哪啊？"

曼丽瞅了那车夫一眼，是个偏年轻的小伙子，肩膀很瘦很窄，眼睛却是出奇的大，眼神分外无辜，好像不坐他的车就是对不起自己的良心。

君初也看出来曼丽的恻隐之心，先坐到车上，伸出手对曼丽道，"上来吧，反正路程也不近。"曼丽被他拉着手上了车，像被触电一样，君初的手指柔软极了，也很暖和。那股激流从手一直传输到耳朵，于是耳朵红了，像可爱的小兔子，还好有头发遮着，否则他肯定会得意一番。

"去外滩。"曼丽对车夫说道。心里一阵忐忑不安：他会不会觉得我轻浮了些？第一次见面就这样的活泼。稳住，稳住，别再多说话。

君初倒没想那么多，他只是觉得有个人陪自己散步挺好的。

下车的时候，黄包车车夫讨好地对君初道，先生的女朋友是小的拉车多年见过的最漂亮的。

明知道是恭维话，君初还是多给了两块钱。

曼丽有点不好意思，倚靠在栏杆上看夜景，黄浦江上的渔火点点，繁华的人群还有那些带些西方气息的外国银行，华丽地树立在江畔。

君初又一次出神地看着她，真是美丽，不单单是外表，还有那种捉摸不透的天真，实实在在地诱导着君初身体深处最原始的欲望。

其实每个人都普通，只是遇见自己喜爱之人，就变得不再平凡。

聊了几句，曼丽觉得自己有些唐突，别人是什么人，自己是什么人。电台播音是个好职业，如果说得太多会让对方觉得自己太好接近了吧？对方对于自己有这样的怀疑，再聊下去也是兴趣索然，干脆对君初道，"沈先生，我看也不早了，不如回去吧，前面就是电车站了。"

君初本来想叫一辆汽车送她，但觉得这样慢慢走回去相处的时间会更久些，于是点头答应了。一阵风吹来，曼丽打了个哆嗦。君初道，"明日可能更冷，要多穿些才是。"

这普通的一句话，曼丽的眼眶红了，自小到大只有母亲未去世前跟自己说过同样的话，从一个陌生男子口中再次听到，不免有些唏嘘。叹息了一声，又迈步朝前了。

对面是蓝色短旗袍的女子，路灯坏了几盏，却又看得不甚清楚。那女子缓缓转过头来向曼丽笑。

"哎，似乎是吴美娜——你怎么一个人在这里，不冷吗？穿这么少！"曼丽认出来了，那女子正是昨天晕倒了弄得自己又不得不回去电台上班的同事吴美娜。

君初插嘴道，"你的熟人吗？"

曼丽朝前走，一边答道，"是电台播音组的同事。"

走近了，吴美娜的脸色白得像死人一般，有点不像平时的样子，说话也是阴里阴气，"曼丽，跟男朋友在约会啊？"

曼丽不好意思，看看君初，"哪里，不是男朋友，只是个朋友，在路上碰见了。"

吴美娜的头发上似乎还挂着冰霜，一字一字道，"我走了，不打搅了。"

曼丽转头对君初说道，"咱们也走吧。"

君初被吴美娜称为曼丽的男朋友，心里很是高兴，但又听曼丽费力地解释，有些不快，随便说道，"你同事说话怪怪的。"

曼丽回道，"她最近生病了，找了个不称心的丈夫。"

"哦，那你喜欢什么类型的男子？"君初顺势问道。

电车哐哐的来到车站，这该死的电车来得真不是时候。君初只是听见曼丽说了句，"大概是沈先生这样的吧。"就坐上电车走了，隔着玻璃做了摆手再见的动作。

留下君初在站台发愣，他似乎没有看见吴美娜在远处怨恨的眼神，也没有看见吴美娜咧开盛满鲜血的嘴唇，冷笑着把掉出来的大眼珠子重新塞回眼眶。

沉浸在欢欣喜悦日子里的男女，看不见鬼，即使看见了，也不至于害怕，怕什么！还有他呢！

　　曼丽在即将睡着的时候迷糊中觉得外面有人敲门，可能是风，迷迷糊糊翻身躺下，今天晚上这么大的风，明天定要戴手套了吧。

　　又是一阵急促的敲门声。

　　曼丽想着，这么晚了，还能有谁？把头埋在被子里，呼吸温暖的空气，外面的世界懒得管他，有什么比冬天窝在被子里睡觉更舒服的事情呢？

　　敲门声消失了，曼丽在梦中露出微笑，她梦见自己到了一个陌生的城市，街头巷尾都是美食，在一栋大楼的拐角处遇见了君初，他对着她招手，曼丽跑过去想邀请他一起吃点什么，他一回头，脸却变了，左手拿着一把血淋淋的剪刀，右手是一叠胶片，恶狠狠地朝曼丽追过来。曼丽拔腿就跑，路边的行人纷纷躲闪。曼丽跑不了多远，被捉住了，君初的脸孔扭曲到变形，抽出剪刀对准曼丽的心脏刺去。

　　曼丽突然坐起来，大汗淋漓。口渴，摸索着去找灯的开关，一只脚踩在拖鞋里，另一只拖鞋找不着了，脚尖在地上试探了好一会儿，就直接踩在地板上了。

　　电灯的绳子在门口，曼丽平时半夜起床的时候在空中凌空一抓就能抓住，今天却不一样，绳子仿佛消失了一般。

　　借着外面依稀的灯光往前凑了凑，应该就在这里了。

曼丽抓住了一只手。

那是一只有血有肉的手,肉却是冰冷的,指甲上涂的是大红的蔻丹。曼丽尖叫一声,吴美娜的脸就在自己眼前,闻得到消毒水的气味。

"你怎么来的?"曼丽惊魂未定。

"带我去买药啊,我生病了不能上班,没有钱,我的父母怎么办? 我还没有拿到钱,我的父母怎么办?"吴美娜泣不成声,眼泪掉在曼丽没穿拖鞋的脚尖上,也是冷的。

她的眼睛流出来的是鲜血,嘴里一边说话一边掉牙齿。

曼丽懵了,不敢开灯,只能呆呆地听她说。

"你带我去吃药,我吃药病就好了,身体好就能继续上班,上班了就有钱给我的父母……"吴美娜反复地说,爬上曼丽的床,她是赤脚,走动的时候骨头架子啪嗒啪嗒脆响。曼丽刚想阻止,吴美娜侧头哀怨地看了她一眼,说了两个字,"吃药。"就躺下来,一摊血迹模糊了床单。

曼丽彻底醒来的时候是在上午十点四十五分,楼下的路人在高声叫骂,谁在上面泼水的声音高昂清脆。曼丽睁开眼睛,床单上一片血红,尖叫了一声后发现原来床单上的血源头是自己的两腿之间,裤子已经全部染红,腹内一阵隐隐作痛。

曼丽想道,原来经期身体虚弱,真的会做这些乱七八糟的梦。天气这么冷,又要下冷水了,真想把家里的佣人调过来用。

幸好上的是下午的班,曼丽起来梳洗,想起昨天的君初,脸就红了,真是个有趣的男人,也恰好能在电影院门前遇见他,也许是上天的安排。徐曼丽,稳住,稳住,一定要稳住。加油,加油,加油!

这样一想,手指透到冰凉的水中也不觉得冷了。

周一下午是电台开会的日子,曼丽也不敢迟到,中午草草做了饭,搭电车来上班,经期是不适合骑自行车的,否则要浪费很多卫生纸,隔半个小时要换一次,很麻烦。

到了好好百货公司门口广场,穿蓝色改良旗袍的吴美娜在人群中对自己点头微笑,曼丽也点头,心想她倒是比我还积极。

她知道吴美娜跳楼自杀的消息是在会上。曼丽脸色苍白,问道,"她是什么时候死的?"

"昨天上午,从顶楼跳下来。惨啊。"李万鼎摇摇头,"建议这个月每人捐出一百块给她的家人吧,今天上午我去流华医院看了她的遗体,很是凄凉,她父母来了,无依无靠的。"

开完会,曼丽有些恍惚,站立不稳。还好是台庆节目改为录播,否则要出丑了,说错了好几个字,只得麻烦导播再录一段。下班时刚好是六点整。曼丽疲惫地摘下耳机,对着播音室外的老张做了一个 OK 的手势,关掉开关。

从电梯里进来一个穿着花店制服的小女孩,手里捧着一束花被拦在电台门口,警卫喊着曼丽,"曼丽小姐,有人送花给你,过来签收一下。"

曼丽瞅了一眼,听众送花是偶尔有的事,也不觉得奇怪,径直走过去,花很别致,马蹄莲用墨绿色的皱纹纸包成三角形,高高的花茎和高傲的花朵。接过来签了字,把花拿到自己的小化妆间,那里有个琥珀色透明酒瓶,因为模样好看,曼丽留了下来。装满水,花就属于花瓶。

卡片上的署名是君初。只有一句话,愿你快乐。

曼丽笑了笑。

下到一层时君初在电梯门口守着,曼丽有点不知所措,道谢,"沈先生,谢谢您送来的花。"

"一起吃饭?"

"不了,我要去医院看个朋友。"

"我陪你一起去?"

"不了,她已经死了。"曼丽的眼泪掉下来,一个活生生的人就这样永远离开自己的世界,让人觉得太残忍。

君初觉得自己下班后直接飞奔这里又送花又等人的举动有点自讨没趣,又或者觉得今天并不是献殷勤的幸运日,只能道别,写了一张卡片,上面是自己房子的电话号码,塞到曼丽手里,"对不起,打搅你了,这里有我的电话,等你有空可以给我打电话,我们也算是朋友了是不是?"

曼丽低垂睫毛,"嗯,沈先生,我先走了。"

登记后,医院的殓尸员带着她来到吴美娜的停尸间。美娜的父母也在。已经确定为自杀,也没有任何遗言,经过鉴定,腹中已有胎儿生成。

吴美娜的母亲对曼丽道,"谢谢你们来看她,是她狠心,丢下我们就去了。"

曼丽也陪着一起哭,尸布揭开的瞬间,曼丽还是颤抖了,那破碎的头骨、凸出的眼珠还有森森的涂满红色蔻丹的手指。

在外滩上见到的是她吗?还有昨天晚上在房间的……她要吃药,她要吃药?她要吃药!

曼丽没有说什么,悄悄地退了出来。

　　曼丽没有打沈君初的电话，那张卡片静静地摆在床头柜前跟曼丽的照片做伴。曼丽喜欢照相，从小到大，相册有好几叠，有些放在父亲那边，每次回家都要翻出来看，好像回到了过去。

　　这个星期回去的时候，佣人王妈和奶妈伊玲刚好出去买菜，姨太太米雯剪头发去了，据说是长头发吃血，不利于婴儿生长。

　　徐伟良从药店里回来，坐在沙发上打算盘算账，一边露出得意的笑容。见曼丽回来了，点个头，反正是自家人，也不忙着招呼她，只顾自己的事情了。

　　"家里就你一个人？"曼丽脱下外套，打开收音机，这是一种职业习惯了，电台并不是奥斯邦电台，放的是国际新闻，曼丽不感兴趣，觉得打仗仿佛是很遥远的事情，倒是东西越来越贵了。

　　"嗯，知道你晚上要来，她们上街买菜了。"徐伟良关上账本跟曼丽说话，"下个月你不用给家里钱了，最近我跟军队做了几单大生意，捞了些回来。"

　　"父亲辛苦了。"曼丽看了看他，徐伟良四十五岁，但皮肤看起来很年轻，他懂得养生之道，有事没事搭配些中药吃吃，曼丽觉得苦，从小就不喜欢，独独喜欢一样——甘草，拿来当清齿零食。小时候去取药方，拿凳子垫高了自己，爬上药柜打开小抽屉,熟练地拿一小把放在口袋里,嚼啊嚼啊,没甜味的时候就吐掉,然后赶紧要一杯温温的白开水来喝,倒吸一口气,感觉十分爽利。

"最近工作忙不忙啊?"徐伟良平时甚少过问曼丽的私事,但最近家中要添丁,怕落个冷落前妻女儿的罪名,就问了。

"还好。父亲……"曼丽欲言又止。

"怎么?"徐伟良抬头看他。

"我的同事,以前来药房抓药的吴美娜,她死了。她很可怜。"曼丽道,其实也并不是有意提起,只是因为之前吴美娜也来过家中几次。

"怎么死的?"徐伟良有些诧异,手中的毛笔掉在地上,地板上留下几个小墨点。

"跳楼自杀。"曼丽遗憾地摇摇头,"挺年轻的。"

曼丽正说着,米雯回来了,剪了齐耳的男式女头,也还精神,肚子比上次曼丽回家的时候大了点。

"曼丽过来了,马上吃饭了,我路过菜场的时候王妈跟伊玲正买着呢,懒得等,就自己回来了。"米雯的眼睛看了看账单。

徐伟良喃喃自语道,"是啊,挺年轻的,真可惜啊。"

吴美娜第一次来徐家的时候徐伟良还真惊叹了一番,她跟曼丽是不同类型的漂亮,曼丽从小看到大,也并不觉得好看了。吴美娜的美是极富张扬的,正常的男人看了就要幻想一下。她穿得并不保守,衣服是故意做小了一码,全身裹得曲线毕现,这样不由得让人联想她脱光了后的模样。同样是年轻人,吴美娜显得更加成熟妩媚,如七月成熟的水蜜桃,惹得男人恨不得扑上去咬一口尝尝是甜是酸。

徐伟良当时按捺着,毕竟是女儿的同事。

吴美娜对曼丽说想不到令尊这么年轻时,徐伟良心里得意了好一阵子,外头的舞女也搞过,但那也并不算本事。

吴美娜去拿药的时候,徐伟良特意嘱咐店员给了她最好的养胃的药,附加了许多珍贵药材。吴美娜回来的时候对曼丽道,"你家里这么有钱你还出来工作干什么?在自家待着,有空出来交际,等着结婚不就罢了!身在福中不知福!"

曼丽不以为然地笑。

总之这次带吴美娜抓药也算是一桩乐事,她的胃病出奇的迅速恢复,一个月后又提了一盒子礼品点心来家中拜访。两人也算是同事加朋友,王妈也是吴小姐长吴小姐短的客气不已——王妈知道曼丽需要朋友。

米雯见徐伟良念叨着，便问道，"老爷说什么呢，谁年轻，谁可惜了？"

曼丽道，"以前来过家里的吴美娜，前些日子跳楼自杀了，据说是被老公逼死的。肚子里还有个小孩。"

"晦气晦气！别在这里说了！"一听说小孩，米雯随即变了副嘴脸，"大吉大利，阿弥陀佛！"

徐伟良想说点什么，又说不出来了，吃饭的时候像在数米，怎么也吃不下去，推说有点不舒服，直接上楼上屋子里坐了。

关好门，拉上窗帘，两滴眼泪从徐伟良眼眶子里滚下来，路过保养姣好的中年人的皮肤，被衣领吸入了，不见痕迹。

吴美娜死了，是真的，死了也好，一了白了。

"是你先勾引我的！"徐伟良最后见到吴美娜的时候说的就是这一句。

楼下该吃饭的继续吃饭，曼丽客套地称赞米雯的短发，王妈与伊玲二人也赶紧顺杆子上爬，左一个太太真美右一个看来看去还是短的更时髦，米雯有些飘然了。平时不爱主动跟曼丽说话，也不禁寒暄客套一番。

"大小姐是否有合适的男朋友？如果有了，不妨带回来看看。"

要是以前，曼丽肯定放下筷子就走了，因为接下来米雯肯定要提那个提了N次的张军统的儿子，但今天这个话题却也还入耳，于是只是淡淡地接了话题，"暂时还没有，但如果有了，会带来的。"

"哦，那就好，吃菜，多吃点，最近大小姐瘦了点。"米雯夹了一块金华火腿放入曼丽碗中。

听说自己瘦了，曼丽十分高兴。曼丽前一阵子还在节食，女孩子，总是希望自己瘦一点，再瘦一点。

王妈道，"大小姐今天时日已晚，不如就在这边歇着吧。明日里再走也不迟。"

曼丽看了看米雯，自从搬出去以后就很少在这个家里住，因为米雯，看见她总是觉得有几分不适应。米雯做了妈妈，戒了鸦片，家里似乎也没那么讨厌了。

米雯听言便道，"住一晚吧，你那间屋子老爷每日都叫伊玲收拾干净了，等下再到我房里拿床厚点的新棉絮垫了去。这么冷，一床被子可不行，那棉絮是前几天才找人弹了，暖和着。"

其实米雯今天出去剪头发时瞒着徐伟良到西医院里做了个胎检,说是一切正常,又在算卦摊上占了一卜,说是男孩,心里别提多高兴了,现在曼丽的存在不存在对于自己都不再是威胁,过一两年曼丽嫁了,就是别家的人,自己的地位也算是正式确立了,即使徐伟良要再纳妾,也只能是偷偷摸摸。对于曼丽,米雯逐渐放松戒备,反而觉得她没那么讨厌,无非就是不喜欢顺从父亲的意思。

曼丽不好推辞了,道谢一番。看了看桌上的钟,八点三十。这个时候君初在干什么呢?像他这样风流倜傥的少爷,应该在某交际花的身边献殷勤吧?曼丽不知道为何想到这里,心里就跟剪刀扎似的刺痛。

睡衣睡裤都是以前留在家里的,伊玲帮自己放洗澡水,曼丽进去的时候浴缸才满了一半,往外冒着热气。

"大小姐你要等会。"伊玲帮忙把香皂和毛巾放好。

"没事,我就在这里等吧。"曼丽看见镜子被蒸汽熏成整块的模糊,手一痒,在上面写字。写完后发现那两个字竟然是"君初",脸一红,趁伊玲背对着自己,赶紧拿袖子擦了,露出自己白皙的脖子和细细的锁骨。

"你们在乡下兴不兴解梦的?"曼丽无聊地问道。

伊玲回头答道,"兴啊,我都会解一二的,大小姐说来听听。"一边拿一只手轻轻放入浴缸试探水温。

"哦,有一日梦见一男子拿着剪刀追杀我,不知怎样解?"

伊玲又问道,"是小姐熟悉的还是从未见过的?"

曼丽想了想,"从未见过的。"

"嗯,如果是陌生男子,就是小姐你的前世。"伊玲道。

话音刚落,曼丽追问道,"如果是熟悉的男子呢?"

"哦,那就是你想被他追求,直到追上为止。"伊玲擦干手,浴缸的水已经接近边缘。热水管子一关,浴室里顿时安静起来。

"那梦见鬼呢?"曼丽岔开话题,怕引起她怀疑。

伊玲表情登时变得认真,"一种是梦魇,一种可能是真鬼。小姐你洗澡吧,以后少提鬼字。"

浴室的门关上,曼丽裸身走进白瓷砖的方浴缸,水温稍稍有点高,得先让脚浸泡一会儿。浴缸旁边的小窗开了一条小缝,那是透气用的,安了窗帘,米黄色配些红花,显得俗气温暖。

温度差不多了，曼丽往下蹲，到胸口时最舒服，头枕在毛巾上，说不出的畅快，顺便拿出香皂看包装，"美丽牌香皂，好好百货公司出品。"

好好百货公司，曼丽觉得好笑，拆了包装拿在鼻子下嗅嗅，一股檀香混合蜂蜜的味道，弄湿了在手上搓了泡沫在脸颊抹着，这种香皂据说是可以洗脸的，蜂蜜滋润。

曼丽把香皂放在小窗旁边的香皂盒子里。洗着脸，忽然脚下有点滑，一只手赶紧撑起来，把身体往上挪了挪，一团泡沫就不小心随着手背飞到眼睛里，曼丽觉得眼睛有点刺痛，闭上眼睛摸索着毛巾。

小窗的缝突然打开，曼丽感觉风一下子大起来。

毛巾，毛巾搭在哪里了？应该就在附近。

曼丽摸到一只手，冰冷的手，似曾相识的感觉，那只手掐着她的脖子狠狠往浴缸里浸，曼丽试图睁开眼看清楚，突然脸上一阵剧痛，被抓伤了。

王妈在敲门，"小姐，有什么事吗？"

曼丽的手在空中乱舞着，一切忽然停了，那只手已经消失不见。

"没……没什么事。"曼丽闭着眼睛摸到毛巾，擦了擦眼，差点晕死过去——她摸到的不是毛巾，而是一件蓝旗袍，下摆撕裂了，上面沾满血迹。再看浴缸里，一小块一小块漂浮的是人的脑和肠，沉下去的是迸裂的小碎骨，有些还不及融化的大冰块包裹带皮的肉，刺鼻的腥臭味随着浴缸的热水散发得到处都是。

蓝色旗袍，跳楼自杀，吴美娜！

曼丽穿上浴袍大喊，"快点来人啊！"

徐伟良在上海虽然算不上是名流，但早年也结交了不少官宦，黑白两道也打点过不少银子。这一个电话，本区巡捕房的陈赤斌队长赶紧来到徐家，看了看浴缸里的漂浮物，恶心了一阵，捏着鼻子翻了翻那件带血的蓝旗袍，用夹子装了几块漂浮的脑在塑料袋里，又把那件蓝色短旗袍一起装了去，对瑟瑟发抖的曼丽道，"你平时得罪过什么人没有？"

曼丽拼命摇头。

王妈在房子里安慰米雯，要她别惊吓过度，别影响了自己肚里的孩子。

伊玲倒了杯茶给陈赤斌，"队长请喝茶。"

"你怎么断定这就是你以前的同事吴美娜的衣服？"陈赤斌有点瘦，但精力充沛，两只眼睛炯炯有神。

曼丽哆嗦道，"我见过她穿过这件衣服，这几天，我总是梦见她。"

陈赤斌在心里冷笑了一声，"别这样，也许是你得罪了人，或者徐老爷生意上的对头故意整你们。"

曼丽忽然觉得有点安全感，无助地看了看徐伟良。徐伟良的脸色也是苍白如纸，缓缓道，"生意上的对头……恐怕也没几个。"

"您这话可就不对了，俗话说商场如战场，打仗总有流血死人的事情的。"陈赤斌喝了一口茶，看着手中的塑料袋，"别担心徐老爷，这事情我会帮你查清楚。如果您需要，我调两个手下二十四小时在您房子周围巡逻巡逻，看谁敢再这样恶作剧。这下您放心了吧。"

徐伟良大为宽心，恶作剧这三个字让人听了真是安慰，连忙拱手道谢，"那就让陈队长费心了。"

"没什么的，维护治安是我应尽的责任嘛。我看也不早了，我这就回了，有什么消息我会随时联系你的。"陈赤斌起身告辞，扯了扯衣服的下摆。

"好的，多谢多谢。"徐伟良对伊玲使了使眼色，拿眼睛朝房里看了看，伊玲自然是明白，赶紧去徐伟良卧室抽屉里拿出个红包。

徐伟良拿红包塞到陈赤斌口袋里，"给兄弟们喝茶。"

陈赤斌呵呵笑了两声，将红包推回给徐伟良，"徐老爷见外了，见外了。"

推辞来推辞去，还是拿了。

门外汽车发动的声音。大门关了的声音。然后只有一屋子人呼吸的声音。

"曼丽，去睡吧，别怕。"徐伟良走入房中。

伊玲问道，"小姐我去打扫浴缸了，你早点休息，要不要我再放缸水洗澡呢？"

曼丽拨浪鼓似的摇头。她的脸被抓破了，在担心会不会留疤，从左眼角到右嘴唇，一道血痕，火辣辣的痛，那些皮，都藏在抓她的那只手的指甲缝里了。

早晨起来的时候大家都忍着不提昨天晚上的事情。

伊玲干呕了一下，接下来是王妈，然后是曼丽和米雯。

伊玲是刷浴缸的时候闻到那股人脑子味。

王妈是过来帮忙，浴缸下水口被堵塞了，拿手去摸索，摸出一块头骨碎片。

曼丽是早晨换衣服时发现自己腋下夹了一小片碎肉，红红软软的。

米雯是妊娠反应。

徐伟良叹息一声，放下筷子，叫了汽车送曼丽去上班。

下午的时候陈赤斌再来徐家，脸上俨然已经没了昨晚的自信和神气，只是说道，"我带着这些物什去流华医院停尸房看了。吴美娜赤身裸体，脑子跟肚子被挖得稀烂，不成人形了，她父母哭得喘不过气来。她父亲当时咳血，看样子估计也活不了多久。问他们尸体的事情都说不知道。"

曼丽并不知道。除了六千八百块抚恤金外，电台的职工又凑了些钱给吴美娜的家人，因为他的父亲也生病了，需要马上住院。曼丽捐出了存的一千元。在奥斯邦电台，曼丽算是跟吴美娜最要好了，还带她去过家里吃饭，今后没有这样的机会了。

徐伟良听罢陈赤斌一番陈述，只是道，也许她死得不甘心罢了。

陈赤斌道，"不管她甘心不甘心，谁也不该上徐家开这样的玩笑，恶心透了。我先走了，下午局子里要开会。"

送走陈赤斌，徐伟良去药房做例行巡视，最近新开了两家分号，生意很是繁忙。照例是叫了汽车。昏暗的天，这雪要下不下，烦人的天气。

"是你先勾引我的。"

听完后吴美娜没再说话，转头就走，背影婀娜，天蓝色的旗袍是徐伟良曾经称赞过的，说是衣服衬托了人。

吴美娜结婚结得早，十六岁就定了亲，父母的心愿就是让她早日有归宿，也减轻家里的经济负担。嫁的人是上海市一个邮局的收发员，刚结婚倒好，没过几年本性露出来，抽大烟、喝酒、赌博、逛堂子，样样都来。做收发员经常克扣客人的邮包，能吃就吃，能拿就拿。有些外地顾客寄些花生到上海，他收了，从邮包下面挖个洞，把花生掏出来吃了，再把花生壳塞进去，说是老鼠吃的。屡次如此，后来被邮局开除了，成了个名副其实的小混混，混到后来连喝酒的钱都没有，就同意吴美娜出去工作。做播音员的工资也算不错，除了基本的两三百块生活费给了吴美娜以外，其他都据为己有，说是老婆的钱就是自己的钱。

吴美娜生病了没钱看医生，胃痛得抽搐，被曼丽看见了，带她去看医生，药钱是曼丽帮忙给的，也便宜，自家的药店。

徐伟良喜欢吴美娜淡淡忧伤的样子，还有那种成熟的韵味，成熟的思想和身体。起初只是约着在外面吃茶，后来米雯回老家那几天，吴美娜也敢来，他的丈夫因为闹事在巡捕房里要待一个星期。徐伟良支开了佣人，单独跟吴美娜在一起，动作也利索，因为是偷，那种色胆包天的意味让徐伟良瞬间又回复了年轻。

吴美娜的功夫很是了得，她坐在徐伟良身上，臀部不停旋转，徐伟良真想一辈子就这样占有她。吴美娜风情万种，完全是米雯不能比拟的。何况米雯怀孕了，让她用嘴又嫌脏，吴美娜不同，不但愿意 BLOW JOB，而且愿意吞下去，咕嘟咕嘟吞咽的声音让人听了十分满足，连沾在上面的任何一滴都不放过。

他也愿意吻她，因为她说从来没有被人吻过那里。

她说她爱他。他问为什么，她说是因为他不打她，说他是个让人觉得可以依靠的男人。

徐伟良的开销突然变得很大，吴美娜美是美，爱是爱，钱还是要的，自己的工资要归男人挥霍，给父母的家用就从徐伟良这里支，刚好徐伟良的家底子也有些，也养得起，也无所谓了。

但上次进货被劫又被雨水打湿，徐伟良手头就有些窘迫。每当吴美娜私下提钱的事情，徐伟良有点支支吾吾，突然想起嫖的好处——日完一次就给一次钱，不日就不用给钱。良家妇女好是好，就是动了真感情，很麻烦。

徐伟良要开分店，经济更紧张了。徐伟良对吴美娜彻底摊牌，"不行了，暂时不要见面了，过段时间吧，你看我家连佣人都辞了几个。等经济好一点，一定给你补偿。"

吴美娜眼睛红红的，"我家里那边需要，父亲的肺痨要赶紧治，医生说否则来不及了。"

"来不及也没有办法的，我手头紧，如果不开分店的话也还好说，但地租都已经交了，再等段日子，到明年夏天就宽裕了。"

吴美娜跪在地上，"我真的很需要钱。"

徐伟良觉得她很贱，那一瞬间。原来她跟他在一起就是为了钱，一切都是钱，看上的就是钱，这个不要脸的婊子，原来自己跟那些嫖客一点分别也没有。

"以后不要再来找我了，这些钱给你。"徐伟良从兜里拿出一个信封，这是预备今年年底打点税务司司长的钱。

吴美娜抖抖双手接了，感激道，"谢谢你，徐老爷。我替我父亲谢谢你。"

"好了，从此以后就当彼此从来没有来往过吧。"徐伟良拂袖而去，甚至为了看清这样一个女人的面目而暗自高兴，肩膀上也是觉得轻松很多。

男欢女爱如果涉及到经济或婚姻，男人是非常敏感的，如果是已婚男人，更是小心。吴美娜喜欢徐伟良，大部分也是冲着金钱去的。她也正好是他喜欢的那道菜，只是吃到最后发现菜里有只大青虫，虽然不是故意放的，却发誓再也不去动了。

原本以为就这样了。那些激情就淡忘了，吴美娜却跟曼丽二人再次来到药房，还带了吴美娜的母亲，说是给肺痨的父亲买些补身子的药。徐伟良想，吴美娜无非是又来讹诈钱，当了女儿的面也不好发作，只得当作是做善事了，送了好些药给她。没收钱也不心疼，药是药，钱是钱，徐伟良把它们分开看，就如女儿是女儿，女人是女人一样。

徐伟良对吴美娜道，"美娜你进来，有副特效药不错，跟我进来拿。"

吴美娜的母亲对曼丽道，"多谢你父亲了，真是个大好人呢。"

曼丽毫不掩饰得意，"当然了，娜娜是我的朋友嘛。"

到了药房里面的屋子，徐伟良递过去一个小药包，纸是厚厚的牛皮纸，防潮。

"你又来干什么？"徐伟良有点懊恼的况味。

她穿的是那件曾经在他眼中最着迷的蓝色短旗袍，衬托出她的双腿修长完美。

"我们还有什么要说的？"徐伟良冷若冰霜，既然两不相欠，多说无益。

"上次父亲的病谢谢你，现在暂时稳住了。我很想念你。"吴美娜的双手从后面抱着他，十指紧紧扣着他的腰。

徐伟良的手伸过来，一只一只手指地掰开。她抱得紧，徐伟良硬着心肠用力地将她的手从自己的衣服剥离下来，再回头，吴美娜的眼泪已经满脸。

"别这样啊。"徐伟良帮她擦眼泪，"以后你要自己照顾自己，过自己的日子，我们就到此为止了。是真的，我不想惹麻烦。你也知道，米雯要生了，她也不容易，而且她是不可能接受你的。"

不爱就不爱，为什么会生出那么多的借口？

不爱就不爱，为什么还要说要自己照顾自己？

不爱就不爱，为什么看到你的时候还是奋不顾身地扑过去？

你不爱我，理由是什么？你不爱我，我还要理由干什么？理由要来了也是伤心。

"我也要生了。"吴美娜哀哀地说，"你要的话我就生下来，你不要我就做掉，你给钱。"

"钱？我怎么知道这孩子是谁的，我难道还要帮你老公养孩子吗？"徐伟良连仅存的一丝好感都消失了。

"我确定是你的。"

039

"好啊,那你自己想办法,把孩子养大后再来找我,看他像不像我。"徐伟良把手放在背后。

"你怎么可以这样?"吴美娜绝望了,"我并不是只想要你的钱,我想跟你在一起,我想跟他离婚,跟你一起生活。"

徐伟良冷笑道,"你在做梦。"

"我们以前不是很开心吗?你不是唤我作你的心肝宝贝吗?你不是爱我的吗?"

"是你先勾引我的。"

听完后吴美娜没再说话,转头就走,背影婀娜,天蓝色的旗袍是徐伟良曾经称赞过的,说是衣服衬托了人。

徐伟良轻轻吁了一口气,从明天开始又是一个好丈夫,好父亲,好老板。他对待店员很体恤,经常问刚到上海的新店员,在这里吃甜食习惯不习惯。

而我们普通众生对好人与坏人的区别大约是这个人对我是好是坏,假若是坏人,没有害我,大约也不见得坏到哪里去。

没有人听见吴美娜在夜晚挨打时绝望凄厉的哭声,房门关得好好的,是独门独户的小危楼。从巡捕房里放出来的丈夫喝了酒,心里很不爽,拼命地用脚踢她。他很少打她的脸或者肺,他要她上班,要她赚钱,供他挥霍。

吴美娜护着肚子,"别打了啊。我肚子里有你的孩子了。"

不说倒不要紧,一说,那醉汉红了眼睛,连着拳头一起上了,吴美娜口吐鲜血跪地求饶,"别打死我了,我还有父母啊。"

"你肚子里的种是谁的?不说我连你父母一起弄死!"吴美娜不知道他的丈夫是死精症,因为永远不能有后代,所以一直郁郁寡欢。现在死精症的男人有了后代,真是奇迹,但这个男人并没有见证奇迹的狂喜。

"是你的,是你的!"吴美娜大声喊着。

"我的?我的?我他妈的已经从邮局走人了,你还给我绿帽子戴啊?我他妈的多久没搞你你记得吗?你说你怀孕了你要脸吗?"

吴美娜躲着,缩到墙角。后来懒得躲了,头发被抓住,他的膝盖结结实实磕在自己胃上,一阵眩晕,昏迷过去。再起来的时候丈夫已经不知所踪,地上一摊呕吐物。

不知道过了多久,她挣扎着爬起来,扶着墙壁站起来。看看时间,要上班了。

洗脸,牙齿被打得流血了,脸盆里的水成了淡淡的红。烧了壶水倒在桶里,掺些冷水,蘸着洗澡,天气很冷,比冬天更冷的是这生活。

无法再坚持下去了,不是吗?

吴美娜看着自己肿起的小腹,呆呆地看了十分钟,忽然笑了,不知道明白了什么。毛衣是去年冬天的,依旧很温暖。有些事情,怨不得天,怨不得地,怨不得父母,只能怨自己。用牺牲成全另一种牺牲,然后发现毁灭这些美好的平静的日子的正是自己,"罪人,罪人,傻瓜,笨蛋,神经病,瘪三,婊子,烂货,下贱,淫妇,荡妇,白痴,怀了野种的蠢货……"每说一个词,吴美娜就在镜子前扇自己一个耳光,直到两边脸的红肿程度相当。

吴美娜擦了擦眼泪,把受伤的脸裹在围巾里,向电车站走去。坐在自己身边的是一个戴眼镜的年轻男人,大约刚洗过头,风带过来的是洗发膏的香气,海鸥牌,没错的。吴美娜深呼吸了一口,他被看得有点不好意思,羞怯的表情。

吴美娜想,如果这个人是我的丈夫,我也不至于沦落于此了。

他下车了,身边空荡荡了。

本来以为可以坚持播一次"爵士风情",她喜欢这个节目,也喜欢自己唯一的朋友徐曼丽。哦徐伟良,怨不得徐伟良,该怨的是自己……

一口血从胸口涌到喉咙进到嘴里,吴美娜咽了下去,看着自己的影子,玻璃上映衬着狰狞变形的脸,支离破碎。另外一个破碎的自己对自己笑,眼白拼命鼓出来,牙齿一颗颗掉下来,秃秃血嘴好难看。

"有鬼啊,播音室有鬼啊!"

吴美娜哭着从玻璃房子跑到走廊。她终究是崩溃了。

值班副台长见吴美娜的样子赶紧道,"我叫警卫送你去医院。"又吩咐老张去请曼丽过来救场。

一口鲜血终于忍不住喷了出来,地上、墙上一片眩目的红,还有血块夹在其中。吴美娜颤抖着擦了擦嘴角的血,"我……不行了。"

"警卫,快点送医院!"

"老张,你快点叫人!"

"你杵在那当菩萨啊?手里有拖把赶紧把地上的血弄干净!"

流华医院里，医生摇摇头，"胎儿保不住了，全部碎了。谁这么狠心？今天先止血，明天做流产手术。"

"不！"吴美娜大声抗议。她睡的是木板床，在医院的走廊上睡，因为是没钱的那种人。

医生是个女的，冷漠道，"你要个死孩子干什么用？别闹，闹就出院。"

吴美娜哭了。一个人，静静的，没有人陪，不知道为什么想起了电车上的眼镜男子，希望他是她的丈夫。她不敢想别的，怕哭得更凶。

长长的，阴森森的医院走廊，那些咳嗽声、叹息声、鼾声混合在一起。这几天月光是难得见到的，从窗外分享了一些给走廊上熟睡的穷病人。吴美娜的影子被拉得很长，一步一步跌跌撞撞往前走，没有回头，那是因为没有留恋的理由。

她回家了，她知道他不在，这个时候是喝酒时间。

她翻出了那件天蓝色旗袍，领子、裙角都有一圈白色的绒毛，下雪天穿兴许更好看。吴美娜一往情深地抚摸着，套在身上。鞋子是坡跟的，羊毛袜连裤袜贴身穿了。涂指甲油，左手右手交替着，天拿水的味道混合凛冽的冷空气吸进肺里，吹出来，一会儿就能干了。红艳艳的，真是喜气。

头发散开，用梳子缓缓地梳，有些蓬松。用了些发油，头发于是顺从地趴在肩膀两边。眉毛不用描，吴美娜的眉毛本身就是漂亮。打了少许粉，红肿的眼睑下多扑了点。最后是唇膏，依旧是红色。

吴美娜看着镜子里的自己发呆。

那阳光照进来，照着伏在胳膊里睡着的她。

从电梯到顶层，吴美娜吸引许多人的目光。

"吴小姐今天真漂亮。"电梯小姐恭维道。

"谢谢你。"吴美娜悲哀地看了看她，脸是扁平的，眼睛吊梢着，嘴角有颗痣，这样的平凡女子，肯定也有人喜欢，应该是幸福的一辈子。

天台平时也不锁，站在上面，迎着冷风，吴美娜整理了下头发，往下看，小腿肚有些哆嗦。如果回到俗世，继续挨打，继续后悔，继续暗无天日的生活，不如了断轻松，疼也只是一瞬间，比一辈子受苦好。

当她觉得像天空中的飞鸟一样自由的时候，那声沉闷的落地声就是她的绝响。其实吴美娜是喜欢平躺的那种姿势落地。

　　曼丽在节目中送了一首《四季歌》给吴美娜寄托哀思。她什么都不知道。节目完毕时照例向听众问候晚安。看到玻璃里自己的脸有些异样，后脑勺渗出深红的液体，再一眨眼，复又清晰。

　　老张关了机器，待曼丽出来道，"我送你到电车站吧。"

　　曼丽点头说，"好的，其实我还真有点怕呢。"

　　"她生前你对她那般好，她不会害你的。"

　　"尸体今天应该运回老家吧？"

　　"差不多，钱已经送过去了，我们也算是仁至义尽。"老张也为吴美娜感慨，"何苦呢，熬一熬，好死不如赖活着。"

　　"听说他父亲这次也很不好，受了刺激。"曼丽一边穿上外套，看老张蹲下锁门，警卫已经下班了，电梯停在电台这一层。

　　"是啊，肺痨，不知道治得好还是治不好，唉。"老张关灯，锁门。楼下还有个二十四小时值班的警卫，电台贵重的仪器安心放在这里，小偷即使进来也得费功夫搬上一番，不好转手，卖铜也卖不了几个钱。

　　到了一楼。好好百货公司打烊了，几个来不及出去的顾客跟曼丽他们一起坐电梯走特殊通道。电梯小姐也下班了，曼丽按了个1。

总觉得身后有人，回头看，什么也没有。

吴美娜的笑脸在电梯光亮的镜面上似乎一闪而过。曼丽揉了揉眼睛，拍了拍胸口，暗示自己，幻觉，是幻觉。

电车站到了，老张道别，"别想那么多了，人生不就是这么回事。不做亏心事，不怕鬼敲门。"

曼丽点头上了车。这班车没有一个乘客，卖票的大妈睡着了，头歪着像几乎断了一样。曼丽还是买了票，省不了这一元钱。

下车步行几分钟回家，风冷飕飕的，曼丽脸上的痕迹若隐若现，因为上班前擦了增白的粉底，又用遮瑕霜一点一点涂抹着，也看不出个究竟，同事偶尔问到，曼丽也早就准备好了答案——擦玻璃时让碎玻璃不小心割到了。

大家都很忙，除非是家人或爱人，没人关心你的伤口。

门口有张纸，曼丽心里一热，赶紧进屋开灯看了。

"曼丽小姐，昨天晚上我来到这里，是从电台警卫那里知道你的地址。因为没有接到您的电话，心里又十分的惦念，等了许久，您却不在家。如果您看到这张纸，请您原谅我的冒昧，如果您有空，给我来个电话好吗？慷慨的先生留。"

慷慨的先生。曼丽笑了，看见那张卡片仍然摆在桌上，现在打电话？九点多了，太晚，打搅人家休息，明天吧，明天晚上，下了节目就给他打。

想起那天的噩梦，曼丽不敢关灯。虽说死去的是自己要好的朋友，心里还是毛毛的。洗脸的时候不敢再用檀香蜂蜜皂，怕泡沫迷了眼睛。只是用温水对着镜子轻轻擦着，那道抓痕渐渐显露出来，血早已经凝固，结了薄薄的痂。不能抓，抓了就留疤。

倒在床上，滚来滚去，开灯不习惯，关灯又紧张。想想吴美娜的惨状有几分害怕，想起在家洗澡的情景有几分恶心。

"君初先生，对不起了，我不是故意要拿你来幻想的，因为我实在是没有别的东西可想了。"曼丽在心中默念着。

想什么呢，明天他会带我吃什么？君初一定会问，你想吃什么呢？曼丽闭上眼睛，舌头舔了舔嘴唇，城隍庙小吃吧，可以选择的东西很多，而且那样的环境让人放松，因为嘈杂，可以大声说话。吃完了以后去干什么？看电影吗？《姊妹花》是看过了的，散步？总不能老散步，买东西，又显得很俗气。烦恼，烦恼，烦恼！不如听他的意见——这样的事情让男人拿主意，麻烦，麻烦，麻烦！跳过这一段，想想万一君初先生跟自己谈恋爱了,会不会跟自己结婚? 穿什么样式的衣服订婚? 红色、白色或者粉红色? 不行,还没有想求婚的情景呢! 会不会是单腿下跪,或者是双腿? 不能是双腿,那我成了他长辈了。不知道他喜欢生男生女,我喜欢女孩,他大概喜欢男孩吧。生个男孩也不错,像他爸爸那样英俊,别太调皮了……

曼丽大概觉得自己是真的想得太远了点,抱着被子痴痴地笑。

灯就在这一瞬间自己灭了。

屋子里一片安静,笑声却没有停,曼丽把头埋进被子。不会吧,竟然停电,往窗外望去,一片漆黑。

没有停的笑声是从窗户附近发出来的,一团黑影越来越近。

曼丽不敢看,两条腿不停地发抖,是谁? 是人? 是鬼?

被子被慢慢揭开,曼丽的眼睛紧紧闭着,她能感觉到身上的冷。一只手从自己的脊背慢慢地往上爬,脖子,头顶,额头,眼睛。

到了眼睛停了,指甲很长。

那只手把曼丽的上下眼皮用力分开,它要曼丽看。

曼丽睁开眼睛,然后昏了过去。

昏过去的那一瞬间看到的是吴美娜的脸,但不是真正的脸,吴美娜的脸在跳楼的时候摔碎了,贴在一堆黑红色烂肉上的只是一张吴美娜生前的照片,大大的眼睛,笑起来上扬的嘴角。

曼丽早晨醒来窗外一片白茫茫,下雪了,阳台上厚厚的一层。窗沿有手印,不知道是哪个顽皮的小孩留下的,曼丽笑了笑,孩子们早早的打雪仗了,嘻嘻哈哈的,你追我跑。还是小朋友开心,无忧无虑。

"但愿昨晚是个噩梦。"曼丽自言自语道。既然心里如此不安,还是去流华医院一趟。懒得细致化妆,除了遮瑕膏,草草涂了眼影就出门。感觉嘴角有一粒泡饭,一定是刚才吃剩的早点,看四周无人,舌灵巧地伸出来朝右边迅速一伸,将饭粒卷入嘴里,嚼了嚼,味道尚可。这是曼丽可喜之处,绝望时学习享受,悲伤时也不忘跟自己开玩笑,即使遭遇恐惧时仍不会忘记欣赏草滚露珠花飞花舞、菊残傲霜青松堕雪之美。

吴美娜的尸体仍然在塑料布里躺着,僵硬。她父亲住了院,她母亲坚强地照顾着他。住的是劣等病房,伙食不好,老人家出去买鸡蛋了。曼丽看了看躺在病床上的吴美娜的父亲,不敢上去打招呼。悻悻地从医院走出来,离上班还早,四下游荡着,准备打个电话给君初。想想这个时候他应该在上班,还是不打了。

君初在试镜头,男女主角拿着剧本正对台词,君初缓缓移动着摄影机,灯光准备就绪。他认真极了。女主角钟淑琴偷偷看了他一眼,心想等下那场吻戏要是换成君初多好。今天早晨打招呼时闻到他嘴里清新的中华牙膏气息,让人有接吻的冲动。

"卡!"导演一喊,钟淑琴马上跟男主角分开,走到君初跟前撒娇道,"君初,我要看嘛,我看角度正不正。"

君初道,"你等等。"

把机器调为回放,钟淑琴赶紧把头跟君初凑到一块儿,刚好够他的肩膀。君初闪到一边跟导演讨论布景的细节。

钟淑琴生气道,"君初你过来嘛。"

"你要看,没说让我也陪着看。"君初扬了扬眉毛。

导演奚落君初,"艳福不浅嘛,钟淑琴这座冰山遇见你就是喷发的火山。"

灯光师笑得发抖了。

君初沉了沉脸,假装正经道,"兔子不吃窝边草。"

导演拍拍他的肩,"老兄,肥水不落外人田。"

这个时候饭来了,大家全都吃饭去了,钟淑琴气得直跺脚,"沈君初你给我走着瞧!"

君初大约听见了,转身道,"我现在正走着,你瞧瞧。"

他很少笑,今天大约是心情好,笑起来很好看,钟淑琴呆住了,他妈的,真是迷死个人了!再看看男主角,还在回味刚才那个吻,咂巴咂巴的像头猪一样。

下午又补拍了几个镜头,钟淑琴分外认真,该哭就哭,该笑就笑,君初也挺佩服电影从业者,怎样做到的呢?

"君初,今天拍得顺利,晚上我请客去何须归大家吃个饭怎样?"导演王颖是个山羊胡,名气属于中等大小,思想却很先进,留过洋,跟君初颇为合得来。

大家拍手称快,钟淑琴最为高兴。

君初看看时间,"对不起,我得马上走了,昨天收到的电报,我母亲今天从老家过来,我得去接火车。"君初的父亲是上海人,母亲是湖南,原配一直在老家住着,因为不讨父亲的喜欢。君初一直都在上海呆着,放假了偶尔回去一趟,母亲一见他就是哭,问姨太太们有没有打他。到这时候君初的父亲就会呵斥道,你看看你吧,谁敢打你的宝贝儿子,我都不敢。母亲便破涕为笑,拿君初最喜欢吃的糯米团子出来。君初的性格随父亲,并不厉害,但心里很有道道,不吃辣椒也随父亲,喜欢甜的、柔软的食品。

"真扫兴啊你小子。"王颖顺势捶了一下他的后背打断了君初的回忆。

"大家去玩吧,下次请大家到我家中做客,母亲这次一定带了许多湖南老家特产来。"

"好啊,给我多留点腊肉跟酱板鸭哦。"灯光师傅是最嗜辣的。

"没问题。那这样我先走了,各位辛苦。"君初戴好领巾,出了电影厂,这一条是后来新买的,仍是咖啡色,对于喜欢的东西君初总是重复地执着地喜欢着。

原来雪这么大了。大片的雪花飘洒着,君初想起四岁过生日那天,跟父亲一起堆的雪人还有个名字,叫阿呆,因为他不动的样子有点呆。

父亲用煤球给阿呆做了眼睛,胡萝卜做鼻子,扫帚做了手,手里还提了个桶。小君初把脖子上的围巾取下来给阿呆挂上,父亲不让。

"那阿呆不会冷吗?"小君初仰头看着父亲。

"哦,侬这么好心啊。"父亲抱着他,君初认真地将围巾围好,那时候小君初穿着母亲缝制的黑灯芯绒面子的棉鞋,憨憨的,脸蛋冻得像苹果,任哪个大人看了都想亲上一口。

小君初从父亲身上下来又道,"爸爸等一下子啊。"

父亲见小君初又跑到厨房拿了一根胡萝卜出来,问道,"不是有个鼻子了?"

小君初认真地把胡萝卜插在雪人的肚子下方,对父亲道,"阿呆是个男子吧?"

再看父亲,蹲在雪地里笑得肚子痛。

春天来的时候,雪人阿呆融化了,君初为此伤心了好一阵子。好的东西总是消失得太快,匆匆又匆匆,留不住的用来怀念,不被岁月冲刷的慢慢沉淀。

君初松了一口气,抬头看看候车室窗外的天空,雪仍然在下。还有母亲仍然健在,孝顺还来得及。

蓉妈眼尖,一眼就认出高高大大的君初,拼命地挥手喊道,"君少爷,这里,这里。"

　　廖金兰看着自己唯一的安慰,眼泪又不由自主地掉下来。

　　母亲老了,君初的鼻子也酸酸的。

被褥是新的。廖金兰道,"都是我,没在电报里说我带了被褥过来。本来想省几个钱,结果却去了个多的。"

君初看着帮忙的蓉妈,使了个眼色,蓉妈会意,"太太别埋怨了,君少爷也是一片孝心。"

廖金兰看着在旁边有点窘的君初,这才罢休,"也好也好,反正这些东西买了迟早都是用得着的。"

"是的,妈。"君初松了一口气。

廖金兰参观了下新房子,很是满意,坐在沙发上把大包小包一一打开,除了衣服,还有瓶瓶罐罐一大堆,有腊鸭、腊鱼、腊肉、腊兔、腊鸡、腊香肠,还有萝卜干、剁辣椒,新鲜辣椒装了满满一袋子。最后是个小包,君初好奇地凑过去看是什么宝贝,不看也罢,看了哑然失笑,里面尽是些葱头、蒜、生姜等佐料。

"妈,上海的菜市场里头也有这些卖的,赶明叫蓉妈买几斤摆在家里让您用个够。"君初哭笑不得。

"哎呀,你们上海的辣椒不辣,葱也不好吃,姜也没生姜味,什么都放糖。我上次住过一会儿又不是没吃亏,这次学聪明了,我自己带,反正都是乡下地里的,不花钱。"廖金兰总是说"你们上海"或者"你们上海人",这让君初非常不爽,但想起老人家习惯难改,也就由她去了。

"妈,这次来就不走了吧？"君初蹲在地上拉着老太太的手,有点撒娇的意味。

廖金兰心里很舒服,但嘴上道,"你们上海我住不惯,到了清明节我还是得回长沙老家给你父亲扫坟去。"

"那您就要在这里陪我过年了。"君初像个小孩一样高兴地跳起来,蓉妈慈爱地看着。晚餐蓉妈本来是要自己做,君初执意要在外面请客,廖金兰老太太也禁不住软磨硬泡,只得答应了。

为了顺应廖老太的口味,君初提议去家湖南馆子,老太太也有点不好意思了,"算了,赶这么老远的来还是吃湖南菜挺不划算的,去吃你们上海菜吧。"

君初吩咐司机,"到老上海餐厅。"

那是最著名的上海餐馆,要了个包房,进去倒是见到些熟人,影视界的与商界的,纷纷过来跟君初打招呼,廖金兰很高兴,觉得儿子在上海混得不错,对蓉妈耳语道,"不少人认得他。"

蓉妈点点头,"是啊,君少爷倒是吃得开,这点跟老爷很像。"

廖金兰叹口气,"除了嘴巴笑起来随我,其他的……"

到了包房,廖金兰道,"哎呀,连勺子、菜盆都是喷金上去的,在这里吃饭很贵吧君初？"

"不贵,这里的老板是杜先生的朋友,以前来的时候见过几次,待会结账时拿他的片子可以便宜很多的。"君初说的的确是事实,银行的执行董事 MR.杜的面子还是值得几分钱的。

"这样啊,改天叫杜先生来家里吃饭喽,我来弄几个菜噻。"廖金兰说话带些长沙地方口音,君初听了十分亲切,就像回到了小时候。

点菜的时候君初吩咐跑堂的店员,"少放点白糖。"

蓉妈赞许地点点头,夸赞道,"君少爷真是体贴的,知道老太太不好糖味。细心的孩子。"

细心、体贴,还是随他那死去的父亲。廖金兰在心里暗自想,今天是怎么了,老是想起那气人的老东西。百年之后,也随着自己的意愿葬到自家坟地。老东西死的时候挖了两个坑,一个埋他,一个埋自己。

上菜的时候君初朝窗外不经意地看了看,夜空下的上海被白雪覆盖着,那些高楼的塔尖就像童话的城堡,有些神秘,灯光下的白雪也似乎有了五彩斑斓的颜色。菜很丰盛，螃蟹的个头也大，老太太兴致勃勃地剥螃蟹的腿肉，像小孩一样非得自己亲自动手，不让君初帮忙。蓉妈最喜欢的是那西湖莼菜，酸溜溜的。君初给蓉妈说莼菜与郑板桥的故事，说郑板桥当官的时候说做不好官，就不如回去种莼菜。正说着，被老太太打断了，"你别欺负蓉妈老实不知道，郑板桥说当官不为民做主，不如回家种红薯。到了你们上海人嘴里，变成莼菜了。"

君初也不争辩，看老太太吃东西的样子，心里很是舒坦。

君初家里的电话响个不停，大雪纷飞，曼丽在好好百货公司传达室里拨着电话，拨得很吃力，因为手指冻僵了，风又大。

"不在家。"曼丽自言自语道。

传达室的警卫道，"不如明天打啦，雪下得大，曼丽小姐赶紧回去睡吧。"

挂断电话，曼丽朝车站走去，缩着脖子呵着白气，也许出去玩了吧？也不见得他只有她一个认识的女子，可能多到手指脚趾加起来都不够数。曼丽笑自己把纸条上的字当真了，忽然又觉得这些雪一点也不可爱，一不留神要摔跤了。

电车等了很久也不来，车站有人改坐黄包车了，下雪天黄包车要贵一倍。而且曼丽住的地方坐电车近，跑黄包车远，绕来绕去的，晚上也不大安全。

曼丽跺着脚，希望能暖和一点。

又希望车子不那么快来，回那屋子太可怕，总是噩梦不断，更可怕的是，那些噩梦跟真的一模一样。

这个时候如果有个男人就好了。曼丽赶紧制止自己这个念头，真是下贱哦，这么想男人！但话说回来，如果是君初这样的男人，下贱点也无妨——模样真是生得标致，他那样的五官，组合在一起也好看，拆开单独看也好看，鼻子是鼻子眼睛是眼睛，整个人散发出一种莫名其妙的高尚气质，让人想靠近又不敢靠近，天知道他为什么长那么高。

说是制止自己想念下去，却一直抱着幻想上了电车。走到门口，门口没有纸条，真让人失望。电话又打不通。曼丽愤愤地想，这是什么社会啊。

某些堕入情网的雌性动物满脑子的怪异想法是无法用语言来形容的。不单是男人，连她们自己都觉得奇怪，"天，我好怪哦，这不是平时的我！"

曼丽试图用手指轻轻抓那道疤，似乎在长肉，有点痒痒的，忍痛容易，忍痒难，苟富贵易，共风雨难。

曼丽小心加小心地轻轻揭起深红色血痂的一角，里面是嫩嫩的要长好的肉。

"要不要帮忙啊？"

曼丽透过卧室窗户看到上面贴着一件衣服，是那件熟悉的蓝色旗袍，吴美娜的声音，不是做梦，是真的。

曼丽连外套都来不及穿，也来不及关门，抓起钱包往外跑。一辆黄包车比她跑得更快，追上曼丽，气喘吁吁道，"小姐，下大雪了，叫个车吧。"

那车夫的眼睛很大，肩膀是瘦的。曼丽突然想起外滩上称赞过自己的那个车夫，对，就是他，没错。如果有个人对你说，你是他（她）见过的最优秀或最漂亮的，在一个月内，你一定也不会忘记这个人的长相。

一上车他就跑起来，对曼丽道，"小姐你曾经坐过我的车对吗？"

"是。"曼丽惊魂未定，浑身发抖，雪扑在脸上很快融化了，更冷。

"车的座位上有一条毛毯，是我给客人准备的，每天都会洗，小姐不嫌脏就暂时裹着吧，今天下雪外头人少，没有几个人用过，您放心好了。总比得风寒好。"车夫一边回头说道，然后一只手拍拍脑门子，"对了，我还没问您去哪里呢。"

曼丽放松了些，看他那样子挺逗，"去好好百货公司。"

"哦，现在这会不是打烊了吗？您去那干什么呢？"车夫一边聊着，既然坐过自己的车，就算是熟人了。

"我要打电话给我的一个朋友，我找他有急事。"曼丽忍住眼泪，她不敢回想看到窗外那件血旗袍的瞬间。

"哦，急事，那我加紧跑。"车夫两条腿用力蹬着，曼丽并不胖，路有点滑，跑起来飞快，曼丽抓紧边上的扶手，深怕被颠到雪地里摔个狗啃雪，一边问道，"你叫什么？"

"哦，我的名字不值一提了，我姓邓名亮，小姐下次坐车我收你半价好了，你是第一次问我名字的客人。"邓亮愉快地回答。他的头发偏中分。做车夫虽然很辛苦，但没别的职业更适合他了，至少他现在是这样认为的。

曼丽急切地看着前方，还要多久才到啊？

邓亮侧头看了看曼丽，觉得很高兴。因为她裹着那条毛毯，已经抖得没那么厉害了。雪越来越大，夹杂着冰粒扑打着，眼睛都快睁不开了。

好好百货公司终于到了，曼丽顾不上给钱，对邓亮道，"我到里面打个电话，等下还要回去，你在这里等会。"

"好的。"邓亮在好好百货公司门口蹲下来喘气,拍打蓑衣上的雪,然后抖抖头,很像一只狗的动作,鼻尖也是凉凉的。

君初正跟蓉妈聊着今天的饭菜,廖金兰吩咐她赶紧打水让自己洗脸洗脚睡觉。电话铃声突然响起。

"这么晚,谁打来的?"新屋子有点冷,暖气虽然是安装了,但家具还来不及添太多,君初呵着白气去接电话。

"你好,沈宅。"君初拿起话筒。

电话那端传来曼丽无助的声音,"沈先生,对不起打搅了。"

"啊!是曼丽小姐吗?"君初有些惊讶。

老太太朝这边看了一眼,很少见到君初这么大声音说话。

曼丽冻得发紫的手紧紧抓住话筒,"我……出了点事,您能过来一下吗?"

君初问道,"你现在在哪里?发生了什么事情?慢慢说。"

"我现在在好好百货公司门口,我家里来了莫名的东西,我逃出来了,我现在很想见到沈先生。"曼丽说话的时候上齿跟下齿不由自主地磕碰着,发出得得得得的声音。

"好的,你在那里稍等会,我马上过来。"君初挂了电话,拿起外套对廖金兰道,"妈,我朋友出了点事,我出去会,你们自己休息。"

蓉妈递来雨伞跟领巾,吩咐道,"外面下雪了,走路注意点。"

君初出了门。

廖金兰老太太没好气道,"不知道又是哪门子的朋友,听那女的名字好像是做舞女的。"

蓉妈无奈地笑笑,她能说什么呢,儿子是她的,她爱怎样说是她的事。

心中有鬼
THE MATRIMONY

　　车夫邓亮看见一辆汽车远远地开过来，速度很快，赶紧回头对嘴唇乌紫的曼丽道，"小姐，你的朋友来了。"

　　曼丽赶紧下车，对着车挥手。

　　君初看见远远的一个女孩，衣裳单薄，吩咐司机再开快点，终于停在车夫身边。

　　"怎么了曼丽小姐？"君初下车问道。

　　曼丽哆嗦个不停，"我家里……我家里……"

　　"我现在送你回去，咱们看个究竟，是什么莫名的东西？"君初不解。

　　"我不回去，我不要回去，我害怕！"曼丽几乎要发狂了，哭喊着，"有鬼，有鬼在家里，我害怕！"

　　君初赶紧扶她上车，车开动时的暖气总算让曼丽感觉舒服了许多，"我的朋友，就是那去世的朋友，在晚上我听见她说话，在窗外还有她的衣服，我就跑出来了。没有什么别的认识的人，所以就打了沈先生的电话。"

　　君初觉得释然，心想，女孩子就是胆小，不过证明自己是被她需要的。看她瑟瑟发抖的样子，真想揽入怀中好好安慰一番，又觉得太过于冒昧。

　　"两位去哪里？"司机问着，总不能漫无目的地这样驶下去。

曼丽看着君初。

"去上海宾馆吧。"君初道。

曼丽的心扑通扑通狂跳，她不知道其实君初的心比她的心跳得还要快。

宾馆，多么暧昧的字眼。但想起那句阴森森的"要我帮忙吗"，心紧张得要麻痹过去，暧昧总比惊悚强。

上海宾馆流光溢彩，矗立在雪中。

曼丽下了车子，突然"啊"了一声，君初问，"怎么了？"曼丽不好意思道，"刚才忘记给那个车夫付钱了。"

邓亮拉着空车在回去的路上，不停地埋怨自己的记性被狗叼走了，这已经是本月第三起类似事件了。

君初对曼丽道，"你先在那边的沙发上等一阵，我先去开房间，然后我自己上去，等下会叫服务生通知你是几号房。"

曼丽感激地点点头。真是个细心的男人。

为什么不一起上去的原因其实君初也是心知肚明，上海宾馆在上海可是鼎鼎有名的地方，人多眼杂，动不动就是碰见熟人，绯闻一起，不知道曼丽是否乐意呢。

君初有点后悔为什么没去偏僻点的 HOTEL，如果那样，更显得自己居心叵测了。正思考着，前台服务员已经把单子递了过来，上面写着 1314、1320 房。

君初对服务员道，"麻烦你三分钟后通知沙发上那位小姐上来。"

"好的先生。"服务员朝沙发处看了一眼，曼丽交叉着双臂蜷缩在沙发上。

君初上了楼，打开门，耳朵竖起来聆听电梯的声音，一边拔开热水瓶的塞子往杯中倒水，曼丽上来可能要喝。

曼丽坐下来后，看着这个大房间，只有一张大床，难道……君初看着曼丽的样子，赶紧解释道，"别误会，我在 1320 房还有一间。"把热水递过去，"喝一口，暖和一下子。"

曼丽的眼睛又红红的，好不容易稳定下来的情绪又激动起来，胸口剧烈起伏，欲言又止的样子。

君初开了洗手间的门，打开热水管子对曼丽道，"不如你先冲个澡，我等下再过来。"

曼丽一听说洗澡，马上联想起那些浮在浴缸里的内脏，吓得面容失色，"沈先生你不要走,我一个人好怕,是真的!"

君初赶紧拉着她的手坐在床沿,自己坐在对面的皮椅子上,好听的声音其实也是具有一定温度的,君初的就是,"慢慢说,到底发生了什么?"

曼丽喝了一大口热水,稍稍停了停,从认识吴美娜开始,到吴美娜的胃病,她的遭遇,还有她自杀后发生的一系列闹鬼事件等等。曼丽越说越害怕,身体又开始筛糠般的抖动起来。

君初认真地听,但并未做出不可思议的表情。一边听一边把曼丽换下的鞋子放在房间暖气片旁边烘干。

"沈先生你相信我,我真的没有对美娜做出什么坏事,其实失去她这个朋友,我很伤心……"曼丽把脸埋在手掌心哭泣,没有看见君初烘鞋子的动作,"可是我不知道她为什么……为什么一而再再而三的出现……我实在是受不了!"

君初出奇的镇定,他知道曼丽肯定真的受到了很大的刺激,他知道她此时需要他。他走近了些,抚摸了她的头发。这样的抚摸不带任何情色成分,只是轻轻碰了碰,表示安慰。以前自己摔跤大哭时,父亲就是这样对待自己的。

曼丽抬起头,脸上挂满眼泪,有点狼狈,更显得那张生动的脸那般生动。

君初从脖子上扯下领巾,微笑着递过去,"擦擦?"

曼丽的抽泣停了停,不好意思地接过来。

君初逗趣道,"别把鼻涕也擦上去了,很难洗的。"

曼丽噗哧一笑,表情跟小孩一般,"谢谢你,沈先生。"

"请叫我慷慨的先生。"君初偏了偏头,做了个恰到好处的鬼脸。

曼丽的眼泪堤坝彻底修复,把领巾放在一边,到洗手间拿了一条毛巾洗脸,君初看着她走出来,曼丽像被欺负的受气包一样指着自己脸上的一条血痂,"沈先生,你看你看,就是那只鬼抓的。"

"可怜的孩子。"君初温柔道。

曼丽愣了愣,孩子?八百年没听人这样称呼过自己了。曼丽看了看君初,又低下头去,喃喃道,"沈先生,我怎么办?"

君初看见她那无助的样子,心里突然一软,安慰道,"不必担心,没有鬼的。就算有,我也能找人帮你驱了。"

曼丽似乎看到了希望,眼睛开始放光,围着君初转了一圈,"真的吗,真的吗?"

"是真的,我老家来了一个人,叫蓉妈,她懂这些。"君初说道。

"管用吗?"曼丽有点不敢相信。

"当然管用，她年轻的时候学过的，不过后来因为嫁人了就没再继续学下去了。"君初回忆小时候蓉妈给邻居算命的情景。

"再后来呢？"曼丽追问。

"后来啊，后来就来我家做佣人了——他丈夫跟孩子染上瘟疫去世了，就来了我家。"

"那你赶紧叫蓉妈来我家里看。还有我父亲家也要去看。"曼丽有点着急。

君初笑了，"别着急，那也得明天吧，她现在睡了。"

曼丽看看时间，已经十一点多了，有点内疚，"耽误你休息了。"

"我们也算是朋友，我还是你的忠实听众呢。几乎每天晚上都要听的。"君初模仿曼丽播音的声音，"这里是上海奥斯邦电台，现在是'爵士风情'时间。我是徐曼丽……"

曼丽的脸绯红，"既然是忠实听众，怎么波段不会记得？"

"三五五公尺波段，八四五千周中波广播对不对？"君初试探地问，头向前倾，靠得很近了已经。

曼丽点头，很是感动。他能记得她的声音，真意外。

如果遇见一个作家，最好的恭维莫过于能背诵他小说里的经典句子。

他比她大八岁，他这么细心——曼丽忽然看见暖气管旁边的鞋子，往外冒着淡淡的水蒸气。不知道沈先生是否有女朋友，还是他根本不记得自己有多少个女朋友，他这么优秀。

正胡思乱想着，君初道，"为了防止你感冒，我建议你还是冲个热水澡，你关好门，我在外面看报纸，有什么事你就喊，别害怕，我在这里。"

别害怕，有我在这里，保护着你，像一盏灯，或许微弱，或许渺茫，但总能照亮那凄清黑暗的夜晚。

曼丽终于进去了，是站着冲澡的，莲蓬花洒喷下来的热水畅快淋漓。上海宾馆备了睡衣，是毛巾质地的，长袖V领。于是穿出来，头发湿漉漉的，开门，君初不见了。

一种紧张的气氛袭来，会不会是……

正揪着心，君初从外面进来，手里端着热气腾腾的一碗，香气浓郁。见曼丽出来便解释道，"刚才拜托服务员给我到厨房煮了姜汤鸡蛋羹，我小时候一淋雨母亲就让我吃这个，是预防感冒的。"

曼丽不知该说些什么，拿了勺子坐在桌前吃着，其实自己是真饿了，吃起来的声音有点大,不好意思地回头看了看君初。

"别看我,自己吃。"君初的眼神像个溺爱孩子的父亲。

曼丽鼻子酸了,"沈先生为什么对我这么好?"

"这就叫好啊?我的好你还没见过呢。"君初神秘地笑了笑,忽然觉得这句话有点别的含义,赶紧岔开话题了,"还合你的胃口吧?"

这样一来更尴尬了,好像在说,我君初还合你曼丽的胃口吧?

曼丽的回答是:"嗯,就是这个味。"

她想着汤,他想着她。君初想道:汤也好,人也好,都要对味,否则伤心又伤身。

曼丽穿着睡衣刷牙的时候,君初有点动心,弯腰的时候,修长白皙的脖子后面露出来,像块奶油蛋糕。君初舔了舔嘴唇。

曼丽嘴角布满泡沫刚好回头看见,含糊道,"沈先生你也饿了吧?"

君初在心里说我想吃你的脖子,但嘴上说,"没有,今天吃得很饱的出来。"

曼丽钻进被子里,君初帮她把被角掖得严实,准备道晚安。

曼丽伸出胳膊,"沈先生等我睡着了再走好么?我害怕。"

袖子滑落的瞬间,曼丽的胳膊也是雪白,汗毛很浅。君初又一次心软,重新将她的胳膊塞进被子,"好的,我答应你。"

曼丽闭上眼睛,又睁开。

君初问,"怎么了,冷是吗?"

曼丽摇摇头,无辜地看着他。

"不舒服吗?"君初摸摸她额头。

曼丽继续摇头。

"那你要什么?"君初不解。

"沈先生你会讲故事吗?如果这样我会很快睡着的。"曼丽哀求道。

君初抓抓脑袋,"鬼故事听不听?"

"啊!"曼丽赶紧把头缩到被子里。

君初笑了,捉弄她怎么这么开心。又哄道,"不讲,不讲了。说我小时候的故事给你听。"

"哦,这样可以的。"曼丽伸出半个脑袋看看四周,"你讲,我睡觉。走的时候关门要小声点。"

"嗯,这个故事是真的。我小时候在长沙的舅老爷家玩,他出去一会儿,下午才回来,叫我看好十只小猪,按时给小猪喂食。"

曼丽开始平静地呼吸。

君初继续说，"后来我放小猪出去河边玩，结果，有一只小猪就找不着了，我心里这个焦急啊，你想啊，等他回来后肯定是要生气的。于是我就把储蓄罐的那种白色的瓷猪抹了些泥巴放在猪圈里。"

君初看了看曼丽，知道她正在听，继续说道，"后来他回来了，看见十只小猪都安然无恙，十分喜欢，给了一枚糖果给我吃。我刚想走，舅老爷又倒了猪食给小猪吃，那些家伙们全都活蹦乱跳地过去抢，只有那只储蓄罐小泥猪一动不动。我吓坏了，舅老爷问我怎么那只小猪一动不动啊？你猜我怎么回答？"

曼丽睡着了。

君初偷偷地站起来准备离开。

"你怎么回答了？"曼丽睁开一只眼睛——根本没睡着。

"你想知道吗？"君初认真地看她，有种把她的样子拍下来的冲动，好留下这些回忆。

曼丽点头，呆呆地看着君初。

"我对舅老爷说，那只小猪在听故事啊。"君初忍住笑说道。

曼丽在三秒钟后突然明白过来，笑得在床上打滚，"你这个坏蛋。"

君初抓住她的手，再次放回被子，这下正经道，"睡吧，睡吧。不怕，我在呢。"

曼丽睡了，君初守了一会儿，打了个大呵欠，真想就这样钻进这个小美人的被子里好好享受一番，实际上身体的某一部分早就变得坚硬。

君子不乘人之危。君初在心里约束着自己，留了一盏床头灯，温暖地笼罩着曼丽熟睡的脸。把门关好，走到房间，今天真忙碌，刚沾上床，马上就睡着了。

这次，曼丽没有做噩梦，她知道有人在守护他，是个正直的男人。

　　早晨起来的时候曼丽很舒服地翻了个身,起来换好衣服,窗外的雪停了,快出太阳了吧。

　　刚洗漱完毕,君初已经衣着整齐地站在门口。

　　"请进。"曼丽想起自己还没梳头,赶紧拿手指拢了拢头发。

　　君初送曼丽去上班,自己再去上班,临下车时曼丽感激道,"沈先生,昨天晚上真是谢谢你。"

　　君初忽然想起昨天晚上一夜未归,恐怕母亲要担心,叫司机又送到霞飞路沈宅,进了家门,蓉妈跟廖金兰已经起床,在用早餐。

　　君初进去解释道,撒了个谎称昨天同事聚会有个朋友喝醉了打了他电话,所以照顾了一下,因为路途很远,回来很不方便,于是就在那边睡了。

　　"是女朋友吧?"廖金兰喝着粥。

　　"不是,不是。"君初慌忙否认,心想我还没表白,也不知道曼丽是否同意——君初心底里其实真想有这样一个女朋友,至少比钟淑琴来得自然。

　　"吃早饭了吗?"蓉妈问。

　　"哦,吃过了。"君初不敢久留,怕老太太问多了自己圆不了谎,连忙道,"我回来就是怕你们担心,对了,蓉妈,你把我抽屉上的那几张照片收到哪里去了?进房去给我找找来,我要赶去上班了。"

蓉妈跟着君初进了房间,她知道君初有话对她说。简单的说明后,蓉妈道,"好的,到时候少爷来接我就是,我记住了,是给你们片厂的王导演看手相。"

其实男人一生都在对不同的女人撒谎。

雪融化的时候是异常的冷,即使有薄薄的太阳眷顾,也是冷,但君初的心里很暖,脑子里满是曼丽的样子,脖子,胳膊还有其他的看不见却能想得到的部位。这样的激情带到工作中,一天都很愉快。导演王颖觉得奇怪,下班时对灯光师道,看来沈君初的母亲这次带来的不仅仅是腊肉还有欢乐嘛,君初今天拍片子的时候一个人莫名其妙地傻笑了多次了。

曼丽说今天是下午五点下班,看看时间,四点三十分,刚刚好,但愿今天有车可以叫。无论什么车,只要快就够了。

天从人愿。很快就叫到了一辆黄包车,疯了似的往前赶。刚刚分开一阵子就恨不得马上见面,君初觉得自己也快疯了。

哦,爱情的魔力。

曼丽今天也是代播白天的节目,周五的"爵士风情"暂停,给听众想念自己的时间。夕阳照着白雪,透过玻璃窗照着曼丽的脸,沈君初看呆了。

这次上来的时候警卫没有拦他,他记得沈君初的模样。一般警卫都记得谁曾经给过自己小费,何况是两次——上次君初索要曼丽地址时又给过一次。

"沈小姐在播音呢,你再等会。那边化妆间有个凳子,你去坐一会儿吧。"胡茬警卫讨好道。

"谢谢。"君初从包里拿出相机,尼康的牌子,没用闪光灯,对着夕阳西下的背景记录了曼丽播音的瞬间:嘴唇半张开,脸上洋溢着微笑。曼丽觉得虽然听众看不见她的脸,但带着笑容与他们在电波另一端交流总是对的。

化妆间的琥珀色透明玻璃瓶里插着一束马蹄莲,君初认识,是他送的那束,时间很长了,却仍然盛开着。曼丽十分喜欢,从老张那里讨教来养鲜花的办法,放了两片阿司匹林进去保鲜,每次上班小心翼翼地用剪刀把花的下端斜斜的剪掉一小段。

警卫见曼丽出来,赶紧汇报,"曼丽小姐,沈先生在那边等着呢。"

曼丽脸一红。

哦,他来了,这么准时。

四目相对，无声胜有声。

好好百货公司比较容易拦到汽车，曼丽坐在君初身边，竟然生出几分安全感，他的肩膀那么宽厚，靠一下应该很舒服。可惜那时候没有"我让你依靠，让你靠——没什么大不了"这首歌。

君初却没发觉曼丽的这种心思，对曼丽道，"我们现在去接蓉妈，我都跟她说妥了，咱们先吃饭然后再去你那间鬼屋。"

"别提，害怕。"曼丽指指胸口。

君初赶紧改口，"吃什么呢？你说说。"

曼丽不假思索道，"城隍庙小吃。"

君初点头，心想怎么回答得这么迅速？真是爽快。他不知道曼丽有一天幻想时想的就是这个内容。

蓉妈在大门口上了车，按照约定的时间。曼丽看了看这个精神的妇人，头发一丝不苟地盘在后面，发髻用一根碧绿的簪子固定。虽然衣着朴素，却显得干净利落。老太太手里挎了个包袱。

"蓉妈，这就是我跟你提到的曼丽小姐。"君初介绍道。

曼丽赶紧问候。

蓉妈打量了下曼丽，头发微卷，漂亮的丹凤眼略略有点凹陷，透露着活泼气质，鼻子挺拔小巧，嘴是小小的，有点随时噘起来的意味。

"真漂亮啊，跟那香烟广告上的模特似的！"蓉妈夸奖道。

君初没来由的高兴起来，好像夸了曼丽自己就得到很大实惠一般。真得感谢那只鬼啊，把自己跟曼丽拉到了一起。

"沈先生你在笑什么？"曼丽看他一个人对着前方傻笑。

"哦，没什么，我在想城隍庙小吃呢。"

汽车开得慢，刚融化的雪地有点滑，路边有行人骑自行车不慎摔倒，站起来扶起车子龙头跳起来骂了几句继续上路。

指细细穿过。那些吻并不狂热，只是星星点点温柔地印在曼丽额头上，曼丽几乎要融化了。这样陌生新鲜的特殊空气，浅浅地蔓延。

这一刻，曼丽跟君初都希望时间在一刻停止。该发生的没发生，没发生的即将发生。

　　三人吃了个大饱，一起到了曼丽的房间。门大敞着，曼丽出来之前忘记关门。蓉妈在四周走动一番。

　　"怎样，怎样？"曼丽打了个饱嗝，是灌汤包的味道。

　　君初看到那张床，小小的床，她做噩梦的时候就是在这张床上，可怜的小人儿。

　　曼丽只顾着跟着蓉妈问这问那，没注意君初的目光。曼丽道，"蓉妈，厨房也许要看看，我怀疑那也有鬼。"

　　蓉妈并未回答，从包袱里拿出香，念了几句咒语，在房间四周摆了碗，里面盛着白米，香插在上面。黄纸画的符，贴在门口、床下、窗户，用火烧着了，放在碗里，用清水泡了，对曼丽道，"没问题了，喝下去。"

　　"真的啊？"曼丽皱眉看了看那碗符水，看起来很难喝下去，但为了保住自己的性命，捏着鼻子一口气喝下去，有点想吐，曼丽强压了下去。

　　曼丽拿出柜子里的一些零嘴请他们吃，泡了两杯茶。

　　"阴气重，昨天晚上你离开后它又回来一次。为了避免它再来害你，这些香在自然燃尽之前不可熄灭，碗里的米明天中午做成饭，自己吃，也要分给别人吃，越多人吃越好。"蓉妈说着从包袱里拿出一串菩提木佛珠，"曼丽小姐你戴上，四十九天内不可摘下，你联系下那位故友的亲人，看能否做一场法事，化解些怨气，我能做的，只有这些了。"

听蓉妈的说法，曼丽点头，道谢一番，看天色也不早，蓉妈担心老太太起疑心，说先回去。君初在心里暗暗道，早知道应该跟蓉妈说待久些。

曼丽也有点舍不得君初，不知道是害怕一个人在屋子里，还是真的喜欢跟君初在一起。

蓉妈见这一男一女恋恋不舍的样子，也明白几分，说道，"君初少爷，我看这附近也很容易叫到车，我自己回去吧，又不是第一次来上海了。"

"还是我送你回去吧。"君初站起来要走。

蓉妈按着他的肩膀坐下，"你在这里陪曼丽小姐再聊会，她邪气入侵，见了鬼的人是要多跟人待着的。"

蓉妈也是瞎扯，君初自然顺水推舟，"那你小心点。你跟我妈说我陪剧组的人聚会，晚点回就是。"

蓉妈笑道，"你放心，老太太那边我自然会打点清楚。"

曼丽再次道谢，蓉妈走了以后，屋子里只剩两个人。曼丽有点不好意思，但是自己的房子，心里也是底气十足，问道，"沈先生的女朋友很漂亮吧？"

君初突然听到问这个，愣了下，"我……是的，她漂亮。"

曼丽的心情比看见鬼还糟糕。

"跟曼丽小姐一样漂亮。"君初深情地看着她，"有跟你一样的鼻子，一样的眼睛，笑起来是一样的可爱，哭起来跟你一样让我心软。"

"她是做什么职业的？"曼丽赌气似的问，语气有些不快。

"电台播音员。"君初一步一步走近，笑着走过来。

曼丽的脸一下发烧似的红起来，君初握着她的手，她连忙缩回去。君初又捧在手心，暖暖的，曼丽觉得一股电流袭来。

"请原谅我的冒昧，曼丽，我是想跟你说，我喜欢上你了。"君初说这些话的时候嗓音压得很低，但还是不由自主地抖着。

曼丽等了二十一年，等到了君初。

君初的怀抱，既熟悉又陌生，宽厚的肩膀让曼丽沉迷。君初抚摸她的头发，十指细细穿过。那些吻并不狂热，只是星星点点温柔地印在曼丽额头上，曼丽几乎要融化了。这样陌生新鲜的特殊空气，浅浅地蔓延。

这一刻，曼丽跟君初都希望时间在一刻停止。该发生的没发生，没发生的即将发生。

　　君初从曼丽家里出来的时候并没叫车，自己一个人吹着口哨在路上走着，天气很冷，心里却是暖暖的。

　　曼丽乖乖地睡着了，睡得沉静。

　　吴美娜没有出现，也许不会再出现？再出现也是有路可逃。

　　曼丽早晨起来发现窗上的符全部消失了，再看墙角那些碗，倒了一地，所有的香都只燃烧了一半。

　　厉鬼！厉鬼！

　　打电话到沈宅，廖金兰接的电话，"哪位？"

　　曼丽一紧张就挂了。老太太在电话那头嘀咕，"谁啊？不说话就挂了。"

　　昨天，昨天晚上她是期待他留下来，还好没有，否则鬼说不定要上君初的身。屋子里待呆不下去了，回父亲那边看看吧。曼丽想起来有点后怕，睡得这么沉，有鬼进来都不知道。

　　煮了鸡蛋吃，壶里是昨天晚上现成的水，炉子生起来，浓浓的烟有点呛人，曼丽咳嗽，一边流泪一边觉得愉快，这是可喜的人间烟火气，证明自己正好端端活着。

曼丽上了电车,手放在嘴边呵气。太阳是吝啬的,只给少许温暖,照射大地,照射乞丐和富翁,照射贫民窟与法租界,照射树木也照射垃圾。这时候鬼大概是无所遁形的。月光就不同,阴险地躲在云朵后面,哀鸿遍野,人不如鬼的世界。

想着想着,头一歪睡了,头埋在自己胳膊里,随着电车一晃一晃。迷糊中,看见一个穿着天蓝色旗袍的女人抱着婴儿上了车,坐在自己身边。曼丽忽然觉得一冷,等那个女人抬头。

曼丽看了一眼那个孩子,很脏,像裹了一层灰,再看婴儿的脸,完全没有成形。

曼丽不知道是怎样的一路狂奔到父亲家的,总觉得后面有人在追赶。

徐伟良在店里,米雯在学着打毛线,针法不怎么熟练,都快瞪成斗鸡眼了,见曼丽进来,赶紧把手头上的毛线放一边,扯着嗓子对厨房里道,"王妈,多煮一个人的饭,小姐回来了。"

王妈从厨房里噔噔噔跑出来,倒茶给曼丽吃,望着她气喘吁吁的样子,问道,"小姐的脸色怎么这么苍白?"

米雯也道,"是啊,被鬼追啊? 这么急。"

曼丽瞪大眼睛,"是啊,被鬼追。"

伊玲拎着菜篮子刚从外面回来,走到曼丽跟前,"小姐你来了。"

曼丽点头。惊魂未定,把过程这么一说,米雯皱眉,挺着大肚子,眼皮一翻,"那鬼肯定认识我们家的路,你不会把它给招到这儿来了吧?"

伊玲护着曼丽,"不会的,小姐怎么会这样?"

米雯完全翻脸,"怎么不会这样? 当初不是她把这只骚狐狸精引到家里来,老爷怎么会……"

王妈突然打断米雯的话,"太太,太太!"

米雯没好气的往沙发上一坐,拿起毛线继续织,她在给肚子里的孩子织绒线衫,已经打好了一只小小的胳膊,左右比划着,脸上满是不耐烦的表情。

曼丽觉得话语有异,追问道,"你说什么呢,什么狐狸精,你话说清楚点。"

伊玲拉着曼丽的胳膊,"算了,小姐,算了。"

曼丽甩开伊玲,说道,"人家都死了,你不为了别人,也为了你肚子里的孩子积点口德。"

米雯本来不待见她,听她提到自己软肋,怒不可遏,几乎是从沙发上跳起来骂,"徐曼丽,你别在这里装蒜,你别以为老娘是瞎子! 你带了那个狐狸精来勾引老爷,干出那些丑事以为我不知道?"然后走到曼丽跟前,"你早就看我不顺眼,想这样把我赶走吗?你休想!那个婊子死得早,你的如意算盘落空了!你以为老爷是傻子?我告诉你,他精明着呢!"

曼丽简直要疯了,抓住米雯的肩膀猛摇,"你再说一遍,你再说一遍!"

"狐狸精,狐狸精,那个吴美娜是个骚货,是你带过来勾引老爷的!听到了吗?"米雯压抑多久的怒气这一刻爆发,抓着曼丽的头发往墙上撞,王妈和伊玲拉着米雯。

曼丽忍住痛,"你才是狐狸精,你害死我妈,你害死我妈!"

四个女人,扭成一团。

地上一大把头发,米雯在沙发上看见乱成一团的绒线,啪嗒啪嗒的掉眼泪。嫁给徐伟良,吃了不少苦头,他花心倒也罢了,连女儿的同事也玩。第一次见到吴美娜,米雯就有不详的预感,吴美娜是好看,可这种好看是有杀伤性的,对周围的女人构成威胁。

后来有一次,也就是米雯从老家提前回来那次,没有惊动任何人,偷偷地回了,听到卧室里的呻吟声。

有了我,你还要别人,帮你生小孩还不够,就十个月都不能忍受!米雯含着眼泪走出家门,回老家又多住了几天,留了口信给药店的人转告徐伟良,徐伟良觉得很高兴,这样又能跟吴美娜多缠绵几天。

每段刺激的冒险到了结局时候都将失去当时的激情,剩下虚空、冷漠、遗忘,至多换来夜半无人私语时怀念的叹息:怎么当初在一起的时候没想到如此下场?然后活着的各自开始各自的生活,消逝的让亲人伤悲。想想,世上没有哪段感情不是千疮百孔的。

米雯哭得伤心,曼丽坐在墙角发呆。伊玲去药房找徐伟良回来处理残局,王妈默默地收拾她们两个扭打后的现场:打碎的茶杯盖,踢翻的茶几,扭曲的沙发布……

曼丽自言自语着,"怪不得,怪不得,怪不得她要找我。"

徐伟良匆匆赶回来时一切都明白了。有几缕阳光从窗外爬进餐桌,饭菜很丰盛,没人有胃口,每个人的脸上都挂着冰凌,各怀鬼胎。

"我每天晚上都梦见她,今天坐车又看见她,她抱着小孩追着我一路跑到这里。"曼丽看着徐伟良,吴美娜死后他苍老了许多,想必也是饱受内心折磨。

徐伟良抬起手,做一个苍凉的手势,"是我不好。"

倘若吴美娜听到这话,眼睛可以安静闭下了。

米雯哭得比谁都伤心,一生中最好的时光都给了这个男人,给了青春,给了时间,给了肉体——跟曼丽的母亲争,跟外头堂子里的姐们争,跟交际场上的舞女争。怀孕了,以为美梦成真,曾经一个下贱的丫鬟熬到了正室,地位是稳固的,然而不够,她希望这个男人爱她,爱她一个人,爱她一辈子,不跟别的女人分享这个男人,哪怕是一个吻。这竟是个奢侈的愿望,大概也是所有世间女人奢侈的愿望。

徐伟良看她哭得伤心,从怀里掏出手帕递给米雯擦眼泪。这个动作,让沉浸在悲伤里的曼丽不由自主想起君初给自己递领巾的动作。

米雯甩开他的手,心里还是挺安慰。

徐伟良站起来帮她擦眼泪,"别哭坏了身体,是我对不起你。"

"吴美娜怎么办? 就这么算了吗? "曼丽第一次勇敢地说道。

徐伟良猛的拍了桌子, 几个盘子连着菜滚到桌子下面,"你怎么对我说话的?在命令吗? 我的事情我自然会处理。你别忘了你也是从这个家走出来的! "

王妈赶紧劝着,"老爷坐下说话。"

伊玲插嘴道,"前几日看见吴美娜的母亲,说要带尸体回乡下了。"

"你是怎么认识她母亲的? "曼丽问道。

"是老乡。"伊玲回答道,"我是吴美娜介绍来上海的,自然认识她母亲。我在保姆市场找工作,王妈把我挑了回来。我去看过吴美娜的父亲,现在在流华医院住着呢,肺痨,看样子也不行了,她母亲说回去要多准备一口棺材。"

曼丽觉得自己是个罪人。

徐伟良只顾着哄米雯说下午给她买她看好的那件紫貂皮大衣,叫她先回房休息。出来时对伊玲道,"既然是老乡,你去告诉他妈,我出钱做场法事。"

伊玲领命出去,王妈也退下,去厨房洗碗。

曼丽缓缓抬起头,"爸,吴美娜的事情是不是真的? "

"什么? "

"你跟她……"曼丽冷冷地问,"我想知道真相。"

"真相就是你所知道的。"徐伟良有些哀伤,"我不知道她原来会选择轻生,早知道,会给钱给她。"

世间诸事,最怕莫过于"早知道"。

"我会补偿她的家人,你放心好了。"徐伟良的眼眶也有些红,"我总以为她是讹诈我的钱财,后来才知道她是不幸的,她的家,还有她的丈夫。其实,我跟那种人又有何区别!"

曼丽看着自己父亲,他现在变成了一个老人。曼丽不知是同情还是恨,只是希望他刚才那番话是发自内心。

"其实,我还是喜欢她的,只是那时候心里乱,做生意做得也不顺利。"徐伟良终于老泪纵横,"我不该伤害她。"

曼丽的眼泪也停不了,可惜吴美娜永远都听不到了。

　　灵堂设得十分普通,吴美娜的父亲出院了,劣等病房也住不起,蔫蔫地跪在地上。

　　来的大多是吴美娜电台的同事,来一个,丧乐队就吹起唢呐敲锣打鼓。吴美娜的父亲就磕头,像个乞丐。

　　看见曼丽一家过来,老人也是麻木地磕头。女儿死了,他心痛得恨不得一起死掉。

　　吴美娜的母亲满头白发,抬头看了看曼丽,再看了看徐伟良,一脸漠然,只是客套道,"谢谢徐老爷过来拜祭。"一边引至前堂蒲团处行丧礼。

　　徐伟良看见吴美娜的遗像,跪地烧香,在心中念道,"请你放过我女儿,要找你来找我吧。"

　　一时间也是悲痛,想爬起来却有心无力,膝盖仿佛被针扎似的痛。

　　徐伟良抬头,吴美娜的白底黑框照片似乎在微笑,带些恶作剧的意味。

　　曼丽面对此情此景,心里顿生悲哀,悲哀是为了这段孽缘。违反常理的偷情,然后互生怨恨,现在阴阳相隔,再次四目相对却已不再是秋波,彼此怀念的时候也必是心怀唏嘘吧。

王妈扶起徐伟良，"老爷！"

曼丽跪在并排，对着吴美娜道，"我知道你是怪我的，但我的父亲年纪大了，他做了些什么，请你原谅。要惩罚，就在我身上应验好了。"

问候了一阵，徐伟良对同来的伊玲道，"你跟她熟稔，在这里帮忙也好，今天就不必回来做饭了，太太跟我和小姐出去外头吃。"

伊玲点头，王妈道，"老爷，咱们可以回了。"

曼丽正握着吴美娜母亲的手说些安慰的话，徐伟良走过来，叫伊玲把盒子取过来，"这是我的一点小意思，这孩子跟我们家也算是有缘分，跟我女儿一样亲。您收着，给孩子她父亲看病重要。"

吴美娜的母亲接了。

伊玲帮忙张罗灵堂的事情，便不跟徐伟良一家回去。曼丽见父亲肯把钱拿出来送给吴家，心里也安慰了些，推辞说下午要上节目，晚上就不跟父亲回去吃饭了。

徐伟良帮她叫了辆车，说道，"在外面住不惯就回来住。别胡思乱想。"

曼丽点点头上了车子。

伊玲这厢把吴美娜母亲叫到后堂无人处，帮她把箱子打开，吴美娜的母亲只看见金灿灿的一片，眼睛都花了，腿一软，直接坐在地上。

伊玲赶紧扶起来。

吴美娜的母亲这才号啕大哭起来，"我现在要这些钱做什么用？我的孩子已经走了啊！我苦命的孩子啊！当初我不该让你嫁人啊！我应该把你留在身边……"

伊玲也用手背擦了擦眼泪，"起来吧，美娜是懂事的孩子。她去招他就是为了你们，现在也算是帮她完成了心愿。"

吴美娜母亲哭了许久，缓缓地站起来对伊玲道，"这次多亏你，否则我孩子连个说法都没有，更别说赔钱了。唉，要不是老头子的病，我非得叫姓徐的杀人偿命。"

"您跟我说什么谢呢，乡下的孩子多亏你找了人家带，否则我哪里能出来赚钱？"伊玲继续道，"美娜这孩子死得冤，我看不过去，只有出这招了。"

"可怜我孩子，连个全尸也无。"吴美娜的母亲忘不了伊玲亲自剖开女儿尸体的情景。

"别哭了，过去了，过去了……"伊玲拍着她的背，"想想活着的人吧！我们去银行把金子换了去。也值不少钱，先给我哥治病要紧。"

吴美娜母亲这才回到现实,擤了一大摊鼻涕,擦在鞋背上,"我们出去吧。"回头又问了问伊玲,"你没把那孩子吓出什么病吧?其实她对我家美娜挺好的。"

"没事了,她似乎有男朋友在保护她。"走到灵堂,吴美娜母亲对伊玲道,"得把蒲团上的针卸下来,万一别人来拜扎到了可不好。"

伊玲照着做了,对吴美娜父亲道,"哥,我跟嫂子先出去了,你在这等着。"

吴美娜父亲一阵咳嗽,看来住院在即。

伊玲想起曼丽那天洗澡的事心里有些内疚。实际上她是个心地善良的孩子,只是因为父亲的过错,却要承担惊吓,还好脸上那道疤痕未伤到筋骨。

那次曼丽带吴美娜最后一次去药店时,徐伟良单独跟吴美娜谈话,并未发现伊玲正在里屋后面的茅厕里,他只道是没人在,岂料伊玲一字不漏全都听到了。

伊玲刚想抽时间去劝劝吴美娜,却没想到自己晚了一步。见徐伟良装作没事一般,心里自是气愤。伊玲轻易地配了曼丽屋子的钥匙,又找了一模一样的蓝色旗袍到曼丽家里吓了她好几次。最后一次是在半夜,从窗子里看过去,君初守护在她床边,轻轻哼着类似摇篮曲的调。伊玲不忍打扰。再说男人通常不相信鬼神,万一抓个正着,岂不是害了吴美娜一家人。索性在窗沿的草丛中蹲着等曼丽睡着了再进去。

她看见君初走的时候吻了曼丽的额头。

她看见君初关门的时候轻得不能再轻。

她看见灯下曼丽像婴儿一样满足的表情。

伊玲等到半夜偷偷进去,在茶壶里放了致幻液。她知道曼丽起来口渴一定要烧水喝,又担心她换一壶水,就在壶的边缘还有碗的边缘又放了些。

一切只为了报恩,没有哥哥嫂子,她早已经被人把脊梁骨戳碎,或者淹死在众人口水里。一个寡妇,怀着一个不知道是谁的孩子,够村里的人嚼舌根了。哥哥嫂子在村里是好人,挺身而出,叫她搬了过来住。嫂子是最累的,要照顾两个人,伊玲坐月子时嫂子起早贪黑无怨无悔地伺候着,家里没什么好东西吃,嫂子去邻村偷了一只母鸡,被抓住打了个半死,还不忘记磕头求人家把鸡拿回来。

现在一切都已经过去,伊玲想等哥哥治好病,米雯生下孩子就回家带自己的小孩。繁华上海,终究不是自己的安身之所,吃多少穿多少,被谁爱被谁害都是注定的。

曼丽没有想到在上班的路上会撞车,还好开车的司机刹车踩得快,否则自己非得从车窗里飞出去,曼丽吓出了一身汗。

对面是一辆黑色的轿车,从里面走出一个年轻男人,约莫二十二三岁左右,穿着美式军大衣,皮靴踩着残雪,留着时兴的背头,显得略老气,对司机大吼,"你他妈的不长眼睛啊,我的车你也撞!"

司机已经吓得面无人色,其实曼丽坐的这辆车伤得更为严重,那辆黑轿车只是车灯破了。本来是个岔路,那辆车大概是想抄近路,突然从巷子里拐出来,司机来不及反应就撞上了。这条公路是郊外,平时车很少。

那人看了看曼丽,语气似乎缓和了些,但仍然带着霸道的凶气,"下来,你看我的车撞成什么样子了!"

司机是个老实巴交的中年男人,留着老式的西装头,赶紧下车,"对不起,对不起,我赔您的钱。"

"赔钱?"那男人叫嚣道,"你知道不知道我的车值多少钱?老子有的是钱!"

"对不起,因为送那位小姐急着去奥斯曼电台,所以开快了些,求军爷高抬贵手,车我负责修。"司机瞥了瞥牌照,是法租界的,看那打扮肯定是军官无疑。

"奥斯曼电台?"那年轻男子眉毛扬了一下,问那司机,"她是?"

司机赶紧道,"是奥斯曼电台的播音员曼丽小姐,就是主持'爵士风情'的那位。您平时也听收音机吧。"

年轻男子走到曼丽跟前问道,"您真的是曼丽小姐?"

曼丽看了看时间,马上要迟到了,求情道,"先生,这位司机既然答应赔钱了,请您放过他好吗?我有要紧的事,有点赶时间。"

司机被那青年男人拉到一边嘀咕了几句,回到车上。曼丽舒了一口气,以为可以走了,岂料发动机却打不着了,一边道,"小姐您下车吧,我看这车得拖去修。"

曼丽急了,"这怎么成,我在这里怎么等得到车?"

司机无奈地摊开双手,"对不起曼丽小姐,我也很想这车开动起来,这样,车费我就不要了,请下车。"接着打开车门做了个下车的手势。

曼丽拿起手袋,站在路边,正看见那个年轻男人,其实相貌也算英武,只是眉宇之间有些霸气。曼丽还是喜欢温和斯文的男人,比如君初。

"曼丽小姐,我送你吧,如果你不介意的话。"年轻男人打开车门,"今天是我的错,给我一个补偿的机会。"

曼丽摇摇头，素不相识，怎能随便上车？

见她犹豫，那男人抓了抓头发，"你不相信我是吗，可以叫这位司机记下我的车牌，然后到附近的警察局留底就是，万一你失踪了，也有个目击证人不是吗？"

曼丽觉得也有几分道理。

那年轻男人自己上了车，对曼丽道，"不是快迟到了吗？上车吧。"

曼丽最后犹豫了一下，从包里拿出纸笔，飞快地抄下车牌号，给到原来那个司机手里，司机点点头拿住了。

车开动时，曼丽看见那年轻人一边开车一边对着驾驶室的镜子作孤芳自赏状，只听他自言自语，"难道我长得就不像个好人？"

曼丽忍着没笑。

"曼丽小姐，我可是你的忠实听众啊。"他的车速开得慢了些，大概是因为车里坐着一个美女的缘故，说话口气比起刚才斯文不少。

曼丽没有发现，她身后的那辆车已经朝相反的方向开去——发动机是好的，司机听那男人说如果不想赔钱就让那女孩下车。

"怎么称呼你呢，先生。"曼丽的实际声音比播音室里播放出来的声音要更悦耳，尤其是在小空间里。

"哦，我姓张，叫张少廷，曼丽小姐贵姓呢？"张少廷的确是知道这个节目的，有时候是放音乐，有时候是播音员读一些广播剧或者风花雪月的文章，女听众更

多些，女人总是需要浪漫。张少廷有一次听"爵士风情"是因为唱片机坏了，女朋友来了又没什么情调，无意打开收音机，刚好到一首蓝调歌曲，抱着就在客厅里跳开了。

曼丽心里泛起一丝甜蜜，看来自己也是小有名气了。

"曼丽小姐本人比声音更美丽。"张少廷不等曼丽回答贵姓的问题又夸奖了一句。

曼丽觉得话很受用，"张先生，我姓徐，双人旁加个余。"

张少廷一边看着前方，一边侧头对曼丽说，"我记住了，两个人，如果再来一个就显得多余。"

这下曼丽笑出声音来了，这位张先生很逗趣呢。

接下去聊着就愉快多了，张少廷平时接触女人不少，自然深深了解女人的心思，她们最喜欢的话题莫过于自己。他在现实生活中的女伴没有一个是播音员，这是对曼丽最初产生兴趣的原因之一了。

好好百货公司到了,曼丽向张少廷道别,"耽误你的时间了,今天感谢你的帮忙,我现在要上去了,谢谢。"

张少廷倒是十分随意,"你在这里上班,不错不错。别太客气,希望下次能再有荣幸载曼丽小姐这样的美女。"

曼丽挥手告别,一转身,疯了似的往电梯那边跑,还有五分钟了,迟到要扣钱的,一分钟一百块,天,一百块,够买多少个烤地瓜了。

后视镜里,张少廷笑着,"徐曼丽,你跑不了的。"

　　曼丽后来回想起撞车那一幕，心中渐渐起了疑问，却也不去想太多——要想的事情多得很。

　　比如，什么时候能再见到君初；自己住的是租的房，一时也申请不了电话，只能自己给他打；又觉得过于主动。

　　君初只盼着等她早早下班去接她。想跟她谈话，同她吃饭，或者什么也不做，只是互相看着也好。

　　廖金兰看君初一下班就魂不守舍的样子，问道，"君初，你怎么了？"

　　"没什么，等蓉妈做饭呢。肚子有点饿了。"他撒谎道，男人对妈妈跟老婆撒谎的频率相当，都是相当的高。

　　"哦，那叫蓉妈快点，冬天容易饿着。"廖金兰在上海没什么熟人，一般在家做做针线活，偶尔叫蓉妈跟自己扯扯字牌，打发时间。

　　廖金兰在绣花，她表哥在长沙就是开绣房的，以前年轻的时候学过织几针，木头绷子紧紧的，压着一块红色的丝绸，针是倒钩子，一扎下去，回抽上来。其实她会绣花，不过是湘绣，现在对着花样，学的是苏绣，活到老，学到老嘛。

"妈你在绣什么？"君初凑过去看。

"葡萄。妈学着玩，不好看。"廖金兰的眼睛不大好使。

"挺像葡萄的。"君初恭维道，一边把收音机打开，曼丽的节目马上开始播了。不一会儿儿，传来曼丽的声音，君初坐在沙发上听。吃饭的时候也听，伴着那些音乐，脸上浮现不易察觉的笑容。

蓉妈劝菜，"少爷你吃啊。"说着夹了一筷子粉丝肉末到他碗里，"这个没放辣椒，还特意加了一勺子糖，你试试。"

君初一边听收音机一边把碗放在嘴边吃饭，好像被那声音勾了魂魄去。

蓉妈见状，又夹了一片辣椒在君初碗里，君初也未反应过来，张口就吃。廖金兰觉得奇怪，这小子见到辣椒就跟见鬼样，怎么这么乖地吃下去。

收音机里的女子声音的确好听，用缓缓的略带磁性的声音说道，"各位听众，日落西山，黄昏时分，现在华灯初上，在这寒冷的夜晚，曼丽在节目的最后送您一首歌。在歌者的低吟浅唱中，如果您是晚归的路人，请您放松心情，如果您此时已经坐在家中餐桌前，愿您有个好胃口……"

君初突然哇的一声，青椒吐在碗里，赶紧去找水喝，对蓉妈道，"刚才谁夹了辣椒在我碗里？我一不留神竟然吃下去了。"

看他咕嘟咕嘟喝水的样子，蓉妈使劲笑，廖金兰也忍不住笑。

君初回到桌前，三下两下吃完饭，拿起雨伞准备出门，"妈，蓉妈，我出去有点事，你们慢慢吃，今天晚上可能晚点回，你们自己早点睡吧。"

雨加上雪让天气格外的冷。君初叫了辆黄包车，心里还在想着，同样是人，为什么湖南人这么能吃辣。

廖金兰跟蓉妈也在讨论这个话题，同样是人，为什么君初一点辣的也不沾，看他刚才那狼狈相也就忍俊不禁起来。

廖金兰一边帮忙蓉妈收拾碗筷，"你说他去哪了，这么晚，这么冷，跟长了个野狗子腿一样。"

"应该是去曼丽小姐那里了。"蓉妈说道。

"曼丽小姐？"

蓉妈对着收音机努了努嘴，"就是先前在播音的那个。"

廖金兰道，"君初在谈恋爱？"

蓉妈道，"不知道，这个要问他自己。"

这个时候君初也在问自己，算不算谈恋爱？喜欢上了一个女孩，像闪电一样被她击中，之前的种种骄傲在她面前功亏一篑。她笑起来的样子总是让自己愉快，害羞的时候更是如此，还有俏皮的短发，思索的眼神，她柔嫩的手指，光洁的额头。

想着想着，好好百货公司已经到了。

曼丽从播音室里走出来，到化妆台照了照镜子，脸颊两边是朱红色，耳朵也是红。今天并没有抹胭脂，难道有人在思念？

君初一上电梯就被电梯小姐认出来了，对君初道，"来接曼丽小姐下班啊？"

"嗯，谢谢，十八楼。"君初愉快地对着电梯小姐笑笑。

警卫照例放行。

曼丽在镜子里看见君初的脸，想曹操，曹操到，一时间脸更红了，赶紧站起来打招呼，"你来了。"

老张笑道，"男朋友来接下班了？"

君初点头，"您好！"

他没有否认。

曼丽拿上手套戴上，见君初手里拿着雨伞，问道，"外面下雨了？"

君初道，"小小的，特别冷。你是不是还没吃饭？"

"看见你，我就有饭吃了。"曼丽心情特别好，因为吴美娜的事件终于有了个了结，父亲答应给重金做一场法事平息她的怨气。

君初喜欢这样愉快的气氛。大约是已经吻过她，抱过她一次的缘故，觉得好像她已经是自己女朋友一般。

一同走在路上，君初问曼丽，"想吃点什么？"

曼丽道，"你决定，这样的大事我可伤脑筋。"

君初见她一边走身体一边哆嗦，想着她可能是因为没吃饭就特别怕冷的原因，把自己外套脱下披在曼丽身上，自己是一件浅蓝色的厚棉衬衣，衬衣的领子翻出来，格子羊毛衫是 V 领。曼丽看呆了，她心目中的白马王子就是这样的，优雅，体贴，风趣，斯文。

君初见曼丽看着自己发呆，赶紧提醒道，"穿上，我不冷的。"

曼丽的身体伸进君初的大衣，他的体温包裹着自己，侧头的时候能闻得见那些挺好闻的味道。

"很香。"君初的衣服袖子很长。

"哦,是吗,我从来都不知道。"君初举着雨伞突然打了个喷嚏。

曼丽要把衣服脱下来还给他,君初执意不肯要,"我看我们还是叫个车吧,本来还想陪你散步走一阵。"

邓亮终于等到了曼丽,上次的车钱没给,这次不能忘记了。

曼丽一眼就认出了邓亮,而且牢牢记住了他的名字。君初觉得讶异,她记性那么好,不由得又多看了曼丽一眼。

"上次我从家里出来,幸好遇见邓亮。"曼丽坐在上面说,车后座有条毯子,拿来盖在君初膝盖上,"没关系的,这位车夫先生每天都会洗。"

邓亮回头,"谢谢你还记得我。"

君初很想握着曼丽的手坐车,都怪自己把外套大衣脱给人家穿,曼丽的手指藏在袖子里,根本找不到了。

"我们去吃什么?"曼丽问道,话音刚落,一阵叽叽咕咕的声音从腹部发出。

君初对邓亮道,"你知道果记馄饨店吗?"

"不知道。"邓亮老老实实回答。他从来没听说过。

"好吧,你到锦绣西餐厅去,我自然会告诉你怎么走。"君初道。

曼丽听到锦绣西餐厅,突然想到那天他们的约定,她等了一个多小时,随口就说道,"沈先生你还记得上次我们在锦绣约定的事情吗?我等了很久呢。"

君初道,"怎么不记得,当时我冲进去找你,没找到。那时候堵车,我都要急疯了去。后来失魂落魄地在街头狂奔,到的时候你已经走了,我又饿又冷又累,吃了碗馄饨,才恢复体力继续走的。"

"哦,难怪今天你要带我去吃馄饨,原来如此呢。"曼丽笑,"沈先生是想让我体验你当时的心情对不对?"

曼丽的嘴笑起来有些调皮的意味,她的头发短短的拢在脑后,更显得五官清丽,说刚才那番话时跟播音时是两个徐曼丽。

君初觉得恍惚,眼前的曼丽,像个天使一样,穿着自己的衣服。君初轻轻搂住她的肩膀,"以后别叫我沈先生好吗?"

"叫你什么?"

"君初。"

"是的,沈先生。"曼丽笑得起劲。车外的行人稀疏,谁也想象不到一辆黄包车里满载着爱意。

这次君初把上次欠的车费也一起给了,而且零头也没有要,说是感谢他上次载曼丽的事。邓亮觉得今天简直是他的幸运日,既没有被警察抓,还赚到了意外的钱,开心道,"慷慨的先生。"

话音刚落,曼丽笑道,"看来你是有了名气的。"

果记馄饨店是通宵营业的,除了馄饨还有其他的小食,曼丽叫了一大堆吃的,一边称赞道,"好吃,好吃。"

食物热气腾腾,君初的眼光也是热气腾腾,看她吃东西特别香。

"君初。"曼丽吃饱了,喝下一口茶,试探地叫道。

"嗯,什么事?"君初递了纸给她擦嘴。

"没什么事,就是看看这样叫好不好听。"曼丽低头道。

在上海市所有的馄饨店里,果记并不是最有名的,在君初与曼丽心里,却是最美味的地方,恋爱中的男人女人,吃的是心情。

到了曼丽的小屋,君初捉她的手,吻她,仍然是额头,叫她赶紧睡,照例是等她睡着了才走。

君子有所为,有所不为。君初在心中默念古训。

曼丽红色的睡衣裹在被子里,只露出一角,足以让君初把所有的古训抛之脑后。

"我睡不着,君初,我今天的心里很放松,君初,你说吴美娜还会来找我吗?"曼丽问。

"不会了,有我保护你。"君初看着她,卸妆后的曼丽宛如清水芙蓉般,"做我的女朋友好吗?"

这轻轻的一句,曼丽的头赶紧缩到被子里,不敢伸出来。怎么办? 怎么办? 答应还是不答应,如果轻易答应,他不会觉得可贵;如果不答应,他会觉得她不喜欢他。当女人真是麻烦,单身想被人爱,被人爱了又想只爱她一人。

"曼丽。"君初推了推她,"我是认真的,这几天晚上我都在失眠。我喜欢你的鼻子你的眼睛你的一切的一切,我想我是不是疯了。你觉得呢?"

"我想你是疯了。"曼丽觉得被子里的空气让人窒息,心脏在扑通狂跳,"你不觉得我们开始得太快了？"

"太快？"君初道，"我恨不得马上把你带回家，见我的母亲，告诉她你就是我的女朋友。我想告诉全世界的人，我找到了可爱的你。"

"你还真是肉麻。"曼丽抖了抖被子，"凡事开始得快，结束得也快。"

君初锲而不舍，"哪条法律规定不许一见钟情?哪条法律又规定爱情必须是要慢慢地发现，不能一触即发？你一定要答应我，徐曼丽小姐，否则……"

曼丽睁大眼睛，"否则你会怎样？"

"否则我今天晚上就赖到你答应为止。"君初有点坏坏的笑。

"天气这么冷，你就在这坐一个晚上吧，我睡了。"曼丽转过身去，背对着君初，露出白皙的脖子。她没有想到君初会把她的身体扳过来吻她，这次不是教堂式的圣洁的吻，这个吻是充满欲望的，直奔她的唇和颈。

曼丽推开他，却又无力。

君初充满了力量，那些吻是温柔的，却有着霸道的气息。他的陌生的柔软的舌伸进了曼丽的嘴，然后是脖子，呼吸有些急促。

曼丽急了，脚从被子里伸出来，膝盖一蹬，不知哪来这么大的力气，君初也是始料未及，咚的一声坐在地上，屁股生疼。

"对不起，我不是故意的。"君初从地上爬起来，屁股上并没沾太多灰尘，曼丽很注意地板清洁。

"冲动是魔鬼，你走吧。"曼丽拿被子蒙住头，他咬了她的脖子，虽然很轻，仍然有点痛。

"请你原谅我。"君初根本搞不懂自己为什么会这样，平时彬彬有礼的家伙现在却像个色狼，也觉得留在这里有点尴尬，走到门口道，"不管怎样，我是真心喜欢你，你的身体和你的灵魂。"

屋子里静静的，曼丽的眼角流下一滴眼泪，她想君初真的很可恨，竟然没有经过她允许就吻她，OH, MY GOD! 我的初吻就这样没了。

想起他这么高大却被踹在地上的样子，又觉得好笑了。曼丽忘记了吴美娜的冤魂还会不会来索命，也许之前那次被鬼吓得夺门而逃，潜意识里只是希望依靠这件事情作为一个导火索，点燃自己跟君初之间的火花。

而现在反而不怕了，女人，真是有情饮水饱，恋爱大过天。

所以，不但没有做噩梦，反而做了春梦。梦见被个男人抱得紧紧的，再看那个男人的脸，似曾相识，但可以肯定的是不是君初。

曼丽早上回味的时候心里还是怪怪的。

张少廷心里也是怪怪的，怎么电台播音员生得这般别致。以前也认识一个，年纪大，皮肤也是黑黄黑黄的，可惜了一把好嗓子。

早上对父亲张定邦道，"我要你给我警察局户籍科长的电话。"

"你这次又要调谁的资料？"

"一个播音员的。"

张定邦讽刺道，"怎么，不捧电影明星，改了兴趣了？"

"你要想我乖乖上那鬼军校步你的后尘，麻烦你帮我这个忙。"张少廷看了父亲一眼，在上海，张定邦也算是个风云人物，市长见了他也得客客气气，在家里，在老婆面前，偏偏是只绵羊。张定邦连姨太太都不敢娶，对外面的野花，也是过花丛不折花一朵，只能远远地欣赏，远远地感叹。

戴碧珠看了看张定邦，插了句话，"儿子要什么就给，别说话绵里藏针的，身上哪里不舒服跟我说，给你修理修理。"

戴碧珠是极其溺爱这独子张少廷的，但凡他开口，尽量满足他。

"少廷，这次是怎样的一个女孩？"戴碧珠喝着咖啡，透着大窗户看着窗外的

太阳，袍子是兔毛，戴碧珠并不喜欢紫貂皮，觉得俗。衣柜里不少衣服是张定邦去法国带回来的，还有那些花花绿绿的帽子，各式各样的都有，所以出席各项宴会时，总是焦点人物。

"妈咪，等我追到手了再带给你看不迟。"张少廷胸有成竹道，把面包中间涂抹了花生酱递到母亲手里，算是对她刚才那番话的回报。

"妈咪相信在上海没有你追不到的女孩子。不过儿子啊，要小心点，人心难测，要穿好雨衣呢。"戴碧珠用暗语提醒张少廷。

"今天学校不是有军训吗，这么晚了小心迟到。"张定邦的声音明显比刚才小了很多。

"张定邦，儿子一个星期回来一次陪我吃个早餐你话那么多干什么？你吃完你自己去忙你那摊子事去！"戴碧珠说话清脆有力，其实倒是有去电台播时事新闻的天分，举手投足之间就是一个字，酷。

其实一个女人混到戴碧珠这个地步也算是成功了，要什么有什么，老公长得

标致又听话,事业一帆风顺,儿子上了军校,模样继承了父母的全部优点,除了有点霸道有点花心有点爱骂人有点爱耍赖有点爱撒谎外,其他都是完美的。尤其是眼睛,简直让戴碧珠最喜欢,简直跟自己的一模一样。戴碧珠的父亲是上海斧头帮的老大戴士魁,虽然年事已高,却是德高望重。下一任斧头帮帮主已经内定了,是戴碧珠的哥哥戴玉龙,是个混世魔王的坏子,无恶不作,危害四方——但这八个字却是黑社会的标志。

戴碧珠小时候很霸道,这是遗传。

张定邦走到门口,张少廷突然想起了什么,放下手中喝了一半的牛奶,对父亲道,"爸,咱们今天换个车开,你开轿车,我开军车。"

"为什么?"张定邦有种不好的预感。

"其实没什么,就是开车的时候被个傻司机给撞了一下,车灯有点破。"张少廷说这话的时候明显底气不足,明明是他自己的错,全部推到了司机身上。

"啊,你这个混小子,我的新车啊!"张定邦心里发毛,真后悔把车借给了这个家伙。

"换嘛,我觉得开军车让我感到自己有种军人的自豪感,这不正是你要求我的吗?"张少廷把钥匙塞到父亲手里。

"你这个败家子啊!"张定邦大吼一声,实在忍不住了,"车是随便乱开的吗?出了事情怎么办?"

"以后我会小心的,我以委员长的名义发誓。"张少廷举起右手,眼神却无助地看着母亲,对他无限溺爱的母亲。

戴碧珠噗哧笑了,哪里有这样的发誓!随口说道,"唉,我说张军统,我看你也不是小器的人。"

"好吧,但是你要答应我一个月内不准逃课,开车要慢速。"张定邦把钥匙拿出来,郁闷不已,今天要开重要会议,听说是有机密事件宣布,开个破了车灯的车出席,实在是一件没面子的事情。

张定邦对这母子俩,只是无奈,只得乖乖就范。

张定邦一走,张少廷高兴得跟猴子似的,跳到戴碧珠面前鞠躬,"谢谢年轻貌美高贵大方雍容华贵贤良淑德艳惊四方青春永驻的戴碧珠小姐!"

正说得开心,一个爆栗磕上了他的脑袋,张少廷躲闪不及,哎哟了一声,戴碧珠道,"以后开车再这样鲁莽,仔细我扒了你的皮!你要是出了什么事,你爷爷会拿我问罪的。"

"明白了，我会小心。我该走了，姆妈保重。"张少廷吻了吻戴碧珠的额头，一出门就看见停在大院子里积雪旁边的军车，心里别提有多舒服了，打开门跳进去开走了。

黄埔军校里都是些意气风发年轻气盛的家伙，可别小看任何人，也许随便一个军官将来都是抗日战场上的精英。

一个星期，曼丽都没打电话给君初，君初也未到电台来找过她。曼丽心里觉得有点失望，是不是那一脚踹得太重了，伤了他的自尊心？一看见那束马蹄莲，花茎很短了，花蔫着，说不出的丧气，顺手拿出来扔在垃圾桶里。曼丽心里有点难过，他难道就这样放弃了吗？

其实自己心里是喜欢君初的，只是恨他太着急。没有性经历的女子总是以为是君子的男人就得克制自己的欲望，忍耐着。果子没熟就急着摘，吃到嘴里的不高兴，果子自己也不高兴，迟早是你的，急什么！

其实忍耐对于君初来说有些困难，那截人肉香肠根本不听自己大脑的指挥，非但不听，还经常妄图反过来指挥大脑。那天晚上强吻的过程就是肉体战胜意志的过程，那东西谁的话都不听，想起来就起来。谁解男人苦，右手最清楚。当然，左撇子是例外。君初那天晚上回家洗澡的时间特别长，嘴里发出嗯嗯的声音，有点

像便秘的叫喊，其实是在呻吟。喷薄而出的那一瞬间，思维定格在曼丽与自己交欢的瞬间，姿势是传统式，可见君初是传统的男人。

君初这个星期深刻反省，也给曼丽点时间考虑。每天按时上班下班，偶尔会约老杜喝酒，也仅是喝个半醉。君初请教老杜，"女人是不是只有在寒冷寂寞恐惧的情况下才需要男人？"

老杜做无可奈何状，用越来越熟练的汉语回答君初，"我的女人跟你的女人是不同类型的书，我的女人是一本教科书，你的女人是一本小说。"

"WHAT DOES THAT MEAN？"（此话怎讲？）君初将酒杯里的威士忌晃来晃去，并不好喝，但这间酒吧不卖老白干与花雕，只能选择这个。

老杜解释道，"哲学家说过，每个女人都是一本书。我的妻子比我大，经常教育我为人处事的道理以及怎样才能彻底地把包皮里的污垢清洗干净，所以我认为她是教科书。"老杜喝一口威士忌又接下去说，"你的女人是一本小说，小说自然是跌宕起伏情节曲折的。如果一开始就知道了结局，谁还愿意读下去？好的小

说就是让你一口气想看到底,却又猜不到下一页是什么的小说。"

君初瘪瘪嘴,"我不知道,也不明白。"

老杜看了看时间,"老弟,我要回去读教科书去了。你也走吧,我开车送你一程。"

"小说?女人?哲学家?"君初摇摇晃晃站起来,结了账。

有的女人就是一本黄书。黄书人人都爱读,会深刻记得里面的情节。读的时候大多遮遮掩掩,假如说起那个女人就一脸鄙夷,喊,那种贱货。其实恨不得自己钻进去读,仔细领略其中滋味。

那么,你是一本什么书?你爱读什么书?

　　吴美娜的法事请了十多个和尚，彻夜念经。伊玲这几天来去自如。徐伟良没有想到身边的这个女佣兼奶妈就是造鬼的人，只是觉得她去那边帮忙能够减轻自己的负罪感。

　　米雯不抽鸦片，脸色也渐渐好了起来，打扮一下是个漂亮的孕妇，头发短短的，摸上去有点扎手，她是为了孩子才牺牲自己的头发。徐伟良也懒得出去花，店里忙碌，进货出货什么都得自己经手。忽然希望曼丽找个男人，条件好不好没关系，最重要的是人品可靠，将来自己的生意也可以有个人可以接手。生意人，满脑子记挂的就是自己的生意。

　　伊玲有时候觉得好笑，笑自己，笑别人，笑活着的，也笑死去的。生亦何欢，死又何哀，伊玲最遗憾的是没有找到丈夫的尸体，那可爱的孩子连爸爸长什么样子都不知道。

　　徐伟良不再去灵堂，他下跪的时候不敢面对吴美娜。

　　我们人人心里都隐藏着不可告人的秘密，心中有鬼，忙碌的时候会遗忘它的存在，夜晚在床上反复回忆，它们便如失控的水龙头一样流得到处都是。被往事和回忆折磨着，漫长的人生就如漫长黑夜，到了尽头，我们又成了别人心里的鬼。

廖金兰发现最近君初非常之听话，但却变得非常之不爱说话。也不再像前些日子喜欢听收音机，只是拿块绒布盖着。有一回蓉妈在吃饭的时候不小心打开，君初第一次对蓉妈大声说话，"关掉，关掉！吵死人了！"

半个月过去了，吴美娜的鬼魂不来，君初也不来。

他大概是放弃了，想不到对我这么好的沈君初竟然就这样放弃了，说到底就是要我的身体，见我态度强硬觉得碰了钉子大约觉得没面子吧？曼丽胡思乱想着。天气依旧是寒冷，但不下雪也不下雨，就是干干的冷。鼻子上了火，睡觉的时候觉得自己是条喷火龙，上节目也是无精打采，话少了些，多半是放歌给听众欣赏，然后用手掌托着下巴看着外面的车灯发呆。

老张最喜欢的饭后甜点也取消了，不敢多要求，只是希望那位沈先生快来，因为他来的时候曼丽的眼睛变得格外明亮，身体里似乎藏匿着扑翅的快乐小鸟，身体轻盈，插上翅膀就能飞起来的那种。

过年前，曼丽到好好百货公司买了大包小包的糖果、礼饼，准备回郊区看望父母，顺便休息一段时间。房租是可以不交的，房子空在那。"爵士风情"节目过年停播，取而代之的是早就录好的拜年音乐，每天一个小时，唱戏，喜洋洋的梆子，也有黄梅戏，给老人家准备的。

新电影海报已经出来了，不是《姊妹花》，是一出喜剧电影《十字街头》，一大家子人印在海报上，分不清楚谁是主演谁是配角，一律挂着招牌式的笑容，一律拱手恭贺新禧，好像他们祝你万事如意就真的事事顺利。

打扫房间的时候，君初的卡片掉了出来。卡片放在衣服的口袋里——出了太阳，想中午的时候把衣服晒晒，倒过来晾在阳台上。

要打电话给他吗？曼丽问自己。

廖金兰与蓉妈爱上了逛年货街，因为君初说了，过年电影厂的同事要到家里来聚餐，要蓉妈早早准备。

腊月初七晚上，君初半夜起床，亲自熬粥给家里的老人喝。这是准备很久的，也是孝敬的具体体现。淘米，泡果，剥皮，去核，到后半夜开始煮，要用微火炖到第二天清晨，这腊八粥才算熬好。跟别家腊八粥有所不同，君初家里的除了糯米、桂圆、糖、莲子、银耳、红枣、百合、山药、绿豆、红豆，其他像胡桃仁、松子仁、芡实也是分成一堆一堆,花生要磨成粉,并不是一颗一颗,这样更容易消化。

到了天亮,蓉妈按照地址送了一些给君初在上海的亲戚朋友,然后全家人一起品尝。味道跟去年的一样美,老太太提着女朋友的事情,希望快点抱上孙子。

电话响了,是老杜,说年底要回国一趟,走之前想跟君初见面吃饭。廖金兰在电话旁边听得清楚,叫他快去快回。

曼丽路过邮局,打算告诉君初她过年要去父母家,租的房子那边没人,叫他不要去找她,但又觉得这个借口太荒唐——君初并未来房子找过她,否则会像上次那样留下纸条。

后面排队打电话的人嘀咕了声,打不打?

曼丽在心里也在问自己,打不打?

好吧,打过去,顺便也有个交代。他是吻过她,但现在曼丽想跟他说清楚自己心里的想法,积极的那种,想告诉君初其实自己这几天一直都在想念他。

拨通电话的时候,君初正去银行的路上,一点预感也没有。

接电话的是廖金兰,"沈宅,找哪位?"

曼丽之前听君初说她的母亲也在家里住,所以礼貌道,"伯母,请问沈先生在家吗?"

"哦,君初啊,刚出去,请问您是哪位?"廖金兰听出她的声音,就是电台里的
那个女声。

"哦,不在。我是沈先生的一个朋友。"曼丽说道。

廖金兰说:"你要留下口信吗?"

"不用了,谢谢您。"曼丽挂了电话。

曼丽一阵失望。无法用语言表达。

君初也觉得这样就过去了,毕竟相处时间不长,想着曼丽心里并没有他。晚上回来的时候问老太太,"有人打电话找我吗?"

廖金兰说有一个女的。

曼丽,是曼丽!

"她说什么了吗?"君初急切地问。

"就说找你,我说不在,她就挂了。"廖金兰很少看见君初这样的表情,君初从来都是波澜不惊。

"我出去一下！"君初也顾不上解释，朝曼丽房子走去。

从楼下看，没有灯，君初上去敲门，无人。会不会在睡觉？又咚咚咚敲了三声，仍然没有声音。

她会去哪里？她是不是又因为害怕逃出去了？这么一担心，君初良心不安起来，责怪自己当初太冲动，这几天碍于面子也没去电台找她，只能失望而归，到走廊灰暗的灯光下留了纸条在门上。回来时坐在车上在行人中寻找曼丽，连个相似的背影都没有。

徐伟良见曼丽带着一大堆东西回来，心情好了些，毕竟是女儿贴心。曼丽说吴美娜的魂也没再出现过了，米雯也松了一口气，但还是拉不下面子跟曼丽说话。

倒是曼丽大度，不计前嫌——如果不是米雯将事情抖出来，吴美娜怎能甘心入土为安？现在这样，至少可以给她家人一些补偿，于是问候，"姨娘的肚子还好吧？"

米雯不说话，挺着越来越大的肚子。

徐伟良轻轻咳嗽了一声，米雯这才懒洋洋道，"托大小姐的福，好得很呢。"

曼丽碰了个钉子，吃了晚饭就回房了。不用上班，忽然心里空空的，也不知道君初现在怎样，大约忘记我了吧？曼丽想着，不知道什么时候睡着了。

各自的年过得热闹,内心却又落寞。那漫天飞舞的雪花也只是片片凋零。

君初想起小时候融化的雪人,觉得自己傻,越喜欢的东西总是消失得越快。心不在焉地陪着老太太逛遍上海,逛好好百货公司的时候想起曼丽,乘蓉妈跟老太太买东西的空当,到楼顶电台打听曼丽的消息,说要等过年以后才上班。

曼丽这边也去过几次外滩,站在当初跟君初一起散步的位置,心中自然是感慨万千。徐伟良怕米雯受不了风大,找人拍了张全家福就回去了。

风的确是大,把君初留的字条吹落了,在空中盘旋了几秒钟,不知所踪。

曼丽回来的时候,门口空荡荡的,这个年过的,一点变化都没有。叹息一声,开始搞卫生,晒被子,忽然瞥见窗外树枝的芽,春天已经来了。

上班,不知道是谁发明了上班。曼丽进入电梯时,给了电梯小姐一个红包。

一进去播音室,曼丽惊呆了,整个播音室都是百合,金色、白色、黄色,花的世界,芬芳的。

君初。

曼丽看到一个人影。心里扑通扑通的乱跳,他果然还是舍不得我离开。

张少廷坏坏地笑，"曼丽小姐，新年快乐。"

怎么是你？曼丽眼中的光芒黯淡下去。

"下班请你吃饭？"张少廷今天开学第一天就逃课。

"不用了。"曼丽看见他的表情，想起自己小时候邻居家调皮的小孩，心里一阵漠然。

张少廷走近，"我来接你下班？"

警卫做了个请的动作。

曼丽看也不看他，到播音室坐了，戴上耳机，向听众致以新年问候。

张少廷开着车在路上狂奔，这个女人怎么这么不识趣！她不知道我是谁吗？我要的东西从来都没有得不到的！

君初在路上漫无目的地逛着，一辆军车呼啸而过。路边成衣店没什么生意，人很少，收音机里忽然传来曼丽的声音，"跟大家分别很久了，我是你熟悉的陌生人，在电波另一端被你聆听。在这个热闹的新年后是否记得去年的朋友？如果是值得珍惜的，请不要轻言放弃。送大家一首歌，不管是新年还是旧年，曼丽陪你走过，送大家一首《鱼儿哪里来》，愿你记得那些美好的片段。"

君初的眼睛有点湿，是对自己说的么？梦醒一般，走到花店包了一束马蹄莲到电台，开电梯的小姐仍然是那一位，看着自己微笑。

警卫去年的胡茬在今年仍然留着。

曼丽在播音，没有看见君初来。那些百合散发着幽香，朵朵娇艳无比，数额庞大，让人眼花。

清洁工蒋高娟看见他，便道，"你也是来追曼丽小姐的吧？"

君初回头看了看她，个子小小的，眉宇之间透露些痴气，便随口问道，"这些花是给曼丽小姐的？"

"是啊，一个男的，曼丽小姐还没上班就吩咐花店的人来布置了，奇怪得很，他竟然知道曼丽小姐最喜欢的是百合花。"蒋高娟叽叽咕咕的很快地说话，也不管别人是否听懂了。

"啊。"君初看看手中的马蹄莲，觉得顿失颜色，连那纯净的白都散发着腐败枯萎的意味，仔细看，有点黄，花瓣有些皱。

走到好好百货公司的门口，一个长着脓疮的乞丐伸出手来，君初把花丢给他。那个乞丐拿着那束花换了二十块钱。

有时候满心期待的东西,得到的是相反的结果。我们还是要继续期待。不期待,又能如何?

曼丽趴在化妆台上写今年的新计划,台长说要在一个星期内上交,反正都要写,早写早完事。不小心抬头看了看镜子,花团锦簇中是自己年轻漂亮的脸,看自己的瞳孔,越看越入神,猛的出现一个骷髅头,只有嘴唇上沾了少许皮肉。曼丽出了一身冷汗——原来只是打盹的时候做了个噩梦。

曼丽对清洁工蒋高娟道,"把这些花都拆下来扔了吧。"

"扔了?多可惜。曼丽小姐您在节目中不是说你最喜欢的是百合吗?"蒋高娟抓起一朵做深呼吸状。

"我最喜欢的是马蹄莲。"曼丽走进台长办公室。

蒋高娟瘪瘪嘴,开始扯那些挂在墙上的一朵朵的花。

如果有爱情,花是芬芳使者,倘若没有,那只是用钱换来的植物的生殖器。

曼丽下班的时候在好好百货公司门口转了一圈,发现君初终究没有来。看看自己磨花了的绒线衫,决定到里面逛逛。

服装柜摆着几件奢侈品,价格都接近四位数。店员并不殷勤,冷冷地看着观望的顾客,一边提醒着,光看别摸,君子动口不动手。

曼丽喜欢的,就是第一眼看上去心动的,无论是衣服还是男人。

那件带些湖水绿色的外套,上面别着羽毛形状水钻胸针,穿在模特身上,灯光照射下,衣服仿佛是活着的,对自己招手,"来买啊,来啊,你动动钱包,我就是你的。"

曼丽的心里在说,"你不属于我,我只能欣赏你。"

衣服道,"你现在不下狠心,以后我就要穿在别人身上了。"

曼丽的身体微微摇晃着,对衣服道,"我很喜欢,但也许你不适合我。"

衣服道,"不尝试怎么知道合适不合适,相信自己的感觉!"

店员打量着曼丽,清秀五官透露些活泼,虽然不是珠光宝气,却也气质不俗。如果劝说劝说,这件衣服兴许就能卖出去。这个月的奖金也就有了着落。

"小姐,这个衣服很适合你,试衣间在这边。"店员马上走过来,不由分说地把衣服从模特身上剥下来。

曼丽拿着那件衣服,在试衣间的镜子前犹豫,终于忍不住穿上了,从里面出来时,女店员觉得这件衣服找到了主人。

　　她像个天使,虽然没人知道天使长什么样子。

　　"这件衣服是巴黎进口的,全上海仅此一件,小姐真有眼光。"店员帮曼丽整理着衣服的下摆,"它天生就是属于你的,不大也不小。"

　　"哦,谢谢。"曼丽瞥了瞥价格,七百八十,刚好一个月的工资,"不用了。"

　　曼丽工作后从来没有问家里要过钱,如果买了这件衣服……

　　曼丽在穿衣镜前转了几个身,不是自己的,在自己身上多停留一阵子也好。

　　"刚才这位先生已经帮您付过钱了。"店员将曼丽的旧衣服包好放在袋里交给她。

　　曼丽一阵诧异,君初却已经站在眼前。刚才看见曼丽在门口焦虑等待的样子,君初恨不得想冲过去拥抱他,告诉她,他有多么想念她。

　　店员又说道,"这胸针是送给你的,配这件衣服是锦上添花。"

　　曼丽刚想说不要这件衣服,手已经被君初拉住往外走。

　　"你还来找我干什么?"曼丽甩开他的手,赌气说道。周围的景色,全都慢慢变得可爱起来,四周的法国梧桐,枯枝上点缀嫩绿。

　　君初又牵着曼丽,"我们去喝咖啡?"

　　"不去,不去。"曼丽把头扭一边去,"谁要喝你的臭咖啡。"

　　君初拉过曼丽的身体,用力地拉过来,两个人的鼻子几乎要碰到一起,"去不去?"

　　马上有人围观,看这对鸳鸯在闹什么别扭。中国人都喜欢看热闹,尤其喜欢看的是男女吵架和跳楼自杀。如果吵架的不够激烈,没有耳光没有哭闹,跳楼的没有血光四溅,没有一声闷响,就不过瘾。朋友说约着见面时,大家都很忙;幸灾乐祸时,人人都是时间的富翁。

　　曼丽不想被人看热闹,只有点头答应了。

　　因为那件新衣服的缘故,自己也很喜欢自己,路过橱窗的透明玻璃,总是忍不住看看,看自己走路的姿势是否优雅。身边的那个影子,就对着自己笑,抱歉的温柔的笑。

　　咖啡是苦的,犹如这磨难的人生。偶尔遇见自己真心喜爱的男子或女子,他们就是咖啡伴侣,融合在一起,苦是苦,回味起来有幽香。

曼丽搅拌着咖啡,问君初,"后来怎么消失了？"

"我还问你呢！连个电话都舍不得打,真的这么恨我么？"君初握住曼丽的双手,"我气得好几个晚上睡不着。"

"我也是。"曼丽的手这次没有甩开,"我觉得你讨厌我,所以远离我,我打过电话给你,你却不在家,在过年前那一天。"

"我知道,后来我去找你还给你留了字条,你也没有给我回电话。"君初皱眉头,"我回家就变得很准时,总是守在电话旁边,也不敢听收音机,怕想你想到疯掉。"

曼丽嗯了一声,原来他留了纸条的。

误会解释清楚,还得到了自己喜欢的衣服,这个男人也不算太坏,想起那天晚上亲热的一幕,又说道,"那你以后还对我坏不坏？"

"不敢了。"君初见她语气缓和,心里踏实了些,故意埋怨道,"你看,上次踢了我的屁股,到现在还痛。"

曼丽咯咯笑了起来,因为屁股这个字眼从斯文扫地的君初嘴里说出来特别有趣。

"你说你哪里痛啊？"曼丽歪头问。

"屁股啊,怎么了。"君初一脸疑惑。

"哈哈哈哈。"曼丽乐不可支,女人即是如此,没来由的笑,没来由的悲。

看她笑得那么开心,君初心里升起一种莫名的愉快。曼丽一笑,君初听到花瓣舒展的声音,也许是春天的脚步。

　　张少廷一回家脾气大得很。咚的一脚,皮鞋甩得飞起来,一只在门角落,一只站立在门口。

　　佣人赶紧收拾,看样子少爷今天不顺心。

　　戴碧珠过来抱了抱他,"儿子怎么了? 谁惹我宝贝生气了? "

　　二十岁,意气风发的年龄。张少廷在家谁也不怕,在外更是如此。换了几个女朋友,口味刁钻,脾气也不好。再坏的孩子在妈妈眼睛里都是完美的。

　　张少廷推开戴碧珠,委屈道,"怪我爸,找的什么资料! 人家根本不喜欢什么百合花,全被清洁工扫掉了! "

　　张少廷后来又去了一次电台,蒋高娟认识他,因为帮忙摆花,张少廷还给过她一百块辛苦费。蒋高娟道,"多可惜哦,就这样扔掉了,我都舍不得呢,拿了几枝插在厕所里,喷香的。"

　　张少廷哭笑不得,随口问道,"她不是喜欢百合吗? "

　　"哪里,我问过了,说是喜欢马蹄莲。这些小姐啊,其实花有什么好的,又不能吃,不如喜欢菜啊,你最喜欢吃什么菜? "

　　张少廷看了看她,想了想,"我喜欢吃牛肉。"

"哦哦,牛排,我懂了,我从来没吃过的,在画报上看见过一次,没有饭吃的,光吃肉。"蒋高娟挥舞着拖把,在地上画着8字。

"你能帮我个忙吗?"张少廷觉得她不傻。

"好啊,我愿意啊。"蒋高娟停下来,看四周无人,老张在盯着机器,一个男播音员表情严肃认真地向各位听众播报远方传来战火的消息。

蒋高娟不关心这些,现在打仗是打仗,还没到上海来,她也是有一部收音机的,放在家里,她知道上海是大城市,日本人不敢炸。直到后来漫天飞舞着太阳旗标志的零式飞机,蒋高娟才如梦初醒,原来时事评论员就相当于占卜师,有时候准,有时候失误。

张少廷掏出一张钱,"把曼丽小姐这个月的排班表给我。"

蒋高娟眨巴眨巴眼睛,"好啊好啊。"

当张少廷接过蒋高娟从曼丽化妆桌上拿过来的那张主播排班表时,君初也接过曼丽从包里拿出来的主播排班表。

曼丽说道,"给,以后就知道我是在哪里了,不在电台就在去电台的路上,不在去电台的路上就在家里,不在家里就在回家的路上,不在回家的路上就在电台。"

君初做头晕状,"顺口溜。"

这间咖啡厅也兼做一些糕点、西餐。曼丽没有吃晚饭,就顺便一起吃了。君初点了牛排,曼丽吃羊排,一个罗宋汤,一份餐包,一份水果色拉。

灯光朦胧,在这朦胧中,曼丽觉得新的生活在向自己招手。

此时,蒋高娟也正在向张少廷招手,"再见啊张先生,你真是好人呢。"

两百块,真是个好人,如果自己再漂亮点就好了,算了,一个清洁工,一个神经病。

心中有鬼
THE MATRIMONY

春天来得有些迟,但终于还是来了,花花草草伸懒腰,纷纷打起精神,像是憋了一个冬天,现在就要拿出看家的本事来讨好公园里的路人。

君初牵着曼丽的手,慢慢地散步,一边拿面包屑喂那些大嘴鲤鱼。

君初忽然捧着曼丽的脸,"曼丽,跟我回家好吗?"

"回家,去哪里?"曼丽其实已经明白几分。

廖金兰准备在清明时回去扫坟,而且知道君初找了一个女朋友,虽然没有明白地表示出来,但听他接电话时的表情与时常浮现的莫名其妙的笑容就明白了一切。

问了蓉妈,蓉妈也表示赞成。

廖金兰对蓉妈说,"君初这孩子年轻时光顾着学习、创业,现在也快三十了,也没正儿八经地谈个朋友,说来也让人担心。现在有了女朋友,也让人担心,是个怎样的女子?会不会对君初好?漂亮不漂亮?丰满不丰满?能不能生养?家庭条件好不好?人品怎么样?书读得多不多?会不会做饭?有没有节约的好习惯?爱不爱打扮?脾气好不好?喜欢不喜欢小孩?孝敬不孝敬老人?有没有工作?多少钱一个月？……"

张少廷发完脾气后，对这个女人也失去了兴趣。军校旁边新开了一家舞厅，专门供军官们休公假的时候消遣之用。

因为最近张定邦管得比较严，几乎每天都要去询问儿子有没有按时上课按时就寝，所以张少廷没有太多的时间去顾及曼丽。晚上溜到舞厅喝酒跳舞，十二点前准时就寝，点名的时候醉醺醺地喊到，也好过不到。

张少廷逛舞厅的时候遇见了一个女子，名丁丁，丰乳肥臀细腰，一沾上就脱不了身。张少廷二十岁，丁丁十九岁。

丁丁的床上功夫却是让张少廷咋舌，她的下体可以自如收缩。而且双手灵巧，尤其是小拇指，身体一边在张少廷脸上摩擦，手指却绕到腰后，顺着缝隙缓缓插入，轻如鸿毛，由浅及深。这种激情是少廷有时候一天要泄五六次。

在附近的小旅馆，少廷抽烟，冷笑着看美艳的丁丁吞吞吐吐，看她兴奋地抬头。

丁丁是个暗娼。

她觉得自己很喜欢张少廷，英俊，挺拔。

张少廷每个星期回家倒头就是睡觉，戴碧珠从他身上闻到一股精液的味道。以前偶尔有过，是张少廷从洗手间待很久才出来时闻到的，他自渎很正常。可是刚从军校回来就不正常。戴碧珠敏感，但也只是问道，"是不是最近很累？"

张少廷顶着黑眼圈，"什么鬼军官精英速成训练计划，你儿子我现在都快受不了了，都快崩溃了！"

所谓军官精英速成计划是黄埔军校借鉴美国西点军校的做法，选出最优秀的军官——当然家世更要显赫，这样可以保证血统纯正——用残酷、严厉的训练手段，锻炼出一群优秀的指挥官。其实张少廷这样说自己倒是对不起教官汪海洋。汪海洋跟张定邦以前是战友，同在一个部队，只是张定邦有黑社会撑腰，自己又懂得看上级脸色行事，爬得更高罢了。级别不一样，交情还是在。对待别的学员，汪海洋都是严厉加严厉，对待张少廷自然不一样，手段温和了很多。比如做俯卧撑，如果别的学员在训练时做不到一百个，汪海洋一定对准后背狠狠踩下去，一边教训道，"是不是在床上俯卧撑做多了，到我面前就成蔫货了？"

轮到张少廷时，汪海洋语气缓和很多，"做得了多少算多少，晚上要注意早些就寝。"

但张少廷一次比一次做得少，训练时险些晕倒，遭人耻笑，但没人敢笑。

汪海洋有一次提前半个小时去宿舍清点人数，到了张少廷宿舍时并未有人在，顺便问道，"你们谁看见张少廷了？"

这下炸开了锅，有的说在舞厅跟丁丁在跳舞，有的说跟丁丁在旅馆逍遥，有的说回家了。等到十二点，张少廷摇晃着回来。

"去哪了？"

"报告教官，我出去买了些用品。"

"用品呢？"

"用完了。"

汪海洋无奈，却也多了心眼，经常看见张少廷跟个年轻妖娆女子混在一起，走在路上假装是不认识，但却不约而同走入旅馆大门。

晚上张定邦回来，问了问张少廷，戴碧珠担心道，儿子最近回来好像很累，你们那个军官什么速成班是不是把人往死里训？

张定邦一边换睡衣一边回答道，"谁还敢把你的宝贝儿子往死里训啊？教官是汪海洋，打了招呼了，这么多年的老关系，他不知道轻重？"

戴碧珠躺在床上，推了推几乎要睡着的张定邦，"我说你，就知道睡！一点也不关心儿子！"

张定邦强打精神，"我怎么不关心，隔三岔五的打电话过去问每天有没有参加训练，有没有回来睡觉，一切正常啊。"

戴碧珠想了想最近张少廷的异常举动，拨通了汪海洋的号码。

"你好。汪宅。"汪海洋正准备洗澡，手里拿了条大毛巾，他平时是住在军校的，周末回去跟老婆、孩子聚一聚。

"是我，戴碧珠。"

汪海洋的手抖了一下，"嫂子，你好你好。"

戴碧珠问道，"你老实说，少廷最近的情况怎样？我要听实话——如果你是为了他好。"

汪海洋知道戴碧珠的来头，丝毫不敢怠慢，一五一十地把自己看到的、传言的、自己想象的说了出来。

戴碧珠一边听一边叹气，继而变得愤怒，汪海洋最后说了句，"嫂子别生气，年轻人可能没什么自制力。"

张定邦已经睡熟了,他不喜欢管儿子,管松了是错,管严了也是错。其实传闻他也听过一些,男人嘛,二十岁的年纪,是下面指挥上面的年纪。当然,很多人到了三十岁、四十岁、五十岁、六十岁都差不多,只是有些人懂得动物与人类的差别,交媾与做爱的差别,有些人不懂或者不想懂得太多罢了。

尽管张定邦已经睡熟,台灯被电话砸中的声音仍然让他在梦中不寒而栗。戴碧珠很久没有发脾气了,她发起脾气来,是要死人的。

张少廷睡到中午才懒洋洋地下来,戴碧珠佯装不知,"上次你说那个喜欢百合花的女孩怎样了?"

"她?"张少廷想了想,"不错的,一起吃饭,买了些礼物送给她。"

戴碧珠冷笑了声,叫他坐下吃饭。

"下午陪妈妈去一趟外公家,大伯也很久没见你了。晚上赶回去来得及的。"戴碧珠不经意地拿起杯子喝茶,是透明的玻璃杯,可以看到张少廷一瞬间转动眼珠的慌张。

"哦,不过下午我们要训练的,我不去爸爸会不高兴。"张少廷撒谎,鼻尖上冒着汗珠。

"那好吧,我会告诉你大伯你也很想他。"戴碧珠笑了笑,喝下一口茶,太浓了些,对佣人道,"换杯淡的来,昨天晚上没睡好,还尽给我泡这些鬼东西。"

张少廷觉得戴碧珠有点奇怪,一看果然面色憔悴,赶紧讨好地走过来,"母亲大人,睡眠很重要,要注意休息。"

要是平时,戴碧珠早就笑他贫嘴了。但今天,戴碧珠破例没有笑,也没理他,只是吃饭,慢慢地咀嚼,眼神冷漠。

张少廷回到座位上,不敢说话,默默地吃,想着丁丁说周末下午给你个礼物,就很想知道礼物是什么。

张少廷上楼换衣服。那件装了曼丽排班表的西装,放在衣柜的最里层。

男人较之女人总是更健忘,所以大多男人比女人过得潇洒,不快乐是因为有好记性。

张少廷出门前吻吻戴碧珠的额头,"妈,我回学校去了,你要记得睡回笼觉。"

戴碧珠心里一阵暖意,但马上硬起心肠来。这小子,还想用美男计过关,没门!

戴士魁下午喜欢打麻将,几个小帮派头子争着给他放炮让老爷子开心。不一会儿，筹码满了桌。另外一个屋子，戴玉龙在给几个人开例会，表情十分严肃。现在斧头帮基本上已经控制整个上海黑社会的主要阵营，赌场、夜总会与马会。

有人在门口报，大小姐到。

戴碧珠一进来，老爷子赶紧让位，"来来来，我手气正红着呢。"

戴士魁知道戴碧珠这个时候出现肯定是来找牌局的，女儿嫁给军官也算是强强联手，又生了个外孙，也算是顺心如意。

戴碧珠见许多人在场，有些话又说不出口，下一任准帮主戴玉龙带着分堂的在里面开会，也不好叫，只得先坐在牌桌上。

戴碧珠越打越烦闷，想起汪海洋说的"已经跟我借第三回钱了，说是不敢问家里要"、"跟那女孩没进旅馆门就搂抱了"、"据说不是正经的"……

上家打牌喜欢喊，打出个牌说了句，"一只鸡！"其实就是一条，外号幺鸡，他习惯叫成一只鸡。

当的一声响，戴碧珠抓起桌上的牌一扔。

然后大家都愣在那里。

戴士魁颇为不解，"发生什么事了？"然后对里面开会的几个道，"别商量了，出来下。"

老头子虽然接近退休，但这一声熟悉的喊，曾经掀起过很多次腥风血雨。

戴玉龙见妹妹过来，叫其他人散了去，一家人坐一起，听着戴碧珠的描述。戴玉龙劝慰道，"男人嘛，总是有些放纵的。"

戴碧珠一下站起来，"你们就知道帮他说话！都是你们，少廷现在才堕落成这样子！"

也不知道平时是谁溺爱他，还好意思说别人。戴玉龙与父亲在心里同时想到这个，但不敢发作。

"好啊，你们不管是不是？我自己去找！"

戴碧珠拿起包准备走，被戴玉龙劝住了，"我还能不管你的事？我想说的是，其实少廷是个好孩子，只是因为年纪小，被人诱惑了嘛。"

戴碧珠觉得有道理，又坐下来听。

戴玉龙继续道，"给他点教训就行了。"

戴碧珠道，"可不许打他，我从小都没动这小子一根手指头。"

戴玉龙对身后的三个男人说了帮规第七十条。

戴碧珠这才把绷紧的脸放松了。

从豪门赌场里出来三个男人,一个女人。女人是戴碧珠,三个男人都是戴玉龙手下,裤腰里,有锋利的小斧头,镀了一层薄薄的黄金,是帮里执行帮规的三个。

丁丁等了很久,张少廷才到旅馆来。澡也顾不得洗,扑到床上就摸。

"干什么嘛?"丁丁躲闪着,这么些日子以来,张少廷不停地给她钱,只想她不用去找别的男人。他知道她没有父母却有弟弟妹妹,她走这条路实在是无可奈何。丁丁喜欢张少廷对她的迷恋,除了用肉体回报,还能怎样?

"我的礼物呢,礼物呢?"张少廷坏笑。

"你上次不是说要换一个地方弄吗?"丁丁翻过身体趴在床上,给张少廷的手上抹凡士林。

张少廷高兴极了,因为还从没尝试过那个神秘之处。而且她乐于接受,真是太好不过了。以前跟电影演员玩可没这么开心,那些女孩忸怩作态。

丁丁虽然不是什么大家闺秀,但是很真实,很投入。张少廷固执地就喜欢了。以前不认识,认识后就很喜欢。现在是喜欢,以后呢?不知道。管他呢!

不戴无边女帽好不好?张少廷不喜欢穿袜子洗脚的那种隔离感。

不好。丁丁翻过来认真地说道,会有小孩。

张少廷不以为然地又把她翻过去,有小孩生下来,偷偷养着玩。

张少廷先是仔细翻开看着,觉得挺好玩,像一朵半明媚半忧伤的菊花,举起自
己的小香肠以四十五度角进入。

有了凡士林,做爱更开心。

张少廷对于那种奇妙的快感一下子不适应,忍不住喊了一声,"哎呀,我的妈妈呀,真舒服!"

门被为首的斧头帮打手一斧子劈开。

说妈妈,妈妈真在眼前。

戴碧珠气得眼睛都发绿了,儿子光着屁股趴在一个女人身上,果然是精英,果然是速成训练,都训到床上了!

丁丁赶紧抓起床单裹着身体。

张少廷来不及把湿漉漉的弟弟用东西遮盖住,就被戴碧珠看见了。

让人尴尬的是,上面沾了少许暗黄色的东西。

戴碧珠扬起巴掌,张少廷赶紧闭上眼睛,在那一瞬间想,妈的,这一下会不会痛死。

丁丁狠狠挨了一耳光。

戴碧珠笑着对张少廷道,"周末妈妈等你回家吃饭。"

她四十岁,他二十岁,她的心碎了。

张少廷跪在地上拖着戴碧珠的腿,"求你,我下次不敢了,你放过她,你放过她！"

戴碧珠摇摇头,虚掩上门。

那些斧头小又锋利,一下一下砍在丁丁的身体上,三个人,一个负责剁脚,一个负责跺手,一个负责砍大腿。

丁丁喊不出来什么,只是看见自己眼前一片血红,喷的姿势太磅礴,自己看着自己的两只脚没了,然后是手,然后是大腿。

丁丁永远不知道自己的脸砍成了什么样子,张少廷却呆了。他知道斧头帮,但不知道是这样锋利的斧,那三个男人三斧头就把脸砍得皮开肉绽,横着那一斧头速度过快,一颗眼珠子从眼眶弹出来掉在白色床单上,很大,圆滚滚的一颗。丁丁是属于张少廷喜欢的大眼睛女孩,现在证明果然很大。

有个男人拿出枪,对准头砰了一声,半个脑袋飞到墙角,剩下的半个腾腾冒着热气。

而没有头的身体像块猪肉,床是砧板,头发是葱,指甲是蒜,爱是毒药。

张少廷跪在地上哭,她太可怜的,连喊痛的权力都没有。

丁丁脖子喷出的血几乎溅满了整张墙。他的头发向下滴血,眼睛都睁不开,他不敢再看那个半个小时前还鲜活的女孩。

三个男人砍完了没有什么表情,对于他们而言,这是工作。就如曼丽在播音室播音,君初在电影厂拍镜头,徐伟良在药店卖药,蒋高娟在电台扫垃圾一样。工作,专注,认真,斧头帮的这三个杀手具有良好的职业道德。砍完后掉头就走,也不忘记到楼下丢给目瞪口呆的旅馆老板一叠钞票叫他把房间里那个女的找个地方埋了。

其实他们中间有个人很想拍拍张少廷的肩膀告诉他要玩就要小心点,但还是作罢了——他并不想变成床上这个碎得像烂泥一样的女人。

死一般的静,血喷得差不多了,那些破碎的肢体开始变得暗淡,那种尸体的黄开始显露。它们渐渐失去了弹性,在拼命往外咕咕的冒着最后的红色液体。那些砍下来的大腿一抽一抽，到处都是红色。丁丁以前说最喜欢的颜色就是红色，现在如愿以偿。

突然听到张少廷一声绝望的呐喊，又是死一般的静。没有什么好喊的，喊破嗓子，死去的也不会再活过来。

不知道过了多久，张少廷回过神，跌跌撞撞爬起来穿上裤子到洗手间洗脸，镜子照着丁丁的残破躯体，太阳下山了，窗外有游行的爱国学生走过，"中国人不打中国人"、"抵制日货，从我做起"之类的声音不绝于耳。

他们真是快乐，有着自己的信仰。

有一缕夕阳透过窗户照在床上，温暖的照着冰冷的。

她不是什么好人，她只想赚钱，她年轻，贪玩，想赚钱的同时想找个靠山，找个势力大的少年军官。丁丁一度觉得自己很幸运，遇见张少廷。

她曾经躺在他的肩膀上问过，如果你妈妈就站在我们面前怎么办？

张少廷当时说，"你猜。"

丁丁假装害怕地说，"会把我踩成肉酱的吧？"

张少廷把丁丁抱得紧紧的，"不会，我妈说只要我喜欢的，她都会喜欢。"

看来女人的话不可全信。

只要我喜欢的，她都会喜欢。

回忆至此，泪流满面，那缕会拐弯的阳光也渐渐远离，尸体渐渐冷下去。去尝试忘记，就当从来没发生；去尝试远离，就当从未遇见你。

夜深了，旅馆楼下的司机打着哈欠，终于等到了张少廷。张少廷胸口血迹斑斑，他闭上眼睛抱了那冰冷的躯体。

丁丁悲伤地站在半空中，她越来越淡，淡到虚无，甘心地离去，张少廷抱了她，足矣。

旅馆的床上，那颗眼珠却流不出眼泪。

"妈妈，我错了。"张少廷跪在父母床头到天明。

"你可以后悔，但却改变不了现实。"戴碧珠对于这件事情做出这样的评价。

春天。

曼丽终于挑好礼物准备去拜访君初的母亲，顺便也给蓉妈带了。有点担心地问君初，"我头发乱了没有？"

君初怜惜道，"别担心，没有那么可怕，我母亲很好的。"

"你确定？"曼丽还是有点担心。

君初用吻做了回答。

这段时间君初几乎每天都接曼丽下班。有一次兴致来了，曼丽下班早，君初带她去电影厂看拍电影，在一个影棚竟然遇见当年的主考官丹萍。

丹萍夸奖道，"曼丽小姐越来越漂亮，不当电影明星真是可惜。"

君初在旁边说道，"其实用声音让人愉悦是一样的。"

丹萍这才注意到二人是一起的，夸奖君初有眼光。

曼丽有点小得意，君初说，"其实曼丽的眼光更好。"

又跟老杜见了面。在酒吧喝酒，老杜第一次见到曼丽便对君初笑道，"你把你的小说带来了？"

曼丽不解,"什么小说?在哪里?好看不好看?"

君初把食指放在嘴边,神秘一笑。

老杜听过曼丽的节目,聊起来甚是投机。

朋友都见得差不多了,曼丽越来越喜欢君初,每次他一脸骄傲地介绍说这是我女朋友曼丽时,她都觉得很开心。判断一段感情是否是真的,有个标准,就看是否能够堂堂正正暴露于阳光下。

心情好的时候,百毒不侵,曼丽在春季流感季节,成功躲过一场大病。君初却是不停地咳嗽,曼丽每天熬梨子枇杷膏给他喝,君初感动不已。

是的,就是她。

廖金兰在动身之前终于答应见见曼丽,一来也算了却心事,儿子可以进行交接了,长这么大了,养得不容易,一下子要给出去,心里还是有点舍不得。二来看儿子眼中的完美女人到底是什么模样。

蓉妈是见过曼丽的,印象很好。自从帮她抓鬼以来,曼丽总是托君初买些好吃的过来。蓉妈的胃口没有廖金兰这么挑剔。

曼丽正想着心事,君初已经开始叫门。

曼丽今天穿得中规中矩,到膝盖的格子裙上面配着黑色绒衣,短短的呢子小领西装外套显得人精神焕发。

见到蓉妈,真是亲切,赶紧叫了。

到客厅,廖老太太正襟危坐,君初介绍道,"妈,这是曼丽,我女朋友。"

廖金兰心里一抽,脑子里忽然想起一句俗语,有了老婆忘了娘。

曼丽赶紧叫道,"伯母好。"拿起手中的礼盒,"这是小小的心意。"

君初的家很大,但装饰朴素,帘子被太阳晒得有些褪色,桌布刺绣的图案很是别致。

蓉妈过去接了,去厨房准备晚餐,因为是周末,两人都休息,晚上可以去看场电影。君初最近特别喜欢看电影,因为曼丽在身边,好像回到当初第一次遇见的时候。

曼丽有时候问,"假如问你要票的是别人,给不给票?"

"给。"君初说道。

曼丽问,"如果是男人呢? "

"不给。"

"如果坐你旁边的是别人会不会爱上? "

"没有如果。"

万丈红尘,没有如果,只有可是。

廖金兰观察曼丽吃菜的样子,喝水的样子,笑的样子与不笑的样子。曼丽始终彬彬有礼,跟君初的温文尔雅也算相称。

问到父母与工作,曼丽说,父亲是中药商人,母亲过世了,自己在电台当播音员,自己租房子住。

这一切,无可厚非。

廖金兰满意地笑笑,这一笑,君初的心头大石落下了。夹的菜在老太太碗里堆成小山,大多是辣的。

又问道,"你吃辣吗? "

如果懂得辣椒的滋味,那就是完美了。

曼丽吐吐舌头,"我怕辣。但偶尔也吃点。"

蓉妈打圆场,"老太太,你不记得了,他们上海人最怕吃辣椒的。"

曼丽有点不好意思,岔开话题,"伯母,这桌布的刺绣是哪里的? 很漂亮。"

桌布是湘绣芙蓉花,花上的两只蝴蝶振翅欲飞,栩栩如生,蝴蝶的触须与花纹是一绝,颜色逼真。

廖金兰夹了片腊肉在嘴里, 一边道,"这个是老家表叔绣房的姑娘三三送的。还记得吗君初,五年前你回去帮我拿那件衣服时还被困在河西呢。"

君初想了想,"哦,对,你那件衣服害得我差点回不了家。好大的雪。"

出门的时候并未下雪,坐船到表舅开的绣房去取衣服,却发现工人们都在忙着收拾,打包袱回家。君初在门口试探地问,"请问……我来取衣服。"

店员们都忙碌,不愿理睬这个客人,只有三三一个人回答,"是沈太太那一件吗? "

君初连忙点头。

三三打量着君初问:"您是君初少爷吧,老板临走时跟我提起过你可能要来取衣服的。但您能等会儿吗? 廖老太太前天才拿来,还差一些。"

君初只有无可奈何地在店内坐下,三三瞥了他一眼,飞快走进店后的工厂。

当时店铺大门关上了一大半,女工们背起行囊,兴奋交谈着陆续离去。还有个店员快手快脚,在门外贴上春联"天增岁月人增寿……"

忙忙碌碌,最后店里一片空荡,只剩下君初一个人。君初觉得无聊,径自走入工厂,见三三一个人低着头,又拆又缝。

君初问道,"所有人都走啦,你呢?年三十呀。"

三三,"老家没人,回去也没用……您再等会儿。就好了。"

君初说,"不急。雪下得太大,可能水路封了,渡船的也回去吃年夜饭,今天怕是回不了。"

三三惊讶道,"那你不也得在外头过除夕?"

君初靠着墙壁,笑得爽朗,轻松地说,"我工作四处奔波,本来就很少在家过年,习惯了。"

后来跟那个绣女三三在路边小店凑合了一顿年夜饭,菜不丰盛,但在记忆里自己是饿极了的,风卷残云,吃了个片甲不留。

廖老太太的问话打断了君初的回忆,"曼丽小姐,你会绣花吗?"

"不会。"曼丽看着那些芙蓉花发愣,为什么自己就不懂这些。

"小时候没学过?不会吧,你们应该懂得苏绣,就是双面绣,我正学着呢,你指

点一下。"廖金兰放下筷子把之前绣的那块双面葡萄递了过来。

曼丽很尴尬,"我母亲去世得早,没来得及教我——这个葡萄,绣得挺不错的。"曼丽夸奖着。

廖金兰眼睛里闪过一丝失望,继续招呼大家吃饭,心里却想起另外一个人。

收拾碗筷的时候君初使了个眼色,曼丽赶紧去厨房帮忙,客厅里只剩下母子二人。

"怎样,怎样,她是不是很好啊?"君初非常想知道答案,他也知道曼丽在厨房里的耳朵竖得肯定比兔子还高。

"你觉得好就好,我没意见。"廖金兰不讨厌曼丽,没那个必要。看起来这妹子也算模样周正。随口又问了句,"属什么的?"

"虎。"君初答道。

廖金兰念叨着,"属虎,二十岁,你属马,二十九。她几月的?什么时候出生的?

把生辰八字写一下,我有空去找人算算去。"

君初走到母亲背后帮着捶背,"妈,蓉半仙不就在身边嘛,还用得着找别人吗?"

"她?行了,半途而废的修行,别误了你的终身大事了!我回长沙去庙里找人算!"廖金兰继续道,"八字没问题,你们就早点定了。我看了日子,后天我就回长沙。"

君初嘀咕着,"我还以为后天订婚呢。"

"你说什么?我耳朵背,你说话这么细声我哪里听得到!"

"我说您多住几天,叫曼丽陪您转转,也好买些特产回去。"君初听到母亲要回老家,极力挽留。

"你做好事喽,让我买特产!上次带回去的还没送完!"廖金兰想着清明节将至,老头子坟上也该填填土修修碑了。

去电影院坐着的时候曼丽心不在焉,君初问怎么了。

曼丽偷偷地在他耳边说,"你妈妈对我印象怎么样?"

"挺好的。"君初握着她的手说道。此时银幕上的男女主人公也是这样做着,恍惚间,有种现实与虚幻的混合。

"嗯。"曼丽答应着。

君初就是自己喜欢的男子,面目可亲,衣着有品位,个子高高的,家庭条件优越,工作稳定高尚,报酬丰厚,为人正直不妥协,热情又幽默,更可喜的是,自己喜欢的人也恰好喜欢自己。这几率,比到马路上被车撞飞的可能性还小。

电影散场时,君初送曼丽回屋子,一路上讨论着电影里的情节。君初更感兴趣的是电影的拍摄手法跟剪接技术,他目前正拍的这场电影,不知道是否比今天看的这部更受大众欢迎。

廖金兰收拾东西的时候君初从外面回来,看到沙发上堆了些自己的衣服,问道,"这么晚了,把我的衣服找出来干什么?"

廖金兰抬头看了看他,说道,"把你的脏衣服洗洗,乘着这几天太阳大,冬天的拿出来晒,夏天的翻出来你要准备穿了。"

君初感动一番。

蓉妈准备了宵夜,是桂花汤圆,甜腻腻的,咬开后满嘴的桂花清香。家里有女人在总是好的。

君初送廖金兰上火车的时候,曼丽正在播音室,因为调班了,没有办法去送她,只是在前一天晚上嘱咐君初买了礼物让老太太带回老家。廖金兰的衣兜里装着曼丽的生辰八字。丈夫去世以后,唯一的依靠就是儿子。他现在最重要的就是择偶,选择怎样的女子,一定要慎重。就如买股票一样,有些看起来牛的,也许以后会跌到停板。过来人的眼光,基本上不会错的,除非对方有精明的伪装技术。

君初有些舍不得,拉着母亲的手叮咛半天,注意身体按时吃药等等。廖金兰一到春天容易犯气喘,心脏也不是特别好。

列车员喊道,"要开车了,送行的下车!"

君初从车上下来,隔着玻璃与廖金兰对视着。蓉妈做了个打电话的手势。君初的鼻子酸酸的,什么时候母亲愿意长久地在上海住下去,就不用来回奔波让人惦记了。

曼丽中途休息时接了个电话。很意外,是米雯打的,说父亲今天生日请全家在外面吃饭,地点定在上海宾馆三楼中餐厅。

曼丽问道,"还请了些什么人?"

"都是些你认识的,还有生意场上的老朋友,你放心好了。"米雯对坐在沙发上看报纸的徐伟良眨眼睛。

提到上海宾馆,曼丽又想起君初,见鬼的那天晚上,君初冒着大雪出来见面,在房间里帮她烤鞋子上的湿气。

"就这样说定了。下班后我顺道坐汽车来接你。"米雯挂了电话。

曼丽忘记了父亲的生日,真是……节目也播得差不多了,曼丽想提前一会儿去百货公司买些礼物,台长应允。

贺礼是一副字画,徐伟良向来反对生日收俗物,字画是花开锦绣图,也许他会挂在店里的大厅中央,曼丽想着。

汽车过来了,曼丽上车。米雯的肚子出奇的大,脸和脚也肿了起来,头发比以前长了些,好看了些,穿的是大号的孕妇装,上面披件袍子,还有蝴蝶结,看起来也可爱。

"爸爸呢?"曼丽关好车门。

"他应该先到了,让我来接你。"米雯看了看曼丽手里的礼物,问,"大小姐送什么礼物?"

"字画，但愿他喜欢。"曼丽决定明年徐伟良过生日时一定提前预备贺礼，因为谈了恋爱的缘故，连着父亲的生日都忘记了。真是有了男人忘了爹。

曼丽内疚了一阵子，上海宾馆到了。看见这熟悉的地点，曼丽有些踌躇，但愿前台的小姐已经不认识她了。

三楼已经早早摆好筵席。因为不算正生，所以并未包场，只是在靠窗的位置摆了三桌，大多是些供货商、分销商，也有米雯家里的一大摊子亲戚，也有从农村老家赶过来吃酒的。米雯嫁给徐伟良，许多老家亲戚都受益，比如安排人员去店里站柜台之类。

戴碧珠今天本来不愿意来的，而且更不愿意做戏。但自从丁丁事件过后，儿子张少廷见了自己就像见了鬼一样，即使回来也不愿意跟从前那般撒娇亲热，只是冷冷地看她一眼，然后回自己房间，吃饭的时候也是有一句没一句的。

张定邦知道这件事情的始末，脑门子冒了冷汗——为了自己的命，还是彻底打消娶小老婆的念头。至于出去玩，也不敢在上海本地——到处都是斧头帮的人，万一真的被戴碧珠知道了，下一个肉酱人就是自己了。

张定邦寒了一下。但儿子是自己的，戴碧珠也是在跟自己商量这事，最终还是决定找一个正正式式的女朋友来安定他的心。

找谁呢？

张定邦打开抽屉，一抽屉的女子照片，后面写着谁谁谁家的千金。戴碧珠问道，"是给儿子相亲还是给自己选小老婆啊？"

张定邦赶紧解释，"夫人，我有你一个人够了。这些照片都是这一年来存着的，当时你不是说少廷太小，又在念书，不适合恋爱么？所以我就暂时放在这里了，都是些大家闺秀，家门都是不错的，而且相貌都尚可。"张定邦随便拿起一张，"你看这个，父亲是报社总编，母亲在交通部门。"

戴碧珠瞅了瞅那些照片，一张张认真地挑起来。

戴碧珠是不喜欢那些过于美艳的，怕儿子将来管不住。太呆的透着一股傻气，又怕张少廷不乐意。

选照片的两个人像是车间的流水线作业工，一张张照片从张定邦的手中传到戴碧珠手中，然后扔到地上，算是淘汰，稍微好一点的就放在旁边。经过了一番海选，一百进二十，二十进十，十进五之后，终于选定了前三甲。

第一个是叫小玉的，父亲是张定邦手下一个副官的朋友。职业是个小学教师。

第二个的名字唤做杨云儿，父母都不在了，舅舅是做服装生意的。云儿是个护士。

第三个就是徐曼丽。

"护士不错。"张定邦盯着那女孩的胸部看了看，"护士体贴。"

戴碧珠想了想，直接PASS掉了，原因是护士动不动就会让男人脱裤子。要不得。

"那老师不错。"张定邦觉得有点困，最近总是开会开到很晚，睡眠不足，现在半夜里还要陪老婆给儿子挑对象，真是麻烦。

"老师也不行。"戴碧珠说，"老师的习惯语气就是，做得不好，重做一次。"

张定邦坏坏地笑了笑。其实张少廷在笑的时候100%跟父亲张定邦是一个模子浇出来的。

"笑什么笑，嬉皮笑脸的东西！"戴碧珠拿着曼丽的照片看了看，"我看这姑娘不错，又是做播音员的，不必抛头露面，而且模样也挺讨我的喜欢，就是不知道真人怎么样？"

"想知道怎么样改天约见一下不就得了。"张定邦打了个大到可以看见咽喉深处的大哈欠，把照片拿过来翻了翻背面，接着道，"哦，是徐伟良家的千金啊。"

"是不是中药店的徐老板？"戴碧珠是有印象的，有几次派了佣人买些调理

肠胃的中药，对方也是执意不肯收钱，而且还磨了上等的珍珠粉送来给自己当面膜。

"对啊，家里有个姨太太。"张定邦瞌睡深了，随口就说出来。

"很羡慕吗？"

"不敢不敢。"张定邦忍住了一个哈欠，眼泪都快溢出来，"我看这姑娘行，要不我明天给徐老板打个电话约个时间？"

"好啊，这件事你去操办。跟人家约个时间。"

张定邦像得到特赦令一样如释重负：终于可以睡觉了。明天又是开会。

不一会儿，张定邦睡死过去。戴碧珠还在想张少廷女朋友的事情，如果儿子中意就好了，儿子也不会再记恨自己了。说实在的，丁丁的事自己的确是下狠手了，但想起只不过是个暗娼罢了，也就心安理得地睡过去。

张定邦再忙也不敢把老婆交代的事情落下，开完会回到办公室马上给徐伟良

挂电话,是米雯接的,一听到是张定邦,高兴坏了,刚好过两日是徐伟良的四十二岁生日,顺势邀请张定邦一家过来赴宴,这件相亲的事情算是有了眉目。这年头,钱是假的,一打仗就不值钱了,但权是真的,张定邦在南京有人,万一要是真打仗了,自己家里肯定也能得到第一消息。何况战争物资的采购,上海那么多中药供应商,哪里轮得到徐伟良!如果跟张家攀上亲戚,还愁什么呢?

徐伟良从药店知道这个消息也是激动不已,还是米雯替自己打算得周到,一心策划起自己的生日宴来。

曼丽一进门就看见父亲跟张定邦与戴碧珠在交谈,过去递了礼物。徐伟良介绍道,"这是张军统,这是张太太。"

戴碧珠这才知道真人比相片漂亮的说法是有道理的。

曼丽特意回家换了套裙子,鹅黄色的披肩衬托得五官更加白皙,淡淡的妆,眉眼之间尽是活泼与俏丽。

气质跟我年轻的时候差不多,但相貌,我比她还要好看,戴碧珠暗暗比较了下。

张定邦也是赞许地对戴碧珠点点头。便一起坐下。

徐伟良向米雯介绍张家夫妇。

寒暄一阵,米雯问道,"贵公子还未到?"

戴碧珠看了看表,"是啊,估计快了,明天他不上课,已经通知他来了。"

宾客陆续到齐,大家纷纷举杯祝寿。

张少廷自从丁丁事件后,人有些迷糊,母亲吩咐做什么只管做就是,不惹她,再也不敢惹她。平时对他那么宠爱,却当他的面将自己喜欢的女人砍死——即使是个暗娼,也不至于这么心狠手辣。

这次又叫自己参加什么老家伙的生日宴会,有什么好玩的?真是见鬼!尽管如此,也不敢违抗,开着车慢慢悠悠地赶过来,希望只是凑个尾声,随便吃两口走人。

"张少廷?"曼丽脑子里想起的是那些百合花,突然看见他,觉得有些莫名其妙,他来这里干什么?

曼丽?是曼丽吗?张少廷定了定神,不会这么巧吧?张少廷赶紧凑到桌前。

一场皆大欢喜的寿宴,最高兴的不是张少廷与戴碧珠,而是米雯。她看见张少廷见曼丽时的痴迷眼神就知道,这个男人已经喜欢上了曼丽。

这么久了,张少廷又一次恢复了对戴碧珠的昵称——妈咪。

当然不大高兴的是曼丽,父亲跟米雯请了张少廷事先却没说,不过也没有太大理由发脾气,谁生日谁说了算,过生日的人最大。

君初第二天接曼丽下班时,曼丽问廖金兰是否已经回去了。

"是的,现在家里没人,去我家吃饭吧,我亲自下厨,让你知道我的厉害。"君初带些炫耀的口气,就像小孩子急于秀出他的跳绳手艺,能绕多少圈花样一般。

曼丽在黄包车上点点头,说道,"我看是不是要先买点胃药,避免食物中毒。"

君初气了一下,吻她的脸,在耳边咻咻的呼吸,偷偷耳语,"昨天想念你了,告诉我昨天你干什么去了,也不给我打电话。"

曼丽心里一阵酸麻,推开他又舍不得,"昨天我父亲生日,去吃了晚宴,这不晚上回去太晚了,就没回屋子,直接在那边歇息了,打电话不方便。"

回去后,徐伟良心情大好,对曼丽的礼物也是非常喜欢,扬言要挂到中药店的厅子中间,曼丽一阵得意。米雯不停在提张少廷,多英俊啊,多有前途,多有男人味之类。

曼丽一句话就打击了她的积极性,"你这么喜欢怎么不自己拿去。"

徐伟良瞪了曼丽一眼说,"你怎么这样对姨娘说话!你年纪也不小了,遇见合适的为什么不相处一下?"

曼丽觉得张少廷比自己小，而且大家又不熟。

米雯说道，"每个人都是从不熟到熟的，"然后指指自己的肚子说道，"你看我跟你父亲熟的。"

曼丽不大在意她说的这些，只是下决心要把君初什么时候带回家，让他们看看自己喜欢的男子是多么优秀的一个人。

君初的家空了很多，但比起上次到这里，曼丽更为轻松，笑着要参观君初的房间。君初的卧室收拾得十分干净整齐。君初去过很多地方，所以屋子里摆了各地的照片跟摄影方面的书籍。曼丽被君初温暖的胳膊拥抱着，头埋在他的肩膀，呼吸着熟悉的气息。吻是温柔的，爱惜的吻。

四片嘴唇分开时，两人都有些情不自禁。君初想起上次欲火焚身的后果，便压抑着想把曼丽扔在床上扒个精光欣赏个够的念头，说道，"你自己在这里慢慢转，我去厨房做饭。"

曼丽点点头，到客厅，拧开收音机，调了音乐台，咿咿呀呀的唱，这样的生活就如一本浪漫的言情小说，男女主角生活在梦幻里——女人都喜欢这样。曼丽哼着歌上楼，房间布置设计都很别致，顶楼还有个阁楼，曼丽爬了上去。

阁楼的窗帘很厚，一拉起来就如黑夜一般，君初有时候会把这儿当成暗房用来冲洗照片。上面还有张小小的床，抬头见星光，真是浪漫的男人。曼丽由衷地感到幸运，翻了桌上的杂志看，翻了一会儿，趴在桌上瞌睡着，直到饭菜的香气从楼下飘了上来。

君初在喊，"沈太太，吃饭啦！"

你这个好命的女人，怎么有这么好的福气。曼丽看着那些饭菜美美地想。饭是香米，白灿灿的。菜是三菜一汤，翠绿的莴笋炒了猪肉；还有一道是红绿菜椒，这种菜椒是肉肉的，一点辛辣味道都无；另外一道是素炒鸭米，就是把鸭子剁得碎碎的，连骨头一起碎掉。汤是白菜豆腐汤，君初说是翡翠白玉汤。

好名字的菜。曼丽夹了一块豆腐在嘴里，滑滑嫩嫩，很好的味道。

"你知道翡翠白玉汤的故事吗？"君初提问。

曼丽摇头，"你说给我听。"

君初夹了块肉在她碗里，开始娓娓道来，"朱元璋小的时候，由于家贫，被迫当了乞丐。有一天，他的运气实在是太差，跑了一天的路，竟然连口粥也没喝上。晚上，他才拖着疲惫不堪的身子回到了他和他的乞丐朋友们居住的破庙里。这时候，有一个乞丐用他那双脏兮兮的手端出一碗讨来吃剩下的——白里带绿，既像是粥又像是汤的食物。朱元璋如获至宝，狼吞虎咽就下了肚。吃完这顿饭，朱元璋感到这是他有生以来从未吃到过的美味。于是就问这位乞丐朋友刚才给他吃的是什么美味佳肴？乞丐随口而答'翡翠白玉汤。'"

　　曼丽听得入神，托着下巴认真地盯着君初的嘴，君初继续说道，"后来，朱元璋做了皇帝，他总是感到御厨房给他做的饭菜不可口。御厨们也想尽了办法，献出了自己最好的手艺，却仍不能满足他的口味。有一天，他突然想起做乞丐时吃翡翠白玉汤的事，那'美味'至今仍记忆犹新。于是，他召来最得力的大臣，命他一个月内找到给他做过翡翠白玉汤的乞丐。这位大臣花了很大的力气才找到那人，他也仍然在当乞丐。朱元璋命他再给他做一碗翡翠白玉汤，如果做得好，以后就留在御厨房里。"

　　"后来呢？"曼丽咂咂嘴巴。

　　"朱元璋也跟这位乞丐到了御厨房，他要亲自看一看乞丐怎样做出翡翠白玉汤来。乞丐在御厨房里转了一圈，然后让御厨们弄来一些豆腐和青菜，再要了一些剩菜剩饭。他把这些东西放在一个盆儿里面一搅拌，然后对朱元璋说，这就是翡翠白玉汤。朱元璋吃了，却没有之前的味道了。"君初笑着把故事说完了。

　　"哦，原来如此，这下子我觉得这个菜更好吃了。"曼丽喝了一口汤，贴心暖胃的感觉一下子升腾起来。

　　人总是会陷入回忆中难以自拔。但是，回忆毕竟只是一段回放完的电影。尽管如此，每当我们陷入回忆，还是会有些温暖。

　　"你喜欢吃就给你做一辈子。"君初有点傻气地说道。

　　洗碗是曼丽要求的。既要分工也要合作，君初靠在厨房门口，终于忍不住从后面抱住曼丽的细腰，"爱你，知道么？你这个让人牵挂的小东西。"

　　"你为什么爱我？"曼丽回头就是君初的下巴，光洁的，带着男人的味道。

　　"不知道，第一眼看见心就怦怦跳，好像要飞出去。"君初认真地看着曼丽的眼睛，"上天让我遇见你，一定是有他的安排，他不会平白无故这么做的。"

　　曼丽觉得安慰，只是希望能名正言顺地将自己交给他，身体和灵魂，除了今生，还有来世。这样的感受，只有经历过爱情的人才能明白其中滋味。

　　这边张少廷回家后就急忙问戴碧珠怎么回事。戴碧珠只是说，帮她挑了个女朋友，看是否称心，如果不喜欢再换。

"喜欢,喜欢得要命。我之前追求过曼丽小姐,碰了钉子,就没有再继续了,然后就参加了那个军官速成班,没有太多时间出来找她。"张少廷忽然想起衣袋里还有曼丽的排班表,不过似乎已经过期了,他拍了拍脑门子。

戴碧珠放了心,之前还专门派人去曼丽念的学校去调查,的确没有男朋友,而且品行端正,学习优秀。看见儿子这么高兴,总算是回到了从前。

"我不管,我就是要她。妈咪你要帮我。"张少廷又嬉皮笑脸跑过来撒娇来了,嘴巴有点点鼓,眼神竟是无辜。

戴碧珠笑了,搂过儿子的肩膀,"那你自己也要努力哦,以后不要惹妈咪生气了。"

张少廷想起丁丁,遗憾顿生。她是一个多么好的床上对象啊!将来即使跟曼丽结婚,永远也不会忘记像丁丁一样什么都肯为自己做的女人,自言自语道,"妈咪一生气,后果很严重。"

张定邦皱了皱眉,"我看你该回学校了。"

戴碧珠道,"急什么急,这不还没到晚上十二点吗,你自己出去吧,儿子在家陪我吃饭。"

再看那小兔崽子得意的样子,原来的嚣张又回来了,张定邦无奈地笑笑。人生真是变幻莫测。

廖金兰回到老家长沙才好像找到了吃饭的感觉,中午买了不少菜,怕等下菜多了吃不完,打电话把自己的表弟廖运和也叫了过来。廖运和在河西,要坐船,店里留下个伙计,把绣女三三也带上了,是老太太特意吩咐的。

三三二十三岁,头发是老式的盘髻,簪子是母亲改嫁前留给她的,红色的玛瑙簪子,正经地插在脑后,脸稍微有点圆,说话声音轻而慢。

到了廖家,三三赶紧过去给廖金兰请安,然后就到厨房帮蓉妈做菜了。长沙的春天一点也不暖和,水是冰冷的,三三抢过蓉妈手里的盆,叫蓉妈去客厅休息,自己来摘菜、洗菜,连做菜都包了。

蓉妈笑嘻嘻地回到客厅,廖老太太问道,"三儿在里面忙乎,你可以腾时间出来跟我们聊天了,看来叫她来是对的。"

廖运和嘿嘿笑着说,"三三是我们绣坊的能干婆,文能绣花,武能炒菜,连纳的鞋底子都是一流的。"

蓉妈赞不绝口,"是啊,这孩子心眼好,勤快,哪个男子找到她了才是福气!"

廖运和问候着君初的工作和这次去上海的经历。

廖老太太说,"咱们家君初倒是不肯去银行里头上班,他要在电影里头搞拍摄,我也由得他,反正每年银行的分红也少不了他的份。那些上海菜我又不喜欢吃,辣椒不辣,随便炒个菜都是一把白糖,有时候我不放糖也甜,你猜怎么了——那锅浸了糖味在里面了!"

说得廖运和直笑,"是啊,炒菜放糖就不好吃了。"一边对在厨房忙乎的绣女三三道,"三妹子,今天的菜加辣啊!"

三三爽快地在里面应了一声,"晓得喽!"

廖金兰简直胃口大开,赞不绝口,再看三三的手,冻得跟胡萝卜似的。

廖运和问君初是否有女朋友。

三三抬头,睫毛淡淡的,不似曼丽般长睫毛,浓眉毛。曼丽有什么事情写在脸上,三三有什么想法藏在心里。

就胸部来说,两人不相上下。就屁股的形状而言,三三更适合生养。而且三三是湖南女孩,而且是少数脾气好的湖南女孩。结婚前老实,结婚后会更顾家顾老公。那个曼丽太娇气了,父亲还把姨太太扶了正,这是让廖金兰有些心惊的,仿佛戳到了她多年的痛楚。

廖金兰说道,"没有女朋友,没有。"

蓉妈奇怪地看了看老太太,心想,怎么会没有?上次明明带回来的。想起老太太可能另有打算,也就作罢了。

饭后,三三提醒廖老太太,"您今天吃得有点油腻,有点辣,明天去抓点山楂回来冲水喝,是顺气健脾胃的。"

廖运和跟廖金兰约了本月十五去麓山寺烧香祈福。麓山寺正好在河西,家里房间又多,就留表弟与三三在家中歇息了。

晚上廖运和出去拜访绣庄在河东的老客户。蓉妈洗碗收拾。灯光下,廖金兰坐在一边,三三一边刺绣,一边认真地讲解,"您看,关键是针脚、针法。您现在用的是直针,是完全用垂直线绣成的,只有一种颜色,没有和色。"

廖金兰问道,"那针脚太长的地方怎么办?"

三三手把手地用旧线钉住,变成铺针加刻的针法。廖金兰看得入神了。三三的手上下翻飞,熟练地绣着。

其实廖金兰的湘绣算是精通,所以特别想学苏绣。

夜很深了,三三跟廖金兰还在兴致勃勃地绣着。其实苏绣讲究花线的粗细,一根花线的 1/2 粗称"一绒",1/12 粗称"一丝"。"劈丝"即将一根花线分为若干份。三三这个活做得特别快,因为只有花线劈丝粗细合度,才能充分表现物体形象的质感。如绣金鱼鱼尾,用线要细,排针要虚,才能表现轻薄、透明感。绣鱼身线条就要略粗,排针密,才能表现浑厚感。又如绣石头、老树梗等,线粗,排针不必过于均匀。再比如绣猫,根据对象毛丝变化规律掌握丝理,绣出来的猫毛茸茸的,形象逼真生动。三三总是善于总结经验,独辟蹊径,继发绣、双面绣之后,还懂得双面异色绣、双面异色异样绣等新潮手法,让廖金兰羡慕不已。其实民间有"苏猫湘虎"之说,湘绣狮虎毛纹刚健直竖,眼球有神,几可乱真。比起苏绣来,湘绣针法更加多变,以掺针为主,并根据表现不同物象、不同部位自然纹理的不同要求,通过刺绣工艺,增添了真实性和立体感,起到了一般绘画所不及的艺术效果。以致湘绣独成一派,到清末"湘绣盛行,超越苏绣,已不沿顾绣之名。法在改蓝本、染色丝,非复故步矣"。

蓉妈提醒着,"老太太时候不早了,歇着吧。"

廖金兰这才恋恋不舍地放下绣花绷子,对三三道,"我自己绣了些东西放在上海那边,有一幅是葡萄,我自己倒是觉得不错,有空给你看看吧。"

三三帮老太太铺床,"您别客气了。"

"我这床宽,三三你今天就陪我这个老太婆睡好了,暖暖脚。"廖金兰准备洗脚。

晚上,三三听廖金兰说起大上海,说起沈君初,一脸的向往。大上海真的那么繁华吗? 沈君初,恐怕早就忘记自己了。

　　廖金兰晚上睡得晚,早上又赶早起,爬山的时候气喘吁吁。山上小草已经青翠,春雨贵如油,却仍然带些早春的料峭寒冷,比起冬天却又好些。

　　廖运和在前面走着,三三跟着廖金兰,一路走一路聊。话题涉及君初,三三就特别感兴趣,问这个问那个。

　　到了寺庙门口,蓉妈买了香,放在篮子里。廖金兰吃的是花素,就是初一、十五吃素。岳麓山是道教、佛教合一,因此拜完了菩萨还得拜道爷。不知不觉已经是中午,忽然想起曼丽的八字与君初的还没去算,吃饭的时候也心不在焉。廖金兰让廖运和跟三三等自己一会儿,自己放下筷子又返回寺庙。

　　几番周折,终于进入了"香客免入"的寺庙禁地,找到了管香油捐送的慧明师父。慧明师父正打坐呢,见廖老太过来便起身行礼。廖老太太这几年香火钱捐了不少,去年还花了重金捐了千手观音的一只手。麓山寺的住持向来反对寺里的和尚去帮人算命谋求私利,而且这对修行是个大忌讳,却还是有人跃跃欲试。

　　慧明是知道这些的,我不下地狱,谁下地狱?为世间痴男信女指点迷津,未尝不是一件好事,但他从来不收取任何钱财。如果别人执意要给,也会奉劝香客捐给寺庙。

廖金兰把生辰八字往慧明眼前一送，慧明大惊失色，"天煞配！"

廖金兰只听过天仙配。

"所谓的天煞配就是只要是结合，必然有一方要死。"慧明问道，"他们还没有同住吧？"

廖金兰点点头。

"这些孽缘是前世就种下的。"慧明摇头叹息。

廖金兰几乎要下跪了，"没有什么解救的办法吗？"

慧明及时阻止，"施主不必如此。逃不了的劫难终究是注定，除非不看，不想，不听，不念，不见，不怨。可找阴年阳月阴日阳时的女子与之相配，每年在当地的佛堂居士楼吃斋念经三个月，兴许可以消除孽缘。"

我们怎么可以做到不看也不想，不听也不念，不见也不怨？除非不爱。如果是爱，必然是做一辈子的纠缠。说分开，就分开，似乎容易，实际很难，难得要死去。等分开后回头来看又很简单，你看，不就是分开了么？有什么难的。飞向灯光的蛾子，它们如此奋不顾身，不悔还是悔，无从追忆起。

曼丽在廖金兰离开的这段时间经常出入沈宅，下班后有人陪着逛街，看电影，吃东西。君初就像别的男朋友对待女朋友一样正常地对待曼丽，有好吃的总是分她一半，风吹过来的时候帮她用手指将乱乱的头发梳好，夜晚散步时如果周围没有人会吻她。慢慢地他也试着跟曼丽分享些琐碎的事情，比如电影厂里今天什么戏杀青了，最近体重又增加了几磅等等，甚至曼丽播音时的小小变化都能注意到，帮她纠正。

曼丽觉得很满足，这一生，就让这个男子保护着好了。在君初的心中，她徐曼丽是这么重要。曼丽也会耍小性子，君初总是宽容一笑，好像不这样就不够完美似的。

而张少廷同学为了兑现母亲帮自己撮合徐曼丽的诺言，在军校里以异常惊人的毅力参加训练，精英军官速成班很快就要完结了，烈日下曝晒的军训张少廷挺过去了。还有每天对着枯燥无味的沙盘讲解，以及按时作息，张少廷做到了。

戴碧珠再打电话过问时，汪海洋的评价是虎父无犬子。

米雯的产期将近，曼丽回来几次，见米雯的肚子一次比一次大，腿也是肿得越来越大,于是极力建议徐伟良将米雯的产房移到医院,这样更安全。

徐伟良考虑许久,终于答应了。

生产前,米雯的每声叫唤都让人担心,说是肚子越来越痛了。家里很忙,曼丽也就暂时打消将君初介绍给家人的念头,心想等米雯生下孩子再说吧。

张少廷精英班毕业的那天,戴碧珠与张定邦一起参加了典礼,脸上觉得有光彩,因为张少廷的实操与理论都是全班第一,看来爱情的力量是伟大的。

"这下你们总可以放心了。"张少廷开着车对后面坐着的父母说道,"这次学校给我们十五天的假期,我可要好好休息。"

戴碧珠也是春风满面,打开车窗,嗅着初夏迷人的花香,"儿子真不错。今天我们到外头吃饭怎么样?"

张定邦也寻思着一家人很久没聚会了,也是投了赞成票。实际上他投不投都是戴碧珠说了算。

"把外公、舅舅全部叫过来算了。"戴碧珠对张少廷说道。

旋转餐厅的风光的确不错,张少廷叉着腰,有点意气风发的样子。

曼丽走在路上却有些不得志,本来今天是约了君初一起吃饭的,今天是认识两百天的纪念日,在旋转餐厅把位置都订好了。当初怕人太多订不到靠窗的位置,特意两天前就把菜点了,钱也提前交了。谁知道出门前君初接了个加急电报,

跑到火车站接老太太去了。

早不来,迟不来,偏我约会的时候来。曼丽无聊地踢着马路上的一块橘子皮,唉了一声又想,算了,将来这个老太太有可能是自己的婆婆呢,如果不是她辛苦养育,哪里有现在的君初?也罢也罢,自己吃就自己吃,吃个够,一个人吃两份,赚了。

到了餐厅,刚一坐下,戴碧珠喊道,"曼丽小姐你怎么在这里?"

曼丽觉得很巧合,"是的,今天约了一个朋友吃饭,结果他临时有事去了,所以我一个人过来,位置订好了的。"

"咱们真是有缘啊,坐过来一起吃吧!"戴碧珠招呼着。

从洗手间出来的张少廷一看到曼丽愣了,我的老天,我的妈真的神通广大啊,给我这么大个惊喜。

张少廷一边跟曼丽打招呼,一边庆幸着,幸好今天毕业典礼后没回去换衣服。这身军装看起来很帅,应该能稍微弱化之前在曼丽心里的花花少爷纨绔子弟的

负面形象。

"你好,张先生。"曼丽笑着打招呼,心想,看不出来他穿军装还是挺正派的。

"请叫我少廷好吗?"张少廷说起话的语气也跟平时不同,爱情的魔力?戴碧珠有点不敢相信,他平时说话有这么正经吗?

一会儿,斧头帮的现任帮主、内定准帮主来了,身后的随从自然不上桌,在门口等着。曼丽一一见过。

戴士魁对曼丽十分欣赏,因为他是挺喜欢听收音机的,觉得播音员这个职业很不错,戴玉龙自然是附和着老爷子的意见。曼丽自己这边的菜撤了,定金以及菜钱全部退回,餐厅的老板看见斧头帮的人来了,腿都有点发软。

举杯庆祝张少廷顺利从军官班毕业,曼丽有种错觉,怎么自己像是这一家的成员似的?也许是多喝了点酒吧?

张少廷坐在曼丽旁边偷偷地说,"你知道吗,都是为了你。"

"为了我?"曼丽小声地问。

"是啊,本来我是最讨厌什么训练啊考试什么的,但我母亲说了,只要我念完这个班,就帮我约你出来吃饭,想不到她这么讲信用。"张少廷对母亲举杯感谢,戴碧珠觉得今天简直太完美了。

"还有啊,跑步测试的时候我就想着你就在终点等我,奇怪了,我跑得比猎狗还快。"张少廷说这番话时颇有感触,不仅要跑完,还要跑得快,跑完了那五公里,人的身体跟灵魂简直抽脱了去。

曼丽呵呵笑了,"人怎么能跟猎狗比。"

吃完饭,一家人又叫了许多甜点来佐餐,曼丽吃着冰冻西瓜,听他们谈话,内容大多是张少廷要继续努力,将来成为国家栋梁之类。曼丽好奇地看看张少廷,一股孩子气。

暮色已浓,张少廷执意要送曼丽回去,曼丽也不好意思推辞,就上了他的车。车的底盘高高的,坐上去也挺有安全感。

张少廷问曼丽的电话号码,曼丽说屋子里没有装电话,电台的电话接起来不方便。其实在电台,只有君初打电话过来。

曼丽似乎觉得有点内疚,又笑着道,"我发现你穿着军装真是很英武的样子,女孩大多喜欢这样的。"

"这样啊?"张少廷的笑忍都忍不住。说到电话,心里又急了,"那我怎么找你?每次都要我母亲约着,还是等着老天安排?那我岂不是每次要找你的时候在大上海像只没头苍蝇一样嗡嗡转？"张少廷有些不满，好不容易逮到这次机会。

"我也不知道怎么办。"曼丽笑笑。

张少廷急了，开车也变得很快，突然又慢下来，坏笑道，"哼哼，我知道怎么做了。"

曼丽想，你还能给我在租的公寓装部电话不成？

到了楼下，张少廷抬头看看在灯光下的那些万国旗，心里一阵感慨，便道，"曼丽小姐你就住在这里啊？"

"是啊，"曼丽回答道，"住这里很方便啊，上班近，交通又方便。"

"能上去看看吗？"张少廷试探地问。

"下次吧。谢谢你今天丰盛的晚餐。"曼丽下车向他招手致谢。

这边廖金兰带着三三正下火车，火车晚点了三个小时。许多跟君初一样的人翘首盼望，也有人手里拿着纸牌，上面写着接 XX。有小贩在那里卖炒炉饼和发糕等食物，卖汽水和茶的在车站候车室一旁的角落安静待着，也不大声喊，不知道是否有人愿意光顾。

坐在君初身边的一个衣着考究的胖男人打开自己从外面买的油淋鸡腿，报纸上都是油，有几滴滴在裤子上，也不管，只管放开喉咙吧唧吧唧吃着，那声音仿佛在告诉众人这一定是从未吃过的美味。香气拼命地往周围人的鼻孔里钻，不少人受不了这样的诱惑，纷纷掏钱出来购买。

君初的肚子顿时咕咕的叫起来，这该死的火车。先买一张炒炉饼来垫底了。曼丽肯定是在旋转餐厅吃饭了，她吃的可好？那天还预订了一只龙虾。她应该会生气，不，应该会理解我，毕竟是我的母亲，跟她结婚后还要过一辈子，而跟年迈多病的母亲相处时间却是短暂的。炒炉饼送过来，一阵失望，原来仅仅是饼，中间没有什么内容，撕了一角在嘴里嚼，味道估计还不如扔在地上的那张油腻腻的报纸。

君初买了份报纸在手头上，连缝隙里的广告都看完了，母亲还没到。君初干脆坐在凳子上发呆，一心一意琢磨曼丽这个人，结果是越想越喜欢，越喜欢就越想，恨不得马上就要见面，这样，时间就过得更慢了。

晚上九点多，火车终于懒洋洋地到站了，那一声呜的鸣笛都显得有气无力。君初赶紧到出站口，这情景自己仿佛很熟悉，是的，去年母亲也是这样来的，被自己等候着，接到家里。不知道这次会不会又是辣椒、姜葱蒜一大堆运过来，在火车上别人一定以为她是菜贩子吧。想到这里,君初自顾着笑了。

看到了,蓉妈,廖金兰,后面还跟着一个女子,似乎有点眼熟。

三三这次来上海是想来找事情做,老家绣庄本来不肯放人,可因为三三带出来的几个徒弟都出了师,廖运和只得答应,临走时还说道,"想回来随时就回来吧,上海那地方……"

廖金兰见他不舍,只说自己会当她是女儿看待,会给她找个好工作。

年轻人,到外面见见世面也好。廖运和也就放了手,送他们到火车站登上火车。

三三抬头看君初,是的,就是他。五年前的大年三十,就是跟这个男人度过的,当时自己在绣花,不小心扎了自己的手,君初还曾经借过手帕给自己。还打趣说,手绢算什么呢,你这双手,可是你的金山银矿呢。

三三的思绪一下子回到那个下雪的除夕,家家户户亮着温暖的灯。屋里都传来热闹的喧哗声。因为没有办法找船摆渡,只得在河西吃年夜饭。有家饭店,虚掩着门,便一起进去了。只是点了三碟小菜,一碟子牛肉,简单素雅。

三三看着他发呆,便试探问道,"想太太了?"

君初回答道,"我还没结婚,我是在想我妈,平时总是东奔西跑,这次好不容易回来过年,又不在她身边,唉。要不是我迷路浪费了时间,现在早就回去了。"

三三轻轻喔了一声。又细声道,"别担心——我用心干活儿,绣得漂亮些,补偿她老人家。"

君初苦笑,从衣兜里掏出小酒壶。

两人碰杯,互道新年好。君初仰脖的一瞬间,三三偷偷看着他,要是能嫁给这样一个男人多好,他看起来那么温和。

雪下得大。饭店的人告诉他在街尽头左拐的地方有个烤烧饼的摊子,如果价格出得高,也许摊主会用船送客人去对岸。

君初感激地道谢,举着油纸伞,和三三并排走着。这个时候大家都在家里吃年夜饭,路上并无半个行人,三三走在他后面抱着做好的衣服,担心地问:"真要走?这么大雪——"

君初笑笑,"好不容易找到船。"

到了码头,君初把伞还给三三,拿着衣服笑笑,伸出手,把三三肩头的雪花

127

扫落。

三三一动不动,呆了似的。

君初跳上那只简陋的木头船,船家摇橹,驶船离岸。鹅毛大雪落入江中,不留一丝痕迹,举目望去,四周一片苍白。

"谢谢你的团圆饭。"君初在雪中的声音分外干净。

再见面,却是五年后的上海,三三心里澎湃不已。

君初接过行李,问母亲,"这位姑娘是?"

三三在火车上一路设想的激烈的见面场景被现实的火焰烧得片甲不留。原来他真的彻底忘记自己了。自己又不是什么人物,也没发生什么,不记得也是应该的,这样想着,也算是坦然。

廖金兰一边上汽车一边说,"你不记得了?有一年你回家过年,自己迷路了,在河西吃了顿饭,是三三姑娘招待的。"

君初朝三三看了一眼,"哦,怪不得挺眼熟的。"也不说太多,只是一心想快点安顿好她们,晚上去找曼丽赔礼道歉。

曼丽在家中阳台上晾衣服,一边朝楼下看着。明明答应是要过来的,怎么到现在还不来,要不要挂个电话去问?又怕廖金兰在家。把她儿子叫出去,好像一分钟

都舍不得分开似的。很多婆婆都讨厌这样的媳妇,而我徐曼丽是这样的媳妇么?肯定不是。曼丽愉快地哼着歌,等着君初的到来,她知道君初向来是守信用的。

到家,蓉妈赶紧做饭,老太太不肯在外面吃,说不合口味又贵。

"三三姑娘来上海是?"君初在家门口拿钥匙开门,顺口问道。

廖金兰帮忙回答,"先在这里住几天。三三是要教我绣花的,过几日我会带她去你表舅熟识的一个绣商那里去,在虹口,你到时候送我们过去。"

君初松了一口气,还好只是住几天。

这次廖金兰几乎把长沙老家的精华全部搬过来了,两口偌大的皮箱,还有四五个编织袋。君初真怀疑当初上火车之前是不是请了搬家公司来帮忙,这么多衣服、鞋子、用品还有一床被子,还有那些瓶瓶罐罐。各式各样的腊味、咸萝卜、泡菜,还有酱油、仔姜,黑漆漆的装在玻璃缸里,放在厨房,老太太每顿都要吃。尤其

是早上就着粥，没这个简直是下不了口。依了，依了，一辈子操劳着，到儿子这里不想让她感到约束，让她随心所欲吧。君初心里想着事，手上也没闲着帮忙收拾整理。

本来家中就有一张小床，老太太屋子大，小床搭在廖金兰房里也不显得挤。既然她喜欢这个三三姑娘，就让她在这里住几天好了。君初摇摇头，看了看表，已经快十一点了，不知道曼丽睡了没有。

一切安顿好了，又吃了饭。廖金兰叫其他人回房休息，单独留君初在客厅里问话。

"跟那曼丽小姐发展得怎样？"廖金兰看着君初掩饰不住焦急的表情，刚收拾东西的时候就发现了，眼睛朝外看了无数次，看手腕上的表无数次，看墙上的挂钟无数次。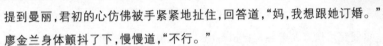

提到曼丽，君初的心仿佛被手紧紧地扯住，回答道，"妈，我想跟她订婚。"

廖金兰身体颤抖了下，慢慢道，"不行。"

君初疑心自己听错了，又问了一次，"您说什么？"

"不行。"廖金兰的嘴里吐出同样两个字。对于儿子，她是有一万个把握的，君初从小就孝顺无比，有一次得知廖金兰发烧三天不退，君初半夜从家里冲到火车站，请假都没来得及请，第二天就赶到廖金兰的床前伺候。那时候是蓉妈偷偷打的电话，怕廖金兰不行了，赶紧通知君初。结果大概因为君初陪着自己，精神愉快，病也很快痊愈了。从这个例子看，君初是不可能违背自己的意思的。

有些母亲得意于自己凌驾儿子之上的所谓神圣母爱，她们从未想到，让自己心疼的儿子去为难，去选择，去矛盾是一件多么痛苦的事情。很多时候他们站在自己这边而放弃了那些深爱他们的女人，是的，她们胜利了，因为儿子没得选择。

女人，碰见一个好丈夫不值得沾沾自喜，如果遇见一个好婆婆那才算你的运气，如两者兼得，恐怕是那女子祖坟上冒了烟，长了草。

当然，戴碧珠是绝对赞成张少廷去追求曼丽的，不仅因为曼丽优雅得体的举止和高而不傲的气质，而是曼丽能够让张少廷变乖。这段时间张少廷跟换了一个人似的，以前从没见他回来休息的时候也穿着军装，更不可能没事就在房里看书。以前是中午出去，第二天中午才回来，问去哪里也不说，其实就是去那些酒吧、欢场，有时候喝醉了就乱打乱砸，旁人也不敢惹他，谁叫他是斧头帮帮主的外孙。那次张少廷在外面喝酒，带着一帮朋友跟几个有名的交际花，觥筹交错之际，声音越发大得厉害,说到高兴的地方,张少廷喝多了,就站在凳子上唱起歌来。因为在露天,人特别多。旁边那桌就不乐意了,"你他妈的给我下来。"

叫喊的那男人也不是一般的人物,大名阎超,乃父也是在南京做官,这次跟上海青龙帮几个头目在联络感情。在上海混黑社会的几乎人人都认识戴士魁、戴玉龙,但因为张少廷也没正式出来混,平时出来得并不算太多,所以并不为人熟知。

张少廷正爽歪歪地唱《天涯歌女》,哪里管旁人叫喊,依旧唱着。说实在的,有点吵,因为喝醉了,听起来走调,让人有打他的冲动。

阎超一脚把凳子踢飞了,张少廷扎扎实实在地上摔了个仰八叉,周围的人一阵哄笑。张少廷酒立即醒了,爬起来操起酒瓶往桌上敲碎,准备扎阎超的脑袋。

旁边青龙帮外号叫鸡丁的赶紧夺过张少廷手中的半个酒瓶。瓶口都是锐利的玻璃,张少廷拼命扭手,结果鸡丁猛的一用力,旁边一个交际花躲闪不及,瓶子直接扎到她眼珠子里。张少廷生平最恨别人对女人下手,又拿起凳子砸向阎超。

这阎超可是青龙帮各头目预备巴结的对象,老爸还是个大官。一帮人赶紧把张少廷这一桌十几个人堵了。

张少廷的手被按在桌子上,骂道,"你他妈的有种就让我放一个兄弟出去,你敢吗?"

那阎超也是超级嚣张的一个阔少,"好啊,我看你有多大本事。"

那扎中眼球的交际花痛得在地上打滚,没人管,滚到众人视线之外,赶紧爬起来跑了,那白色长裙上血痕斑斑。

张少廷这边一个小弟跑到戴玉龙正玩的赌馆,上气不接下气地把事情一说。戴玉龙把桌子都打烂了,后来好长一段时间肩膀剧痛,那一下可真用力。不过也值,当时有几个不服他领导的,心都寒了,我靠,一掌拍碎一张桌子,跟功夫电影里似的。

那小弟只说了一句话,"青龙帮带人在打少廷少爷。"

阎超他们继续吃喝,张少廷的头被死死地按着,眼睛里满是桌上的油腻,脸上是火锅的底料。张少廷想,还好早就冷了,不然人间又将少一个绝世美少年。

到了这个时候张少廷还在玩自恋。一个字,服!

周围的人见风波平息,也就继续大吃大喝,划拳敬酒各得各的意。也有人转头嘲笑张少廷,指指点点的。

过了一会儿,远远的听到汽车的声音,戴玉龙先下来,接下来的二十台车里陆续下来带着斧头的男人,统一白色上衣,黑裤子,平头,个子都是一米八上下。

戴玉龙见这么多人，心想，还好今天多带了些手下，一声令下，"统统不许走。"

他把吃饭的也看成是青龙帮的。不管男女老少，一顿乱砍。能逃的都逃了，不能逃的在地上哭爹叫娘。把张少廷给乐坏了，抓着阎超的头发，"我就这么有种。"

后来上海这边高层出面摆平了这件事，两帮派的帮主也第一次正式会晤，处理结果是青龙帮不对，人家在凳子上唱歌是人家的自由，虽然难听了点但也不至于要打人家。嫌大排档吵可以去西餐厅弄个包间，绝对安静。先动手的理亏，于是青龙帮赔斧头帮十五箱金条，其中五箱是替斧头帮付给那些错砍了的吃饭及围观的无辜群众做医药费。还好没砍死人。这些打手都是有分寸的，上头没说砍死人，就不能砍死人。

张少廷后来经常得意洋洋地在外公和舅舅面前说，"看我，年纪轻轻就知道帮你们赚钱了，还赚了面子。对了，别告诉我妈啊，否则我会挨打的。"

这件事被戴碧珠知道了，发了火，扎扎实实把他揍了一顿，然后才送去军校读书。

看来张少廷认识曼丽以后性格大变。

戴碧珠忽然觉得带这个儿子很累，如果有个女孩来接手，自己就有更多时间去做别的事情了，比如出国买衣服、美容等。

这么一想，更觉得曼丽可爱。

"妈咪，在想什么呢？要不要我帮你捶背啊？"张少廷穿着军装的确很帅，如果不知道他的底细，肯定以为他是个好人。当然，他也不至于坏到无可救药的地步——因为生得好看，许多错误都可以得到原谅。

戴碧珠瞪了他一眼，"小兔崽子，有什么事快说，无事献什么殷勤。"

张少廷赶紧绕到母亲身后，声音又有点带撒娇的样子，"妈咪，我没钱了。"

"你要钱干什么？"

"最近在筹备一个计划，跟曼丽小姐有关的。资助点嘛，要不我问外公去。"张少廷知道夏天是徐曼丽的生日，这对于自己是个很好的机会。

"你真的那么喜欢她？"戴碧珠心里怪怪的。

"不会，我心里最喜欢的是妈咪，第二才是她，但我不能跟妈咪结婚对吧，因为如果这样张定邦长官会拿枪砰砰我的脑袋，呵呵。"张少廷的手殷勤地敲着戴碧珠的肩膀。

戴碧珠笑了，她一笑就好说话。她一边从包里拿支票一边说道，"唉，我说说你，把泡妞的劲头拿到学习上就好了。"

"学习？我都是黄埔军校军官精英班的第一名了，你要我怎样？"张少廷鼓起腮帮，停了手。

"哦，对对对。"戴碧珠抱歉地看着他，"乖儿子，第一名，从小到大都是耍赖第一，撒谎第一，打架第一，这次弄了个考试第一，真是不错。捶啊，继续捶。"

张定邦因为这个骄傲了很久，逢人就说这件事，这事也为自己增光不少。张定邦晚上回来时很晚了，戴碧珠已经睡了，张少廷在沙发上等他，也问他要了一张支票。

廖金兰跟君初说到十二点，不外乎就是八字不合，天煞配之类。

君初起先还认真地敷衍着。当，当，当，墙壁上的挂钟敲了十二声，君初彻底绝望了，也不好反抗兴致勃勃的母亲，只得以后再说。晚了，就睡了。

曼丽搬了条凳子坐在阳台上等，她以为痴心地等，就能等到自己应该等到的人。到了深夜两点，月亮都打了哈欠，女人还是不肯相信现实，但还是抵抗不住现实，倒在床上睡了过去，自己都没发现眼角的那滴眼泪，枕头吸取了过去。曼丽在睡梦中喃喃自语，"也许他是有事，也许他忘记了，也许他不爱我，也许……"

君初白天在电影厂拍东西心不在焉，王颖跟他说话，几次都要等十秒钟左右他才反应过来。王颖休息的时候拍拍君初的肩膀，"你小子是不是闹相思病了？"

君初笑了笑，"没有，今天想早点回去。"

王颖以为他不舒服，便点头答应了，摄制组有两个摄影师，君初是一流的，但替补的那个也不错，这几天的戏份也不算那么重要，干脆放他三天假，让他调整下状态。女主角钟淑琴过来问候，君初说自己没什么毛病。

钟淑琴看着他离开的背影不解，没什么毛病请什么假？八成是女朋友要吹了。突然觉得自己有了机会，钟淑琴拍哭戏的时候怎么都哭不出来，心里高兴啊。后来擦了点生姜在眼角，辣得要哭晕过去。

老张看见君初过来，做了个免打扰的手势。电梯口的警卫跟君初聊天，"今天早上曼丽小姐看起来精神不大好的样子，你们吵架了？"

君初想，这警卫还挺八卦的。只得应付道，"没有，没有。"

"怎么没有，今天曼丽小姐火气大着呢，把茶杯都摔碎了。"警卫指了指墙角那堆碎片。

其实那是早上曼丽洗手的时候有点滑，没拿稳。

许多自己不小心而为的事情，在别人看起来截然不同。

君初点点头，嗯，看来昨天自己真不该失约。对警卫道，"她大概还要一段时间才能下班吧？"

警卫说，"是啊，早着呢。"

君初到好好百货公司卖首饰的那层转了一圈，卖首饰的店员特别殷勤——看他那时髦的打扮和挑选的眼光，八成是潜在客户——拿出一屉子的宝贝让君初挑选。

对于这些，张少廷似乎更在行，但君初没有几次恋爱经验，也是第一次给女人送这些东西，有些不好意思。

店员是个年轻女子，试探地问道，"是送给女朋友吗，先生？"

君初点点头，"她生气了，不知道送点什么好。"

"项链嘛！这里有新款的，白金链子配个菱形蓝宝石。"店员指着那条单独放在一边的项链，"她是瘦还是丰满？"

"有点瘦。"君初想起曼丽的脖子，嘴巴咂了咂。

"嗯，那这个最合适了，菱形的坠子配上她细致的锁骨，相得益彰，如果我是你女朋友，看见这条链子就没脾气了。"店员极力怂恿，因为她自己也很喜欢这条。

后来证明店员说的是对的，在餐厅吃饭的时候，君初站起来说要去洗手间。回来的时候曼丽背对着他，没有察觉后面有人站着。

君初把项链拿出来，手绕到曼丽的胸前，迅速地把项链给曼丽戴上，然后乘曼丽手足无措的时候诚恳道歉，"对不起，是我昨天失约了。火车晚点，回来的时候帮他们收拾东西，陪母亲说话已经十二点了，怕打搅你休息……送你一个礼物，表达我的歉意。"

曼丽低头看了看项链，又看了看君初，说道，"你真是够慷慨的，一道歉就送链子，下次失约了送什么？"

君初见她说话开起了玩笑，也就放心了，"下次？没下次了。"

133

"我倒是希望有下次,这样耳环也就有了。"曼丽忍不住笑了,又说道,"你不知道我昨天晚上有多伤心。"

厨师上了菜。这是一家俄罗斯餐厅,新开张的,干净的桌布,陈设十分具有异国情调。曼丽尝了尝伏特加,辣得直掉眼泪,"哎呀,简直比辣椒还辣。"

客人很多,餐厅老板叫来演员跳舞助兴。中间有块空地,几个穿着俄罗斯蓬蓬裙的女孩出来跳舞。乐队是现场演奏的,手风琴欢快地拉着。不一会儿,几个俄罗斯小伙子也出场了。其中一个拉着曼丽的手要一起跳,曼丽愣了一下,君初笑着点头。

舞曲是康康舞的调子,曼丽以前读的学校是女校,有舞蹈兴趣班,刚好也跳过这个舞,曼丽穿的是白色裙子,下摆很宽松,在欢快的节奏里,旋转起舞。回头时对着君初笑,君初呆了,相机还在身上,赶紧拿出来,咔嚓咔嚓,将这舞姿和笑容统统装到那个小匣子里。

吃完饭,下午两人都有空,曼丽提议去爬山玩。君初答应着,一路上在车上说笑,到了山顶时发现,山顶上的人并不多。

"我给你拍几张照片怎么样?"君初拿起相机晃晃,"我可是上海最优秀的摄影师,错过可惜哦。"

曼丽打着他的背,"吹牛不打草稿的。"

"信不信等洗出来了再说。"君初一脸不服气。

春天的阳光,还有空中飞翔的鸟,啾啾地叫着,更显得山涧宁静。绿色叶子舒展,发出植物的清香,肾蕨虽然是陪衬,也还努力地在石头缝隙里坚强地抬起头。几只黑黑的山蚂蚁辛勤地搬运着死去的蝗虫的尸体,它们可没时间来当看客,吃饭重要。犹如黄浦江畔的挑夫,从来不会停下脚步,放下肩上的重担,去感慨外滩多么美丽,夜景多么辉煌。

倒是小松鼠们不知忧虑,从树洞里探出个小脑袋,蓬松的尾巴向上弓着,眼睛警惕地看看四周是否有威胁,发现没有,身体又出来一些,别可惜了今天的太阳。双手捧着去年冬天埋好的松子,拿利齿啃着,树下的一对男女尽收眼底。

拍了几张,曼丽坐下休息,看着前面高高低低的楼发呆,这张马上被君初拍下来。看见山上的迎春花,君初放下相机,爬到上面摘了一大把下来。

"你在干什么?"曼丽回头看看一脸得意的君初。

"编花环啊。"君初招呼她过来帮忙,"你去找些韧性的草根,等下要扎好固定。"

绿色的小叶子,长的藤,黄色的花朵,再配些零星的杜鹃,曼丽戴上了,对着君初笑,转着圈。

　　君初拍到胶卷全无才作罢。

　　下山的时候起了乌云,雨说来就来。怪不得说春天的天,孩儿的脸,不时时发癫,仿佛就不能称之为春天。雨下得哗啦哗啦,君初把相机揣在怀里避免打湿。因为怕路滑,下山陡峭,一路上都是牵着曼丽的手。

　　曼丽想,要是也像小说里一样,山上有个山洞,两人进去烤衣服什么的,一定很有趣吧,可惜偷偷拿眼睛找了半天,一个山洞都没找到就已经下山了。

　　拦了车,曼丽靠在君初身上,头发湿漉漉的,身体发着抖。君初搂着她,"很快就到家了。"

　　曼丽打开门, 自动的热水管子坏了, 只能赶紧用大水壶烧热水。等待的功夫,两人相视而笑,君初的样子也是够狼狈的,鞋上都是泥,裤腿也是。

　　"可能是今天假扮什么春天使者得罪老天爷了。"曼丽拿自己的毛巾给君初擦头发,他头发上不停地滴水。

　　"呵呵,也许吧,还好没打雷呢。"君初甩了甩头发,一串水珠朝曼丽飞过去。

　　话音刚落,空中响起一声炸雷,君初的嘴唇成了 O 状。再看曼丽,已经笑得直不起腰,"哈哈,你还说还好没打雷。"

　　曼丽大笑的时候特别自然,君初赶紧拿起相机拍下这个珍贵的瞬间。

　　"不是说没胶卷了么?"曼丽的笑容凝固了。

　　"可以偷一两张的。"君初得意极了。

　　"你个坏蛋,我这么丑的样子你还拍。"曼丽过来抢相机。

　　君初一边把相机用手举得高高的一边看着曼丽。因为是白色的裙子,雨水一打湿就紧紧地贴着身体,唇也是湿的,是自己做梦都想得到的身体。

　　君初忍耐力再强也禁不住这样的诱惑,相机往桌上一放,两只手紧紧地抓住曼丽的手,吻就这样顺势爬上了曼丽的脖子。这次是直接吻了脖子,肉体的芬芳被雨水激荡,无从消散。

　　曼丽嗯了一声,全身的骨头似乎都被抽走,两腿倏的软了下来。

　　曼丽被君初温柔地抱上了床,顾不上其他的,只管把湿漉漉的衣服除掉。本来人就够白,胸更白,不大不小,胸口的两颗也像眼睛一样注视着君初。

　　天渐渐昏暗,在这昏暗的夜色里,君初摸索着曼丽的身体,那些凹陷与小突

135

起，都是迷人之极。曼丽有些紧张，君初温柔的舌头给了她放松的答案，他耐心地，一点点地点燃曼丽原始的激情。从额头到脖子，从脖子到胸口，从胸口一直往下到嫩嫩的脚趾，一切都是那么美妙，好像是上天安排的，刚好被自己碰到的那种。

曼丽起初抱着他的背，然后是他的颈，然后只能触摸他的头发。他竟然愿意去吻那里，这个男人，这个让人害羞的男人。

曼丽的双腿之间终于潮湿，君初确定那里已经潮湿，是海水的味道，咸咸的液体。曼丽自己的嘴里也是咸的，是眼泪的味道。

真是一件简单而快乐的事情，并没有想象中的剧痛，并没有已婚女同事说的那么激烈，君初只是缓缓地进入，有阻力，就后退几公分，在曼丽耳垂轻吻，"亲爱的，我一辈子都会爱你，爱你……"

曼丽觉得耳后一阵暖流，天黑下来，身体一阵撕裂的感觉。几秒钟后变得鼓胀，很期待敌人进攻的她终于放松。

君初这才稍微用了力，抚摸着曼丽敏感的肩，她颤抖着，像风雨中摇晃的蔷薇，惹人怜惜。床单上的血，混合着雨水，变成粉红，如果记忆有颜色，曼丽与君初的颜色就是粉红，纯洁，坦白又简单。

君初拿毛巾擦曼丽眼角的泪水，抱着她说着安慰的话语。

大水壶的水开了，曼丽要坐起来，君初起身去了。热腾腾的大木桶里，曼丽被君初放进去，像放生一条鱼。身体轻微的羞耻感折磨着她，但此时这个男人坚定的眼神仿佛在说，"别害怕，是我。"

"君初。"曼丽喊着。

"嗯？"君初帮她擦着后背，转过头来看她。

"君初，我爱你。"曼丽认真地说。

原来，只是占有她的心是不够的，还要得到她的身体，才能算是完完全全得到她。

　　廖金兰在家等着曼丽与君初到来。在路上，君初问曼丽，"你什么时候带我去你家让我拜见岳父啊？"

　　曼丽靠着他的肩膀，不管两边初夏美景，"我姨娘快生了，等她的小孩满月了我们就回家去见爸。"

　　君初掐了掐她的脸，"要等那么久？明年我们的小孩出生了，你姨娘的小孩只是比我们的小孩大一岁，我们的孩子却要叫她小孩舅舅阿姨之类，笑死了。"

　　曼丽想了想，说道，"是啊，我爸今年得个儿子，明年得个孙子，他得高兴坏了去。"

　　因为米雯天天在哼肚子痛，已经住进医院了，伊玲也跟着搬在邻床负责照顾饮食起居。病房是高等病房，三百元一天。徐伟良也很少在家里停留，一般都在店里转了转就到医院来看米雯，拉着她的手宽慰她，"不会很痛的，你放心。"

　　他希望得到一个儿子，让自己的香火得以延续。跟吴美娜偷情算是新潮的做法，但徐伟良骨子里是传统的。米雯这么多年来也不容易。徐伟良帮大肚子米雯盖好毯子，吩咐伊玲照顾好，自己径自走出了医院。

曼丽还是不放心，问君初，"你真的能说服你母亲吗？"

"当然能，她那么喜欢我，而我那么喜欢你。"君初自信地笑笑，"即使不能说服，我们还是要继续下去的，偷偷地。然后哄的一下搞个小孩出来，对着她喊奶奶，我看她认不认。"

"好办法哦。"曼丽像个孩子一样高兴地拍起手来。

可惜没有相机，否则配上身边迤逦的晚霞又是一张漂亮的照片。

这回廖金兰没有上次那么和气，一本正经地坐在客厅里，曼丽进去叫了声伯母好。君初坐在二人中间。

"曼丽你是个好女孩，但我不能答应你们在一起。"廖金兰狠狠心。慧明师父算得准不是一次两次的事情。让廖金兰深信不疑的是，在若干年前，君初的父亲还带着姨太太们在上海风流时，自己带着他的生辰八字就算他的命，顺便把死期也算出来了。起初并不以为然，后来在沈啸言去世的当天才如梦初醒，一切原来都是注定的。当时就决定出重金到麓山寺捐赠菩萨金身。

"为什么？"曼丽心里一沉。君初和自己彼此深深相爱，为什么不可以？

"不为什么，因为这是孽缘。"廖金兰看也不看曼丽，"我儿子的婚事我说了算，你就接受吧。如果君初做了些什么对不起你的事，老太婆我现在在这里向你道歉了。"

三三去外面买了丝线回来，不知道里面的状况，用长沙话喊着，"埃叽（奶奶），我买嘎东西回来喽。"

曼丽朝门外看了看，一个身材匀称，梳着司晨头的年轻女子。

三三也跟曼丽对视着。这么漂亮，应该是君初少爷的未婚妻吧，真是好福气，可以嫁给君初少爷。

廖金兰脸上有了笑容，对三三道，"三妹子，你回房间先劈丝，我说些事情。"

三三看了看君初，进了屋子，却不老实，门开了一条缝隙，耳朵贴在上面偷偷地听。

曼丽求助地看着君初。

君初似乎酝酿了许久，"妈，我喜欢曼丽这样的女孩子。"

廖金兰的声音比他大十倍，"可是你们是不能在一起的，记得那个慧明师父吗？就是把你爸的死期都算到了的那个，说你们是天煞，不能相交，否则必死！"

荒谬,不喜欢我就不喜欢我,拿这些来诓我。曼丽心想。

君初极力辩驳,"这个是没有依据的,我想跟曼丽在一起,她会成为一个好媳妇的,妈,求你！"

真可怜,三三一边听一边想着。

曼丽站起来准备走。廖金兰说道,"徐小姐,为了你自己的性命与我家君初的性命,你们不要来往了。不听老人言,吃亏在眼前。"

可怜的君初,跪在地上不知道该如何解释。因为他知道解释也是无用,他知道母亲的脾气,但凡认准了一件事,不会改变主意。

曼丽没有回答廖金兰,她觉得今天不是个谈判的好日子,早知道是这样,今天就不用穿最贵的裙子出来了,也浪费了些头油。其实曼丽也可以学君初的姿势跪在地上求未来的婆婆改变注意,相信科学破除迷信。但君初是她儿子,跪下来是理所当然,自己姓徐,是徐家的女儿,随随便便就向别人下跪,去乞求她收回荒唐的借口,可笑。

曼丽知道君初晚上会来房间找她,没有吃晚餐,在路边随便吃了点东西就朝医院走去,看看米雯的孩子如何了。

生小孩是女人的一道鬼门关,一点没错。米雯已经快生了,见曼丽来探望她,却是痛得连一句谢谢也说不出来。

医生把产床推进了手术室,徐伟良、王妈、伊玲还有曼丽一起在外面守候着。

一个多小时过去了,仍然没有出来。

徐伟良急了,恨不得冲进去看到底是怎么回事,被护士拦住了。

腹内的胎儿终于露出一个头,医生心里咯噔了一下。等脚出来以后,提起血糊糊的小家伙,拍一拍屁股,哇的哭了一声,真是响亮的声音。

是个儿子,大家松了一口气。

忽然,倒提起的婴儿抽了抽脖子,哭声戛然而止。产房里的人都愣了,护士再看那个婴儿,脸上几乎全部是皱纹,说是婴儿,那张脸看起来跟老头一模一样。奇怪的相貌,奇怪的胎记。

已经没有了呼吸,这个小生命。

米雯的肚子还是那么大,她闭着眼睛,什么也不知道。

是个死婴,是个看起来像小怪老头的死婴。

徐伟良看见了,在玻璃瓶的液体里看见了自己的儿子。静静地在福尔马林药水里游泳,就像在米雯的羊水里泡着那样安详的表情。

婴儿的眼睛半睁着,没有笑,只是麻木,在药水里很好,真的很好,皮肤不会担心腐烂。他的脸,一生下来就是沧桑。医生劝说着,"走吧,大人已经醒来了。"

徐伟良机械地转头转身,跌跌撞撞地往病房里跑。王妈跟在他后面,唯恐他跌倒。

曼丽觉得悲哀,忽然觉得米雯是个可怜的女人,奋斗了一辈子,得到的是如此结局。问了身边的医生,"为什么会这样?"

医生叹了一口气,"产妇曾经有鸦片史,自己刻意隐瞒着。擅自服用所谓的戒烟药,直接导致胎儿的畸形。"

烟雾缭绕的家,笑嘻嘻的姨太太,佣人们打开收音机,米雯妖娆的手指在徐伟良肩膀上轻轻按摩,"老爷,我想帮你生个孩子,你喜欢儿子还是女儿。"

"我已经有个女儿,生个儿子是最好不过的。"徐伟良保养得很好,看着米雯露出年轻时勃发的欲望。

进了房间,那些荼蘼的气息,肉体的纠缠终究敌不过命运的决断,谁也不知道以后发生什么,如果知道了,许多男人跟女人宁愿不相遇也不会结合,伤了身,伤了心。希望破灭,宛如泡沫一样的希望,五颜六色地飘在空中,一个一个破灭,连先前那些漂亮的颜色都是借着太阳反射来的,底子是透明、虚空,不留痕迹,优美短暂。抬头看看天空,安静得似乎什么都没发生。

米雯醒来第一件事情就是要抱孩子,哭喊着声嘶力竭,指着医生的鼻子大骂,"你们这些没有良心的东西,把我的孩子还给我,还给我啊!是你们害死了他!还给我!"

徐伟良抱着她,这个时候他是她的依靠。紧紧地抱着,帮她把乱了的头发整理好,"那是坏孩子,咱们不要了,不要了宝贝!"

米雯茫然地看了看徐伟良,"我要我的孩子啊!"

无论抱得多紧,米雯都无法平静下来,床上的被子踢到地上,枕头被咬开一条缝,里面的芦花到处都是。曼丽差点被热水瓶子砸到脚。

医生给她打了一针,米雯在昏睡过去之前听见医生对徐伟良说,"那婴儿存放在标本室了,以后给其他产妇留个案例。"

我们都是病人,伤痛时落泪,失去时发狂。那些伤口,记得在月光下好好端详。倘若治好，留下一道丑陋的疤，提醒着，看，这里流过血，受过伤。不肯愈合的，随它在空气中裸露，结成血痂，撕开，又是新的伤口。

睡在旁边的徐伟良今天累了，睡在自己床上的曼丽今天累了，王妈也睡得沉沉。米雯不累，她爬起来，光脚踩在地上，没有声音。她越过走廊，披着头发，像个正常的病人一样走着，下面缝了针，却已经感觉不到痛。

在看到那块标本室的牌子时，米雯欣喜若狂，仿佛听见里面孩子微弱的哭声。"妈妈来救你了，别哭。"

门锁住了，米雯忍住眼泪绕到前面花园，假装在散步。有刺藤划破脚上的皮，丝毫不在意。

从阳台上艰难地爬上去，窗户竟然没有关，落地，摸索着墙上的灯。

灯光如白昼般刺眼，米雯的尖叫声顺着窗户往外蔓延，听到的人都皱着眉头，怎么会有这么惨的声音？米雯一声比一声凄厉。

她看见一屋子的死婴，全部装在玻璃瓶子里，有些婴儿的眼睛睁开着，对着自己笑。有双头的，有双身的，有半个脑子的……

她找不到。满屋子的死婴，哪个是自己的孩子？顺着日期一一辨认，颤抖的手抚摸着那些与自己阴阳相隔的小生命。

她看到了自己的孩子，皱纹满脸，手脚乌黑。他没有看妈妈，他只是看着前面，可前面又有什么东西可看？无非是白天与黑夜。

值班医生带着护士闻声到了标本室，徐伟良与曼丽也到了。米雯躺在地上，医生一检查，死了，怪老头婴儿的药水瓶被砸碎，房子里尽是刺鼻的味道。

米雯的手里抱着那个滑溜溜的孩子，头小小的，依偎在她胸口，衣服半敞开着，大概想喂他吃奶。

米雯手腕处往外流血，插着一块尖锐的三角形玻璃。

她是个勇敢的女人。

婴儿背朝天，小小的臀部上一块大胎记，等曼丽辨认出来的时候徐伟良已经摇摇欲坠。胎记很明显，上面一个口，下面一个天。合起来就是吴。

吴，吴，吴，吴美娜的吴，她还是不甘心，她要投胎到徐伟良身边，做个婴儿，让他从她小时候开始就不得不爱她，要的是那种天经地义明正言顺的爱。

吴美娜没有好运气，生来受苦，死亦壮烈，轮回中煎熬，来生也悲凉至此。

曼丽哭了，看着医生抬起米雯的尸体往验房走。

如果人的记忆是筛子，曼丽愿意永远漏掉这一幕，惨痛，揪心。此时的窗外夏意浓浓，蜗牛知道要下雨，顺着花盆爬到叶子上仰望夜空，萤火虫也期待着夏天的到来，还有青蛙与蝴蝶。

曼丽觉得今天不算是个好日子。

　　徐伟良收拾东西,伊玲也要回去了。曼丽到电台请了十天丧假。

　　徐伟良的中药店无心经营,卖了出去,钱存到银行,自己拿一部分回萧山乡下,那是他祖上的老家。其他的钱给了曼丽,房子也给了曼丽。

　　"不要走可以么,爸?"曼丽看着那些零碎的杂物,还有父亲的衣服。

　　徐伟良的头发一夜变白,看起来有六十岁,"我会来看你的,你也可以到乡下去探望我。钱应该够你用的了,自己要好好注意身体。如果有好男人,就带他来萧山看看。"

　　怎么能不走?住在这里,米雯就仿佛在屋子里。沙发上还有她没有打完的小孩的绒线衫。王妈收拾着,打着一个大包袱。

　　曼丽依赖着的熟悉的家现在没了。

　　其实让父亲一个人清静一下未尝不好。王妈照顾这个家也是熟手,让她跟着父亲去,自己也不是不放心。于是招呼父亲要经常写信。

　　火车快要开的时候,曼丽抱着徐伟良放声大哭,"爸,把身体养好了以后,还要来上海,还要住在家里,别扔下我一个人……"

　　徐伟良有些内疚,"这几年,委屈你了,大小姐的命,却一直过得都很累。"

曼丽擦擦眼泪,也说不出话来,只有挥手。徐伟良苍白的头发,还有憔悴的眼睛,从车窗伸出来向曼丽告别,风很大,吹乱他的白发。是父亲么?曼丽哽咽无语。

我们可以选择伴侣,但无法选择父母。

假若君初放弃我,我也能够理解,曼丽在回来的路上想着。曼丽雇了个搬家公司,准备把租的房里的东西搬到父亲那边去,远是远了些,但也无法,早晨起早些好了。

廖金兰以为说服了君初。君初这几天不是陪着自己买东西,就是一个人在阁楼弄胶片,也丝毫不提曼丽。

君初只是说,"我会听母亲的话。母亲总不会害我,母亲只是为我好。"

廖金兰满意地笑了,"不要再跟那个曼丽见面了。"

君初跟母亲一同出去,同行的还有三三。廖金兰今日要到玉佛寺里烧香,到了寺庙后君初要带三三去绣房里见工。

光绪时期普陀山慧根法师至缅甸开山取玉时雕琢了五尊玉佛,玉佛寺因而得名。玉佛寺在市区内,所以也不远,那些三皈居士,接踵而至。院内香烟弥漫,福烛高照。仿若都市风光中一朵安静的莲花,颇有大隐隐于市的别致韵味。

三三跟君初下山,下午一点,太阳隐约,阴霾的天气让人觉得呼吸沉重。三三

很想跟君初说点什么,又提不起话题,只得低头走在他后面。

君初帮三三叫了一辆黄包车,给了三三一叠钱,"你就说到虹口绣房,下车找李老板。我有事不能同你去了,回来的时候就说到霞飞路沈宅。别人会知道的。不要跟我母亲多说半句,记住。"

三三点点头,茫然地上了那辆黄包车。

君初上了另外一辆车,发了疯的催人家,"快点啊! 我赶时间,好好百货公司,快点快点! "

那司机很想发作,但看在钱的份上,忍着压低声音,"先生,我吃奶的力气都使上了。"

好好百货公司到了,君初按着电梯,没反应。抓紧时间! 必须要在三三到家前回去,否则见曼丽的机会就更紧张了。

等了很久,电梯也没有下来,旁边一个人拍拍君初的肩膀,"先生,你看那

块牌。"

君初差点晕过去，一块这么大的牌子竖立在旁边都没看见，上面写着"电梯检修，多有不便，请您见谅"，怪不得人们常说恋爱中的男女眼睛里只有对方。

打了电话上去，没有人接听，台长在召集播音员、记者、导播开会，外面走廊的那部电话零零零的响。

只有爬楼梯了，君初的眼都花了，终于念起那位电梯小姐的好处来，玉手一按，不一会儿就到了。

君初气喘吁吁地跑到楼顶，顾不上问人家借水喝，问着警卫，"徐……徐……曼丽……我……"

警卫说道，"哦，徐小姐啊，这几天休假，说是家里出了些事情。"

君初脑子一片空白，问道，"她家的地址你有吗？"

"没有，这要等台长他们开完会了再问问看别人谁知道。"警卫说道。

君初蹲在地上喘气，看着那个会议室，好几次有冲进去的冲动。等了许久，李万鼎跟着一帮人说说笑笑走出来。

君初说明来意，李万鼎看着他，似乎不像坏人，说起来又头头是道，地址抄在纸上给他拿了去。

君初感激地鞠了一躬，"谢谢你，李先生！"

转身疯了似的几乎要滚下楼梯去，胡茬警卫刚想叫住他说，电梯刚修好了，你不用走楼梯了。

曼丽的搬家工人终于把一切东西都弄妥当，小的对象由曼丽自己摆放。房子是大的，少了些东西，也多了些东西。

以前这个家总是热闹，米雯的话并不少，唠叨这个，抱怨那个。父亲徐伟良有些宠溺的意味，每次都附和着。但徐伟良正式发表意见的时候，米雯就会认真地听。

死了，就什么都没了。

曼丽叹息一声，忘不了米雯那惨状。顺带着想起吴美娜的事情是米雯抖出来的，现在两人在阴间应该又得争斗一番了。

而自己的母亲，早早的去世了，看不到这些争斗。

活着的人，还是要继续争斗，为了名利，为了让自己更快乐，可谁知道快乐到底是什么东西！爱情快乐么？如果快乐，为什么自己又要在这里独自发呆，去想一个没有多大希望的结局？曼丽在君初下跪的眼神里就看到了一丝犹豫，否则为什么自己往外走的时候君初不出来追呢？他就不怕自己永远一去不返回？

男人，心里到底在想什么？过于实际的动物，让人觉得残忍。

君初按着门铃，曼丽正对着镜子修眉毛，门铃的声音吓了他一跳，那根眉毛用力拔出来时带着白色的毛囊。

"谁呢？"曼丽嘟囔着，难道是搬家公司又回来要赏钱来了？

从猫眼往外看，君初。

曼丽开了门，君初带了一束黄玫瑰，"对不起。"

曼丽扑在他怀里，这几天的恐惧、思念、埋怨全部都扑过去。关上门，君初不由分说地吻着，"你这个小东西，搬家了电话也不给我打，我想你想得都要死掉了！"

曼丽叹息一声，"你母亲不是不能接受我们在一起吗？"

君初把玫瑰插到花瓶里，"我来这里就是要告诉你，不要着急，我们慢慢来，我们还年轻，相信我，我会一点点说服她，别生气了好吗？"

曼丽点点头，"这几天我家里也发生了很多事情。"

"对了，这里就你一个人住？"君初打量了下四周，有搬过家的痕迹，"伯父跟你姨娘呢？"

曼丽的眼圈又红了，"姨娘怀孕，生了个鬼胎，抱着那鬼胎自杀了。父亲觉得伤心，自己搬回去了。这里都是回忆，不停地提醒他以前发生过什么，他哪里还呆得下去。换了是我死了，你也是一样。"

君初拿手指堵住她的嘴，"不许你瞎说。"也陪着感慨了一番。

"你说我们私奔好不好？我不想待在上海了，真厌倦，我想到一个没有人认识我们的地方，两个人开开心心地生活。"曼丽突然说道。

君初摇头，"不行的亲爱的，我们要努力说服我母亲，我们要在这里结婚生子孝敬老人，你是这么可爱，这么懂事，我相信你能懂得我的意思。"

曼丽点点头，见到君初，哀愁的情绪减淡了很多，拉着君初的手，看这看那，又翻出小时候的照片给君初看。

小时候的曼丽，扎着两个小辫，笑得灿烂，背景是灰色，雾蒙蒙的天气。然后慢慢长大。还有学生时代的那些合影，君初一眼就能认出曼丽，在他眼里，曼丽是如此与众不同。

曼丽坐在自己身边,真实的,这几天想念的情绪就在心中压抑着。沙发宽大柔软,曼丽与君初不再被衣服阻隔,衣服在沙发下无序地扔了一地。

比起第一次的紧张生涩,曼丽体会到了君初的力量,那些原始的冲动转换成一次又一次的冲撞。白天做爱,晚上失眠,不停怀念怀念,怀念现在,还没有失去,就已经舍不得。曼丽闭着眼睛回应着君初。

从进入那一刻起,君初已经决定非曼丽不娶,至于以后的事情,慢慢努力。自己心爱的女人,她的身体,她的灵魂,现在全部都属于自己,还有什么比这个更美妙的?

但他得走了,来不及吃曼丽做的晚餐。

曼丽从洗手间里穿好衣服出来,君初已经穿戴整齐,抱了曼丽,"对不起,我得先走,老太太马上要回来了。"

曼丽点头,"我会等你。"

"我不会让你等太久。"君初吻了吻曼丽的额头。

三三诚惶诚恐地回到家,没过多久,君初就回来了。君初询问了去绣厂见工的事,三三说要下个月才能正式过去上班。她很想问你支开我是不是去曼丽那里了,还是忍住不说了。自己是什么身份?一个佣人都不是,只是他母亲寄人篱下的同乡。

"谢谢你,等下我母亲回来你就说我们是同去同归的。"君初的头很痛,去阁楼上休息,"你自己也休息会,别忙着做饭,说不准等下去外面吃。"

张少廷在休息期间也没闲着,戴碧珠很想知道他在搞什么名堂——张少廷打电话的时候总是躲开家里的人,偶尔能听见的就是什么冰块之类的词语,刚要凑过去听就挂了。

只要他别学坏,其他都无所谓,戴碧珠想着,也不去管他那么多。

廖金兰回来,三三赶紧起身迎接,说绣厂要下个月才能去。蓉妈说道,"那三三姑娘这个月就暂时在家里住着,帮忙看着屋子。君初少爷的假期也快结束了,老太太要去佛堂居士厅住一个月,吃斋拜佛。"

三三点点头,她挺喜欢上海的,坐在黄包车上,一路伸出头去看风景,那些穿着考究的太太小姐们,还有那些摆满漂亮衣服的橱窗,蓝色眼珠子的外国人,大片的法国梧桐,食物的香气,繁华的热闹,这在老家是没有的。

君初听到廖金兰要去玉佛寺住半个月,假装舍不得,其实心里高兴得要命。十五天,可以天天跟曼丽见面了。

廖金兰早就看穿了他的心思,慢条斯理道,"别想再跟徐曼丽见面了,你已经答应过我的,我不希望你反悔。"

三三忽然觉得很高兴。

君初嗯了一声,埋头吃饭,本来想在外头吃的,偏偏蓉妈又带了菜回来。

第二天廖金兰与蓉妈收拾日常衣物用品去寺庙,三三站在旁边被老太太叫过去,"帮我看着点,如果那个徐曼丽来了,帮我记着。"

蓉妈看得出来廖金兰想给三三与君初单独相处的机会,廖金兰打心眼里喜欢三三,希望她做自己的儿媳妇,生辰八字早拿去算过,慧明师父说是吉配,男旺女,女旺男。

君初一下班就直奔曼丽的住处,晚上也没有回来。

三三等到很晚。

第二天也是如此。

君初知道三三不敢说,凭他的直觉,这个丫头有点喜欢他,看他的神情都是痴痴的。他不知道三三在第一次见到他的时候就爱上他了,希望做他的妻子,给他洗衣做饭。那时候是幻想,而现在这个幻想正在一点点变成现实。

曼丽搂着君初的脖子，靠在他光滑的肩膀上，纤细的腿绕着君初的小腹，"真的是十五天么？我真的有些不敢相信。"

"我不会离开你，一辈子都不会离开。"君初吻她的头发，带着甜美的味道。

曼丽喜欢在激情过后跟君初聊天，"还记得我在戏院看到你的时候，你看起来感觉确实像条迷路的小狗。"

君初呵呵笑着，"那要谢谢你收容我啊，主人。"

曼丽也被逗笑了，"我会永远黏着你。"笑着笑着，曼丽突然停了下来，"真有永远这回事吗？我们现在虽然好，可是世间事啊，说变就变——"

君初抓住她的手，诚恳道，"世间事可以变，我一定不会变。"

曼丽歪头跟君初抬杠，"那是你大呢？还是世间事大呢？"

君初想了一下，叹息一声，"我沈君初很渺小，但两个人在一起，开心是一天，难过也是一天……又何必浪费时间想这些呢？"

曼丽挤出微笑，靠在君初的肩膀上熟睡了，真希望就这样睡过去不醒来。枕畔有自己所爱之人的呼吸声，是最好的安神曲。君初抚摸着曼丽的背，禁不住吻了吻她的肩胛骨。

这些日子是曼丽这一生中最快乐的片断。君初就是自己的丈夫一样,每天下班后就接自己下班,然后两人一起在外面吃饭。也有回来吃饭的时候,那是在两个人都不累的前提下,洗菜做饭,还包了一次饺子。两个人跟小孩子一样拿面粉涂抹着追逐着,结果饺子没吃成,倒是闹到床上去了。翻来滚去,曼丽找到了君初身上的痒穴,就是在后背脊梁的中间,挠得君初笑得眼泪掉下来。一个反击,把曼丽压在身下。

曼丽呆了,难道他又要做最好的室内运动?真不知道为什么男人这么容易冲动。有时候曼丽抱着君初,都能感觉到他性致勃勃。

"看我饶不了你。"君初突然玩兴大发,一只手抓住曼丽两只手,另外一只手猛挠曼丽的胳肢窝,嘴里一边发出噜噜噜噜的声音。

曼丽躲也躲不掉,满脸面粉。其实曼丽从小非常害怕被挠,求饶不成,只能笑得死去活来。君初也是笑,他第一次看见有人笑到眼泪都给笑了出来。

刚一放开曼丽,曼丽就拿枕头扑君初的脸。君初也拿起一个枕头反扑。床有些弹力,两人像孩子蹦蹦跳跳,然后摔在柔软的床垫上。

谁说上了床就一定要做爱?

闹腾累了,两个家伙头靠着头睡了,天色暗下来,月光照进来,睡得真舒服。

三三每天都是一个人吃饭,君初给了钱给她,让她这些日子在外面吃,然后附带说了声谢谢。有了曼丽,全世界的女人在君初面前都可以不复存在——当然,除了廖金兰。可廖金兰在玉佛寺,阿弥陀佛,菩萨保佑,保佑君初一生平安,身体健康,事业顺利。

廖金兰求了一串星月菩提佛珠,戴在手上,便觉得睡觉时清香扑鼻。佛云,若菩提子为数珠者,或用掐念,或但手持,数诵一遍,其福无量。

廖金兰也不惦记着君初,他是个乖孩子,答应自己的事情总是会一一做到,小时候是这样,现在是这样,将来也会这样。作为一个母亲,有这样一个儿子,还有什么好担忧的?

蓉妈没睡着,翻了个身,廖金兰低声问道,"你说三三这女孩怎样?"

"不错,就是人老实了点,容易吃亏。"蓉妈是实话实说。

廖金兰赶紧坐起来,"我说吃亏是福,在家是个宝,反正如果跟咱们君初结婚了又不出去,有什么吃亏不吃亏的。"

蓉妈劝解道,"年轻人的事情,让他们去……"

廖金兰打断道，"慧明师父连老头子的死期都算得清清楚楚，难道会算错生辰八字吗？我可不想我辛辛苦苦养大的儿子去冒这个险！现在他们是分开了，等时间久了，慢慢就不记得了。到时候你跟三三姑娘说说，我看她倒是乐意。她一见君初我就明白她的意思了。是碰见我这个老太婆懂事，不是什么恶婆婆。"

蓉妈无语了。

"好了，早点睡吧，明天要起来念经呢。"廖金兰躺下，塞了金银花在枕头里面，可以睡得踏实。山上有些凉意，扯了毯子盖在身上沉沉睡去。

现在他们是分开了？时间久了，慢慢就不记得了？

曼丽是在晚上十一点饿醒的，推了推君初，没什么反应。心中顿起恶作剧念头，谁叫你挠我这么使劲的，哼哼！

曼丽打开自己的化妆盒子，先帮君初描了粗粗的两道板斧眉，接着又抹了些大红胭脂。君初睡着的时候嘴唇略有些上翘，配桃红色唇膏是最好不过的。

曼丽小心地把君初的唇抹了，再看看君初的样子，自己差点笑得摔到地板上。曼丽把桌上那面镜子收了起来，那是家里唯一一面镜子，以前是有大的，之前米雯怀孕的时候说镜子多了摄取人的阳气，又统统撤了去。曼丽想到这里又有点伤感。

君初大概做梦梦见了好吃的，牙齿咯咯磨了一下。还舔了舔嘴唇，这下唇膏更均匀了。

曼丽把东西收拾好，赶紧钻进被子里搂住他。

过了一会儿，君初推了推曼丽，"亲爱的，我饿了。"

曼丽假装睡眼惺忪。天哪，那张可爱的脸，如果不是自己狠狠掐着大腿，早就笑晕过去了。便道，"我们出去吃东西吧，十二点以后附近的馄饨店全部都要关门了，宵禁不知道吗？"

君初看了看时间，马上穿鞋子，"那咱们得赶紧啊。"

曼丽嗯嗯嗯了几声，低头找鞋子，其实是已经忍不住笑出声音来了。

"你笑什么？"君初纳闷。

曼丽赶紧过来抱着君初，拿着手象征性的在君初脸上擦了擦，"鼻子上有点面粉，好了，现在没有了。"

君初温柔地看着他，桃红色的嘴唇一张一合，"谢谢你，你真是我的好老婆。"

曼丽的肺都要憋炸了，只能低头看脚尖，怕看见君初的眉毛要笑疯了去。

出门前,君初问道,"桌子上那面镜子呢?"

曼丽说,"不知道。不用照了,挺好看的。"

君初得意地扬扬眉毛,"算你眼光好。"

两人商量将馄饨和面条买回来吃,曼丽走在君初后面,走得有点慢。很晚了,路人不多,几个从君初身边走过的开始是惊诧,然后就是捧着肚子笑着走了。

"奇怪得很,今天的人都怎么了。"君初黑色的斧头眉在晚上显得更有精神了。

馄饨店正准备打烊,远远的见来了客人,赶紧招呼着,君初一抬头,老板笑得已经直不起腰了。

打了馄饨回家,一起吃,曼丽终于忍不住了,一口馄饨汤呛在鼻子里,君初赶紧拿毛巾,先在洗脸盆里搓搓,在水里这么一照,自己倒先笑起来了。

"好你个徐曼丽,看你往哪里跑!"君初先把自己的脸洗好了才出来。

曼丽总算大笑了一场,洗碗的时候对在一旁暗自郁闷的君初安慰道,"少爷,别气啦,反正晚上也没人认识你。以后睡觉不要那么沉好不好?"

"你个坏东西,等下我坏给你看!"君初看着曼丽洗碗的样子,幻想着曼丽不穿衣服与裙子在厨房洗碗的样子。结果你猜怎样?

君初得逞了。

只要心中有爱,处处都可做爱。

曼丽跟君初很想提结婚这件事,但又觉得提了将来是要吃亏的,万一结婚以后不开心,闹矛盾,君初肯定会说,"当初可是你嚷着求着要结的。"

自从廖金兰从寺庙回来后,君初便很少来这里过夜,真怀念前些时候那些天,曼丽现在没有君初反而睡不着了。

　　不能打电话,不能见面,不能写信,只能是空想。曼丽在电台下班后时间特别空,她开始怀疑君初说的那些誓言,什么一辈子爱你,我们慢慢等机会,我一定说服我母亲。

　　君初发现廖金兰有个微妙的规律:凡是自己跟三三多说几句话,她就很高兴,她一高兴,就容易放松警惕。

　　"三三,我带你出去吃冰淇淋。"君初故意大声说着。

　　廖金兰自然是同意,"早点回来啊。"

　　晚霞中,三三拿着一大堆吃的坐在露天的咖啡座里,很多冰淇淋,草莓的,西瓜的,薄荷的……

　　君初跟曼丽在好好百货公司里逛,在路边荡秋千,但很短暂,一会儿就得回去。越是这样,曼丽越是紧张。

　　"不要走,君初,不要离开我。"

　　"别这样,曼丽,我必须回去,相信我,以后我们相处的日子还有很多。"

　　每个人都天真地以为我们的好日子还在后头,现在先忍耐,侥幸的、喜悦的心脏在胸腔里嘭嘭的跳。你对我很重要,是否有了爱情,所有事都可抛脑后? 倒是羡慕那些及时享乐的人，至少得到了真正的快乐。

曼丽问君初，"那个是不是你家里的那个绣女？"

君初看了看有些傻里傻气的三三，点点头。

"你喜欢她的长相吗？"

"我喜欢你。"君初又一次吻她，在夜色里，轻轻松开曼丽的手。

"君初，明天我休息，你来陪我好吗？"曼丽看着他的背影又叫了他一声。

三三在前面木然地走着。

"不了，明天母亲要我陪她，我抽不开身，曼丽，对不起，你乖点。"君初实在不忍心看她，怕看了就要扑过去，如果这样，自己的努力就毁于一旦了。君初想通过时间渐渐化解母亲对曼丽的偏见，先听她的话，暂时少见面。

曼丽一转身就流泪了，明天我过生日啊，你都不来陪我。我二十二岁生日，竟然要一个人过。坐在车上，还在擦眼泪。

三三吃冰淇淋吃得很饱，她不多话，她知道多说多错的道理，她只要能经常看到他，就很满足了。

君初在想以后三三去绣厂上班了，自己怎样才能找借口出来？

仲夏，天气有些闷热，曼丽在床上睡不着，风扇吹的也尽是热风。头发又该剪了，长长的在脖子里得焐出痱子不可。这么大的房子，一个人总是怕。曼丽觉得米雯抱着那个死孩子在老屋里出现，要么是柜子，要么是厕所，要么是门角落，要么在窗户外面。有过上次见鬼的经验，曼丽胸有成竹地想。她原来那间房门紧紧闭着，曼丽根本不敢开，而天花板上总是发出莫名其妙的声音，比如弹珠落地的声音，搓麻将的声音和家具移动的声音。

楼上什么都没有，难道是……

王妈说过，如果人死得不甘心，就会变鬼，会经常在自己以前住的地方出没。

曼丽越想越怕，二十一岁的最后一天，男朋友也不在身边……唉，怕什么，怕个鬼！打开收音机，一片嗞嗞的干扰声，拍一拍，又清楚些。曼丽坐在徐伟良以前最喜欢的摇椅上发愣。

远处传来音乐。

欢乐的音乐，越来越近，再听，已经没有了。

曼丽叹息，关了收音机，享受一片死寂。其实她很想去米雯房间看她是否在里面,如果在,曼丽愿意为过去诅咒过她而道歉。

晚上十二点,家里的老挂钟敲响,当当当的声音显得特别阴森。

曼丽咬了咬下嘴唇。

"唉,为人不做亏心事,半夜不怕鬼敲门。"曼丽自言自语道,这二十一年来,曼丽自觉为人正派磊落。

咚咚,有敲门声。

曼丽的汗毛都竖起来,天哪,我的话音还没落就成事实了!

咚咚咚咚,曼丽赶紧躲在大桌子的桌布下面,万一鬼进门也不至于立马扑到自己身上来。

"曼丽。"

虚惊一场,原来是个人,是个男人,声音有些熟悉。于是在猫眼里往外看,看到一只大眼睛,那只眼睛也在往里看。

终于看清楚了是谁,曼丽穿了件外套开门。里面是一件白色丝绸睡裙,上面有花骨朵的图案,搞不清楚是什么花,大概是梅花与桃花之间的一种,绣花的人杜撰出来的。

外面很黑,曼丽见张少廷站在门口,觉得奇怪,这个人貌似很久没有出现了,而且穿得那么正式,西装领结,也有几分气质。

"曼丽,生日快乐!"张少廷认真道。

曼丽觉得意外,他怎么知道自己的生日?他怎么知道自己的住处?他怎么知道自己一个人?曼丽有点感动。一个不熟的朋友,深夜赶过来跟自己说生日快乐,自己的男朋友,却找借口使曼丽盼望的生日假期落了空。

"跟我上车。"张少廷指了指停在旁边的军车。

"不用了,很晚了。"曼丽谢绝了。

张少廷用很坚决,很诚恳的语气道,"我不是坏人,我只是给你准备了生日礼物,我几个晚上都没睡觉了。"

是的,张少廷的确几天晚上都没睡,但他白天睡得跟猪似的。

"明天再看好吗?"曼丽央求道,也许等会君初会来呢。

君初已经睡了,他在计划着怎样说服母亲让曼丽进门。三三已经睡了,她的梦里有君初,嘴角有笑容,能够在梦里相见,已经是自己的福气。廖金兰睡觉之前研究了下头发到底是剪短利索些还是烫卷显得时髦些,三三说是烫卷,说上海许多老太太都这样。

"好吧，我知道你不是坏人，我回去换件衣服。"曼丽转身进房间，二十二岁生日，刚过十二点就有人送上祝福，看来这一年一定过得不错，曼丽自我安慰着，换了宽肩带的裙子跟外套上了车。

"去哪里呢？"曼丽看着星星点点的黑暗街头。

"你别问，去了你就知道了。"张少廷神秘地笑了，车开得不快也不慢。

越过市区，曼丽在车上打瞌睡，张少廷偷偷望了一眼，真漂亮，这种漂亮不沾染丝毫的风尘气，让人欲与之亲近。

这是一片开阔的空地，地势却不矮，远方能看见有个小屋，在黑暗的笼罩中显得有些模糊。月亮像颗白色莲子，星星的光芒微弱地闪烁着，它们总是拒人千里。云薄薄的，白天是棉花糖，晚上有点灰。风也不大，静谧的夜晚，蛐蛐与纺织娘的叫声此起彼伏。

曼丽深呼吸一口带着浓浓夏天意味的空气，笑了笑，这里真安静。

张少廷坐在石头上，对曼丽道，"你闭上眼睛，许完了愿我数三声后再睁开。"

曼丽觉得肯定是恶作剧，但也照着做了，睁开眼睛后什么变化也没有，草归草，石归石。

"曼丽，生日快乐！"张少廷的手卷成喇叭状，大声喊着。

有回音，山谷里延续着，生日快乐，乐，乐……

曼丽笑了，但忽然停住了。草地亮起来了，先是慢慢地，然后是迅速地，从脚下一直蔓延到远方，什么颜色的都有，身边的树也接着亮起来，被灯光照耀，像过圣诞节时候的童话树。

张少廷牵着曼丽的手往前走。那些彩灯就像夜明珠一样发出温润的光芒，柔和地笼罩着曼丽有些惊讶的脸庞。

天，那座屋子是冰雕的，晶莹剔透。冰的里面也有彩灯，很大一间屋子，里面摆着生日蛋糕，二十二根蜡烛摇曳。更让曼丽觉得惊讶的是，冰屋子里面坐着一个冰人，曼丽知道那是自己，坐在电台前戴着耳机，对着话筒，太像了。

曼丽不可置信地看看张少廷，他的眼睛红红的。

这座透明的房子的确是用真冰做的，从哈尔滨运过来，请了最好的冰雕师对着曼丽的照片花了一个月的时间做成了这些，然后藏在冷窖里。再用最快的时间搬到此处布置。

曼丽刚吹灭蜡烛，灯光变暗，小提琴手拉着幽雅的乐曲，张少廷邀请她跳舞。

抬头，可以看星星，明明是酷暑，却置身在冰块砌成的小屋，一切都是幻觉还是上天注定？眼前的这个男人，他的心思曼丽已经明了。可毕竟出现晚了。爱情分先来后到，即使他更爱慕自己又能如何？自己已经属于沈君初。

想到这里，曼丽慌忙松开被张少廷握着的手，"对不起，我有男朋友了。"

张少廷平静道，"我知道，我只想在我喜欢的女人生日的时候为她做点什么，让我不要留下遗憾。喜欢上你了，现在说了出来，剩下的就是你的事。你拒绝也好，你接受也好，我都尊重你的决定。"

曼丽无言，还能说什么呢？

张少廷牵着她的手坐在草地上，"其实我不是什么好人，我只是遇见你才觉得自己的可恶。恨自己为什么以前那么坏，如果我是好人，你大概就会喜欢我了。"

傻孩子，你要怎样的女子不行，非得要选我。曼丽看着他，忽然就像看着自己的弟弟般亲切。

君初不同，君初理智多于冲动，就像照相时调整焦距一样，逆光就是逆光，没有什么改变的。君初像父亲，认真，温和。

"真的对不起。我很感谢你为我生日做的一切。"曼丽的手再一次从张少廷的手里挣脱，"我想我们只能做好朋友了。"

张少廷有些伤心，冰屋融化的水流在草地里。

相逢相遇，如果两个人都喜欢，只能选那个先来的，后到的只有等，等得到的就替上去，等不到的就另觅，是规律。

张少廷的孩子气是珍贵的，但可惜用错了人。曼丽知道，他站在自己门口时，自己的心也是喜悦的，跟见到君初时是一样的活蹦乱跳。

可惜，你是迟了的那个。

"好了，我们不说这个了。"张少廷安慰自己，是说给自己听的。

"说说，你生日有什么愿望？"张少廷第一次跟曼丽谈这么多的话，却不仅仅是因为她的声音好听。

"嗯，希望看焰火，小时候过年时父亲会放一些，但都好短暂。"曼丽托着腮帮，"在女校留言册里我还这样写出来过，你知道么，就是毕业时最流行的那种同学录，方便以后联系的那种。"

"我知道的，我们军校即将毕业的学生也在搞这些，就是每人一个本子，写自己的爱好、联系方式什么的，对吗？"

曼丽说，"对啊对啊，在学校的时候很开心，可惜工作后，许多朋友都回了老家，像李凡、满园、向飞蝶还有王存玲她们……"

曼丽回忆起无忧无虑的校园时光。

忽然砰的一声巨响，曼丽吓得赶紧捂住耳朵，不会这么快就打仗了吧？

抬头看天，银色焰火在空中像一朵花一样开放，然后是红色、黄色、金色，有一环套一环的那种，还有从地上一下子窜到最高处，爆的时候响声清脆。

曼丽最喜欢的焰火也在其中，就是在空中绽放后落下来是许多小星星的那种，她高兴得直拍手，"好漂亮啊！"

张少廷得意地笑着，为了这个可是费了不少功夫。他看见曼丽在同学录上的字很难看，这个可不敢说，会扫了兴致。

"我当时的字写得好丑，我还担心同学不让我写。"焰火照亮曼丽兴奋的脸。

"呵呵，你还真好意思说出来。"张少廷想吻她，却只是抱住了，紧紧地抱着，没有任何行动。

曼丽呆了，任由他抱着，他在哭，他为什么哭？

小孩就是如此吧？因为得不到而哭。小时候自己想要橱窗里那个最昂贵的用来展示的洋娃娃，贴在商店的玻璃上不肯走，还是被王妈生拉硬扯回去了。她也是哭泣，因为她知道，不是每个你喜欢的，都能让你拥有。有些奢侈品就是如此，比如爱情。

那些放焰火的都是斧头帮的，这次戴士魁从财力、物力、人力全方位多角度进

行支持，并组成行动小组，行动代号"ZN"，意思就是追女。由戴玉龙任总指挥，派几个东北人去哈尔滨找冰，又叫了帮派里几个斯文相貌的去曼丽读书的女校查同学录，有人自告奋勇会拉小提琴，小喽罗们放焰火，还有大批人马奔赴全国各地的城市乡村。戴玉龙非常感慨，"看来我们斧头帮真是人才济济啊。"

曼丽坐着听张少廷说他的事，从小怎样受宠，现在又怎样任性，张少廷说自己就是太自负，所以才害死那个叫丁丁的女孩，丁丁活着的时候，没有告诉自己她弟弟妹妹的住址，这是张少廷最遗憾的，他只是注意丁丁的身体，却忘记关注她的生活。

曼丽也替他难过，其实正常的爱情是爱情，违反常理的又何尝不是。只是社会不容罢了。曼丽叫他别哭了。

张少廷吸了吸鼻子，"你不要告诉别人我哭过，会被人笑死的。"

曼丽点头。这家伙真像个小孩。

远处有微微的红光，太阳快出来了，焰火放了三个多小时，曼丽实现了人生的一个愿望，觉得十分愉悦，肚子也不饿，生日蛋糕的味道绝佳。她不知道张少廷至少尝过不下一百个蛋糕，然后挑出最美味的这种。

"这是我二十二岁的第一个日出。"曼丽站起来对着太阳挥挥手，早晨的空气如此清新，光明虽被黑暗吞噬，但迟早还会回来。

"曼丽你看，蝴蝶！"张少廷说道。

"啊，这么多！"曼丽的嘴巴都合不拢了。无数的蝴蝶在曼丽眼前、身边、头顶飞过，漂亮的翅膀，体态轻盈，她们是最好的舞蹈家。

有一本书上说，每一只蝴蝶的前世都是花的灵魂，回来寻找它自己。

太阳终于出来，从山谷里跳跃着一步步露出它的笑脸，温暖，明亮，身后的冰屋发出五彩的光。那些蝴蝶在阳光中如天使翩翩，有些落在曼丽肩头，曼丽开心极了，这是一幅多么奇妙的景象。

可惜君初不在，否则可以拍下来。

他不在，却仍有人拍，只是曼丽不知道罢了。拍照片的最高层次是抓拍，不对着镜头流露的自然表情才是摄影的至高境界。

曼丽不知道张少廷为了抓这些蝴蝶费了多少心思。

楼下散步的廖金兰对陪着的三三道，"上海这地方，夏天连只蝴蝶都看不到。"

一共抓了一万只。没有人偷懒，大家都很认真，因为一只蝴蝶可以换三十元钱，三十元钱可以买一大堆馒头，村民们简直疯了，传说中的蝶谷一只蝴蝶都无。当然，明年夏天还是会有的，蝴蝶是毛毛虫变的，但不是所有的毛毛虫都能变成蝴蝶。

三三是毛毛虫，缓缓地小心地蠕动，四下张望，她有隐形的翅膀，自己却不知道。马上就要去绣厂上班了，今后见君初的机会少了些，很遗憾。

"三三，"廖金兰吃早点的时候道，"我看你那两个辫子也够那个的。"

"够哪个的？"三三不解。

"今天我去弄头发，你也跟着去剪短些，他们上海人看不起咱乡下来的。"廖金兰喝粥发出稀稀拉拉的声音。

"嗯，我不想剪，我留了五年了。"三三用余光看着君初。

君初毫无反应，他不在乎这两个女人之间的谈话，他只想等下怎么脱身去见曼丽。为了两全其美,君初头发掉了许多,早上起来枕头上一枕头的黑色松针。

君初看着三三,忽然心生一计,"是啊,妈,你看三三的衣服,还是红色袍子,真土呢,我还是喜欢女孩洋气点。"

廖金兰夹起咸菜吃了一口,对三三说道,"你看,我说对了吧。"

三三有点窘迫,自己真的就这么难看么?比起曼丽小姐,自己真是……

君初道,"唉,等姆妈烫完了头发,我陪你逛逛好好百货公司,送你几件新衣裳吧。"

廖金兰自然是高兴万分,看来自己的猜测没有错。俗话说日久生情日久生情,这好日子还没开始呢,就已经生情了,日后还了得!

沈君初要是知道老太太心里想的是这些,他铁定一口鲜血喷到墙上。还好没有人知道女人心里在想什么。

曼丽坐在车上,头有些昏,张少廷尽量把车开得慢,速度均匀,这样她很快就睡了。张少廷真想就这样留住她,不要醒来。

曼丽从车窗里看见自己凌乱的头发,对张少廷道,"你不用送我回去了,在南京路的发如雪理发店放下我就行了。"

张少廷道,"为什么是这一家,你经常去么?"

"嗯。师傅手艺好。"曼丽答应着,其实是以前跟君初去过几次。

这边廖金兰也去了发如雪。为什么?君初说师傅手艺好,其实是以前跟曼丽去过几次。

有时候两人过于心有灵犀也不是一件好事。

老太太往理发店的凳子上一坐下,君初便说道,"妈,百货公司开门了,我叫个车跟三三一起去逛逛,等下我来接您。"

"等等,还没跟师傅说我要弄什么头发呢,急什么急?"廖金兰怀疑似的看了看君初,不至于嘛,不就是乡下来了个绣女吗,怎么这么快就上心了?不过也好,总比对那个曼丽上心好。

君初以为廖金兰看穿了自己的心思,只得耐心地坐着,叫理发师傅把母亲的头发稍微打薄一些,卷不要太大,后面不要弄得太短,露出脖子不好看。

三三照着镜子,反绞着手,有点自卑。她周围什么都那么漂亮时髦。

"你们还不去,等会百货公司人就多了。"廖金兰带了满头卷子。

160

君初对三三说道，"走吧。"

黄包车跟一辆黑色小车擦肩而过，君初没有看见睡在车上的曼丽。

"到了，是这家吗？"张少廷停好车，看起来装潢不错，简单朴素却又显得高档。

曼丽点点头。

"我想我的头发大概也要剪了。算了，就顺便在这里剪吧。"张少廷摸了摸脑袋，随即又笑了——差点摸到头皮了，前天才剪的，说出来又有点不好意思，只得自己打圆场，"俗话说，剪头发不如刮胡子，我还是进去刮个胡子。"

曼丽忍住笑，这俗话可是第一次听。

忍着却还是笑了，张少廷留点胡茬的样子还真是有点少年老成的感觉，两人带着笑走进来。廖金兰本来就无聊，对着门口看着那些行人，当然主要是观察上海的老太太时兴什么颜色什么款式的衣服。

看见曼丽跟一个男子进来，先是惊讶，后是放心，再是鄙夷。

惊讶的是曼丽竟然带着一个男子进来，放心是她再也不会纠缠君初，鄙夷是她怎么这么快就找了个新的，何况这小伙子的相貌也不输君初。

曼丽没看见廖金兰，看见了也大概认不出来——她的头放在烫头发的大罩子里，脸进去了三分之二，手里拿条白色毛巾不停地擦脸上的汗。

二人背对着廖金兰坐着。

张少廷绕到曼丽后面，攀着她的肩膀对着镜子，"你说我这胡子要还是不要？"

曼丽笑，"胡子全部刮了就是了。有什么要不要的。"

张少廷对曼丽说道，"这个你就不知道了，以前有人去理发，刮完了胡子，师傅问，'左边眉毛要不要？'那人说，'当然要了，眉毛谁不要。'师傅噌噌噌噌把左边眉毛刮了，放在他手里说，'给你，是你要的。'然后问，'右边眉毛要不要？'那人吓了一跳，赶紧说，'不要了。'那师傅又噌噌噌噌把那人右边眉毛刮了。那人发火了，说，'你见过人不要眉毛的吗？'师傅说，'是你自己说不要的。'……"

说到这里，曼丽已经笑得眼睛弯弯，对站在旁边的师傅道，"赶紧帮他收拾去。免得在这里贫嘴，我头发就剪不好了。"

君初下车拿了钱给三三，"你自己在这里逛会，二十分钟后门口见，我上去找个人。"

三三习惯他这样了，也不说话，转身就进去。因为她知道，有些话，说出来也没用，说了还不如不说。

君初到了电台，老张正抽烟呢，对君初道，"不陪你女朋友过生日，跑到这里来干什么？"

警卫也附和着，"晚上要是请客吃饭别把我忘记喽，我可是给过你很多小道消息的。"

君初无心开玩笑，生日？生日？对，曼丽的生日，天，我竟然忘记了！该死，该死！她现在一定在家等着我，哭鼻子，摔东西。曼丽曾经说过她最喜欢的日子就是自己的生日，因为是自己的节日。完了，完了！

君初风一样冲进电梯，又冲到卖耳环的地方挑选了一副菱形耳钉，跟项链刚好配成一套，当生日礼物。

再看卖衣服的店面，三三站在一条裙子前犹豫。

君初心里一着急，对店员道，"好吧就这条了，赶紧买了，我有急事。"

三三不知道发生了什么，赶紧拿着裙子跟在后面上了汽车。车开得很快，三三几乎要晕车了。到了曼丽家，君初对司机道，"你在这里等一会儿，我马上就来。"

敲门，敲窗，都是无人。君初恼了，恼的不是别人，正是自己，对着那门狠狠踢了两脚，力气有点过度，脚趾生疼，又不好发作，转头上车。

"现在去哪里？"司机回头问道。

"南京路发如雪。"太阳已经很大了，君初背上全是汗，他忽然讨厌坐在身边的三三，她脸上永远都是那种讨好的笑容，又不是真正的高兴，时常对自己陪着笑干什么！一个没有自我的女子。如果坐在身边的是曼丽多好。

三三自己也觉得有点窘，却又说不出什么来，扭过头看车窗外，这样舒服多了。看那些不相干的人，有些女人穿着漂亮的裙子，打着小阳伞，更时髦些的，戴着白色蕾丝手套，是长到手臂的那种，怕太阳把手臂晒黑了。

到处都是夏天的热闹，小贩卖红色西瓜，籽是黑色，很显眼。也有沿街卖凉茶的，拿着扇子有气无力地喊，"卖凉茶，一块钱一杯，消消火气……"

坐在身边的男人不爱我，三三悲哀地想，那条裙子，自己根本不配穿。

曼丽的头发剪好了，张少廷看得出神。

廖金兰在镜子里看到他们说笑的表情，似乎关系很不错，又感慨一番，其实这女孩什么都好，可惜就是八字不合。

"我肚子饿了。"张少廷付了钱,准备离开。

"哦,那就吃饭。"

"你愿意跟我一起吃饭?"张少廷的眼睛里放出惊喜的光芒。

"当然,为什么不?今天我生日。"曼丽同样睁大眼睛对着张少廷说道。

曼丽本来不喜欢这个家伙,经过昨天晚上跟他聊天,觉得他本性也不坏,只是有时候环境影响了他。

"真是太高兴了!"张少廷跟曼丽一起走出理发店门口。

廖金兰默默地看着。

上了车,张少廷又下来说道,"你等我一分钟,就一分钟。"

张少廷是给家里打电话。张定邦在办公室。戴碧珠在房间里抹面膜,手里都是粘稠的面膜粉,对佣人道,"你去接。"

佣人到大厅匆忙接了,对着房间里大喊,"太太,是少爷,他说中午要带徐小姐回来吃饭!"

戴碧珠听着,"徐小姐?不会是徐曼丽吧!天,得赶紧把张定邦召回来。"一边招呼佣人出去买菜,自己的面膜也顾不上做了,赶紧洗脸等他们二人回来。

曼丽没想到张少廷会带她回家吃饭。

曼丽一进门,吓住了,六个佣人站成整整齐齐的一排鞠躬,"欢迎徐小姐。"

"怎么跟演电影似的?"曼丽对张少廷笑道。

"肯定是我妈的主意,她很欣赏你。"张少廷带曼丽走进去。

虽然只是家宴,但也准备得十分隆重,十二道菜摆得整整齐齐,戴碧珠问张少廷,"今天怎么能荣幸请到徐小姐?"

曼丽不好意思道,"今天是我过生日。"

张定邦举杯,"生日快乐,祝你健康又美丽。"

戴碧珠对张少廷有些不满,"徐小姐过生日,你怎么不提前说一声,怪不得我听你外公说弄什么冰块啊焰火什么的,昨天晚上也不回来,原来是这么回事。"放下筷子跑到房间里去翻抽屉。

"我妈干什么去了?"张少廷莫名其妙。

张定邦往里面瞅了一眼,"不知道。"

曼丽看见戴碧珠手里拿了个别致的发卡,是月牙形,上面布满零星水钻,戴碧珠说道,"这是去年在法国玩的时候买的,十分精致,我没有用过,年纪大了嘛。送给你当生日礼物。别嫌弃,谁叫少廷不提前说一声。"

戴碧珠本来想把手上的镯子褪下来给曼丽戴上，怕太唐突，遂决定用发卡代替了。曼丽执意不肯要，戴碧珠是爽快的人，直接走到曼丽跟前，把她前额的刘海往旁边一拢。

"好漂亮。"张少廷拍着手。

曼丽便接受了。她喜欢自己，曼丽感觉到了。戴碧珠的手指拢着曼丽的头发时让曼丽想起小时候母亲的手指，也是这般，怕弄痛了自己的头发。

曼丽的眼眶又红起来，如果君初的母亲也是这般对待自己多好。

君初，又是他，还是他，他应该陪着他母亲过得很开心吧？

蓉妈已经做好了午饭。君初从一回到家就闷闷不乐，吃饭的时候也只是勉强陪着老太太笑笑。下午也不用上班，只能在家里干坐着。廖金兰叫三三穿了那条裙子给她看，不停地夸奖，惹人生厌。如果是曼丽穿上这条裙子，大概好看一百倍不止。君初赌气上了阁楼，关上门拉上帘子准备洗照片。

曼丽仿佛就在身边，她笑起来真是好看，君初对着那些照片，心里舒服了许多，忽然看见自己的那张化妆照，忍不住哈哈大笑起来：眉毛有三条眉毛那么粗，脸上擦着胭脂，嘴唇是桃红色。这个调皮的小东西。

笑声传到三三耳朵里，三三问道，"君初少爷一个人在阁楼上笑什么呢？"

廖金兰道，"不晓得，他们这些搞艺术的就是这样疯疯癫癫。"

下午睡得昏昏沉沉，君初下楼吃点心，廖金兰吹着电扇道，"你猜我今天在理发店看见谁了？"

"谁？"君初看见桌上摆着萝卜糕，用手指抓起来吃了一口，喝了口红茶。

"你以前的那个徐曼丽啊？"

扑哧一声，一口茶喷了出来，"你今天在理发店看见徐曼丽了？"

廖金兰点点头，"你们去百货公司买衣服的时候她就来了，跟个男子，不过那男子看起来跟她也般配，高高大大的，模样也不错。想不到这么快就有新男朋友了。"

君初一副不敢相信的表情。

"觉得很奇怪是吧？这是真的，我老太太虽然头昏眼花，但他们就对着我，我还是不会看错的。看起来他们关系不错的，还搂肩膀呢。那个徐小姐还带着一条菱形的项链是不是？"廖金兰极力描述细节。

她没有必要撒谎。

君初呆呆地站着,提醒自己要冷静,"哦,可能找到新的了。"

廖金兰没看出什么端倪,"还好没让你娶她,否则现在可后悔了。"

老杜的电话来得正是时候,廖金兰接了,因为老杜是银行这边的高层,廖金兰是知道的,便叫君初听电话。

"嗨,MR.沈,最近很长时间没见你了,这边有个文件要你亲自过来签一下,是关于你父亲留下的股份的事情。"老杜叼着烟斗,很随意地把脚放在凳子上。办公室没有人,他没顾着保持绅士形象。

君初在电话里道,"什么? 你不舒服? 好的,我马上过来! 别乱动,感冒了要多休息。"

老杜怀疑自己是不是打错了电话,只是听耳边嘟嘟嘟嘟的声音,忽然又明白了什么,摇摇头。

廖金兰跟着紧张起来,"怎么了?"

君初往外走,"我今天晚上不回来了,老杜严重感冒,无人照顾,我得马上去看看。"

廖金兰点点头,又招呼道,"记得叫个医生过去瞧瞧!"

君初一出门就像出笼的小鸟一样跑到曼丽那边去,今天是曼丽的生日,生日!

曼丽很晚才回来,张少廷的车送到大门口,曼丽说,"谢谢你今天给我带来的快乐。"

"晚上真的没空去玩?"张少廷还想跟曼丽多待一会儿。

曼丽摇头,"不了,昨天晚上没有睡,现在有点累了,但我今天很开心,回去帮我转告你的父母,感谢他们的盛情款待。"

"知道啦,好朋友。"张少廷说好朋友的时候拉长了语气。

曼丽转身而去,君初坐在台阶上睡着了,他等了很久,他想曼丽迟早是要回来的,只要回来,自己就有希望。

曼丽推醒了君初,君初睁开眼睛看见曼丽,就紧紧地抱着,怎么都不肯放开。

"你怎么在这里,不是在陪你母亲么?"曼丽赌气道。

"你今天去哪里了? 我来找过你!"

曼丽眉毛一挑,"我不可以跟朋友一起过生日吗? 是你自己说没空的,我问过你。"曼丽拿钥匙开了门,"明天下午才上班,今天玩得晚些有什么不可以?"

"对不起——"君初低下头,他不知道为什么心里会那么痛。

"够了。"曼丽打断他的话,"我听了很多次了,我今天过生日,不想发脾气。"

君初从怀里掏出礼物,"这是我特意为你买的,我今天上午陪母亲出来,后来找机会开溜,去了电台,你请假了;然后来你家,你也不在。所以我就在这里等了,如果你真的不肯原谅我,那我现在就走。"

曼丽看着他憔悴的脸,心里也是一阵发酸。咱们相爱又没得罪谁,为什么要偷偷摸摸的,跟做贼一样?君初也不容易,两头受气,让他舍弃谁都难。

君初走了,垂着头。

曼丽心软,喊了声,"你回来。"

肉体纠缠,到处都是汗水,从沙发上到床上,呼吸着你的呼吸,曼丽的身体能够辨认君初的抚摸,如此熟悉。

"以后不许气我了。"君初的唇休息片刻。

"你以后要记得我的生日。"曼丽嘟着嘴,但马上被吻堵住了,吻是如此缠绵,这种交换口水的游戏在任何恋爱男女之间都乐而不疲。喜欢干净的,刷牙殷勤,气味清新。不拘小节的,可以在与对方接吻的过程中获得猜测他或她今天吃了些什么的乐趣。嘴,可以说话,可以 KISS,可以 BLOW JOB——那时候就是盛小蝌蚪的容器。

吻够了就做些实际的事情——男欢女爱的起点与终点。君初越来越喜欢探索

曼丽的身体,听她求饶的声音,看她曲线动人的身体因为喘气而娇嫩的呻吟。

君初终于发狠了,他要征服这个女人,他要她一辈子都属于她。

曼丽偷偷睁开眼睛,君初的表情好认真,好像一个老农在开垦一片玉米地,汗水从君初的额头滴下。

"舒服吗?"君初看见曼丽在看他。

曼丽吓得赶紧闭上眼睛,"我想翻个身。"

不同的地点有不同的乐趣,不同的姿势有不同的感受。如果仅仅是为了肉体享受,君初可以去找妓女。如果仅仅是为了生儿育女,君初可以选择屁股比曼丽大的三三。

但做爱做的事情的最大乐趣莫过于能跟自己爱的对象在一起,在肉体交流的时候进行精神交流,仿佛这样更对得起自己。

曼丽疯了似的喊着,完全不似平时的曼丽。原来每个人身上都有疯狂的性爱开关,只要你找对了,就有新奇的发现。

君初看到自己喜欢的得到了快乐,那种快乐胜过自己得到快乐。

在激情中,曼丽与君初同时登上癫狂的浪尖,然后缓缓平息下来,却不急着清理,只是互相吻着。

"爱你,曼丽。"君初慢慢从坚硬到疲惫,抱着曼丽,"我连你的一根头发都是爱的。"

"那,如果哪天我变得又老又丑,你还会喜欢我吗?"曼丽问着每个女人几乎都喜欢问的话。

君初好气又好笑,"等你老了,我也老了。"

曼丽想了想,拿手指摆弄君初的头发,"君初——"

君初有点困了。

曼丽想了想,"我们——结婚吧。"

一片沉寂,君初发出均匀的呼吸声。

曼丽推了推他,她要答案,她一定要个答案。

君初转过身来,"我有我的计划——"

曼丽摇头,示意他不要再说下去,她只想要个结果罢了。任由君初拥抱,眼泪就不受控,脸在笑,眼眶却不停淌泪。

笑的时候多美好,君初就睡在曼丽身边,习惯性地抓着曼丽的手放在自己胸口,在黑暗中他看不到曼丽哭泣的脸,直到天明。

早晨曼丽起来的时候君初已经不在了。

只有太阳,那永远不变的,没有新鲜感的太阳,夏天太热,冬天太冷。曼丽懒洋洋地爬起来,在枕头旁边发现一张纸,"曼丽,想叫你起床,看见你无辜的表情,我不忍心,知道你下午才去电台,想让你睡晚一点。桌上有面包牛奶。我会再来找你,吻你。"

曼丽把纸条放到一边,对着镜子强行做出一个微笑。

下午君初开会,导演王颖正在讲解剧本,君初坐中间,像在听着,但心不在焉。忽然,他站起来。所有人都呆了。君初走进楼道,拿起墙壁上的电话摇打。

"曼丽?……我很想见你,行吗?"

曼丽正看老张调试机器,"现在吗?"

"对!给我半小时,就约在南京路口……我等你!有重要的事情。"

曼丽问道,"到底什么事啊——我还要播音呢!"

"有急事——待会见!"

君初挂上电话,拎起外套,匆匆出门。看不清楚太阳是什么颜色,因为太刺眼。

曼丽离开的时候,老张说道,"还有半个小时节目就要开始了,去哪里啊?"

"有事情，等我回来，很快的。"曼丽跑着，君初知道自己上班，平时一般不会打电话过来，除非真的是要紧的事情。

出电梯时，曼丽跟警卫差点撞了个满怀，赶紧说了对不起。

君初在南京路旁边的周生生珠宝店选了一枚钻石戒指，朝路口飞奔，他要她。昨天晚上他知道她哭了，早晨醒来泪痕依稀。

君初只有一个念头，与曼丽相见，然后告诉她，"我们结婚吧，不管遇到多大的阻力，我们都要在一起。"

路口的车很多，曼丽看着君初对自己笑，是逆光，显得那张脸英俊无比，曼丽摆摆手，也对着君初笑。

过马路的时候，一辆自行车跟自己擦肩而过，大约那男子踩得急，龙头一下子扭到了曼丽身上，曼丽往旁边迅速一闪，躲了过去。

侧面那辆飞速行驶的小汽车没有想到曼丽会退到他这边，刹车不及。

君初的笑容还在脸上，曼丽的身体像放了气的气球，飞快地窜得很高，然后砰的一声落在地上。

"出车祸啦！"不知道谁喊了一声，君初后面的人赶紧冲过去看，君初被人推了一下，手中的小盒子掉在地上，戒指滚出来，没有人在意。地铁站的缝隙里，挤压挤压。君初木木地站着，怎么可能！怎么可能！她刚才还在马路对面站着！

后面的电车紧接着撞上那辆小车。上面的人们埋怨着，有几个脑门流血的乘客下来骂娘，他妈的怎么开车的，瞎了眼睛还是怎样……

曼丽死了，眼皮向上翻，嘴巴张得很大，血从喉咙冒了出来，仿佛那是一口井。白皙柔弱的脖子从中间断裂，头歪向右边。头发很漂亮，戴的是新月水钻发卡配上新做不久的发型。地上血迹的面积越来越大，扩散，扩散。

"真可惜！"有路人围观。

君初冲过去抱着她的身体，有什么比亲眼看见心爱的人在世界上活活消失更悲痛的事？

他脸上没有任何表情，只是认真地一个字一个字的对围观的人说道，"这不是真的，这只是个噩梦，是幻觉。等下醒来，我们就回去了。"

肇事的小车被后面的车撞向马路水泥墙，车像压缩饼干，司机的脸贴着破碎的挡风玻璃。冲撞力太强，他已经没有了呼吸，鼻孔向下流血，人像一张纸，薄薄的。他刚从朋友的婚宴上回来，他爱的人结婚了，新郎不是他。他多喝了几杯，只想沉醉，不想后悔，更没想到寻死。

车下滴着漏出来的汽油,有人喊,"要爆炸啦,逃命啊!"

电车上的乘客纷纷下车,像老鼠一样四下逃窜。

君初抱着曼丽的身体,慢慢地往外移动,轻轻地摸着她的头发,把曼丽的头放在自己怀抱里,"不要怕,宝贝,我马上带你走,我们去逛街,我们去吃饭,我们结婚,我一切都听你的,你不要死啊曼丽,曼丽不要死!"

两人被围观的人们拖到马路边上,一声巨响,浓烟过后是一片火焰。熊熊火光中,君初的脸贴着曼丽的脸,"我答应了和你在一起,你怎么失约了? 我们不分开了好吗? 你说话啊!"

医生来的时候,君初痛哭失声。

曼丽看着自己的尸体被抬上担架,伸出手臂想帮君初擦去脸上的眼泪,君初没有知觉,被浓烟呛得剧烈咳嗽,像个老人。

血迹渐渐模糊,人群慢慢散去清洁工开始洗刷地面,交通恢复,一切正常。

曼丽站在马路中央,车从身体中间通过,没有痛的感觉。

曼丽自己对自己说,过几天,他就要忘记我了。

忘记不了是因为不肯忘记,我心里总是要留地方给你,是很大一块地方。

　　张少廷给了君初一个小箱子,说,"她过生日那天晚上告诉我,她最大的愿望是希望沈君初过得幸福快乐。"

　　箱子里是曼丽当天晚上的照片。

　　"她喜欢的是你。"张少廷对君初道,"人已经离去,节哀顺变。"

　　君初点头说,"谢谢。"

　　"至少你曾经得到过她的爱,我什么都没有,我只是她的一个好朋友。"张少廷的眼泪掉下来,在曼丽的灵堂,他不能看她的照片,看了心会成为碎片,虽然现在已经成了碎片。

　　廖金兰觉得可惜,但又侥幸,天煞配就是天煞配,慧明说的一点也没错。牺牲曼丽,保住君初,也算是不幸中的大幸。

　　这几天,君初守着曼丽,不吃东西不睡觉,痴痴地看着她的尸身喃喃自语,跪在地上忏悔,"是我害了你,曼丽!都怪我叫你出来!"

　　君初在地上跪得久了,膝盖血肉模糊,也不觉得痛,痛的是曼丽不跟自己再多说一句话。

　　曼丽用的是火化,因为暂时不敢让她父亲知道。尸体运回萧山很不方便。

火葬场的化妆师为曼丽化了漂亮的妆，睫毛长长嘴巴红红，断了的头用胶带固定，用咖啡色的领巾遮盖着，是君初当时借给她擦眼泪的那条。

君初拼命冲了进去，四个人拉也拉不住。

"别烧我的曼丽啊！我求你们好吗？"君初疯了似的跪在地上磕头，"我求你们，再让我看一眼，看最后一眼好吗？"

廖金兰抹着眼泪过来求君初起来。

"妈，你看见曼丽了吗？她多漂亮啊，她为什么就这么狠心！还没跟我说一句话就走了！她丢下我在这个世界上干什么？"君初的头拼命撞着盛曼丽的棺材角，"她为什么这么坏！这个坏女人！我恨她！她丢下我一个人……"

蓉妈蹲下来，轻轻拍君初的背，小时候君初哭的时候，蓉妈经常这样安慰他。

曼丽的棺材送进火焰里，关上厚厚的闸门，君初坐在地上大哭，"你们不要烧我的曼丽啊！她会痛的！求求你们了！她会痛的！再让我看一眼！我以后再也见不到她了啊！"

棺材燃烧，发出啪啪的声音。

君初宁愿死的那个人是他。

曼丽的尸体忽然腾的一下坐了起来，直直的，头歪向一边，然后渐渐枯萎，变黑，成灰。

火焰和泪光中，我们那些对错都已经无从计较，遗憾的继续遗憾，怀念的无处

怀念，哭吧，我爱的人，我只是个影子，你苦苦寻觅，我却在黑夜追随你。在以后的日子，忘记我犹如我忘记你。相爱的人们终敌不过命运的安排，能够来到你的身边，我短暂的一生已经了然无憾。

曼丽听见君初撕心裂肺的哭喊。

曼丽看见君初后悔莫及的表情。

曼丽看见自己美丽的身体变成不再美丽的粉末。

世间男女情事悲哀莫过于我爱你，你不知道。比这个糟糕的是，等你知道了，回头时那人已不在身边，就如那些曾经一起度过的甜美时光一起消失。遗憾或是满足，都是虚无。最最可悲的是连自己都不知道，原来竟是如此深爱她。

既然深爱，为什么一定在失去时才懂得珍惜？你犹豫的那一刻，你在想什么我的爱人我的君初。你细密的心里究竟藏着怎样一个恶鬼？它如何诱你退缩，使你妥协，让你怯懦。可惜，它却没能教你如何遗忘，停止怀念，变得勇敢。

安静了,这轰轰烈烈的一天过去了。

明天还得继续,太阳还是太阳。君初躺在医院的床上输液,他已经几近虚脱,没有曼丽参予的这个世界,失去了它原来的所有颜色。

而我们,又在为什么而活着?

一个女人苍白的眼睛里流露着死一般的绝望。她靠在洁白柔软的大枕头上喘气。那女人呆呆地望着天花板，"结束了……一切都结束了……"

是秋天，空气中散发出迷人的瓜果香气。过了一会儿，她脸上露出一丝奇怪的笑意。她一个字一个字的说道，"往后，咱俩重新开始，就我跟你，好不好？"

身边没有动静。女人缓缓转头看身边满脸是血的男人，那男人已经死去多时，睁着眼，表情惊讶。

手里的水果刀切开了他脖子上的大动脉，往外冒血，男人不再说话。她啜泣起来，把头卖在男人怀里，"这样，你就不属于别人了，以后都是我的。"

"卡！"

角落里，王颖大声喊。摄影棚里热闹非凡，高潮部分拍摄成功，现场气氛松懈下来，满身假血的男演员缓缓爬起来，他在模仿僵尸笨拙的动作。包括满脸泪痕的钟淑琴在内，所有人都笑了。

男演员忽然看见摄影师沈君初瞪着他。其实与其说是瞪视，不如说是出神。君初眼神的焦点涣散，落在他后方，仿佛他正独处在另外一个时空里……

摄影机马达还在答答地转动着。王颖冲上前，喀地关了电钮，"沈大师，你知道胶片一尺多少钱吗？"

君初这才从一年前的回忆里走出来。低着头，半天吐出一句，"对不起……我——"

他猛地拉开影棚大门，所有人都愣了。阳光依旧刺眼，已经不是两年前的那种温暖。

有人想追出去，被王颖叫住了，他摇了摇头，"算了，我都习惯了。"

君初走在大街上，两颊深陷，他买了一辆新的汽车。要是早买了多好，就可以在那天开到百货公司门口接她。

君初漫无目地在街上开着。热闹的街头，每个角落都充满回忆，叫我怎能轻易忘记？快到家了，曼丽，我很快就回来了。

三三在绣花，虽然跟君初结婚这么久，几乎没有说过几句话，但心里仍然是喜悦的。她第一次见到君初就喜欢上了，想不到偷偷许的愿竟然成为现实。是在廖金兰的一场大病中，君初答应了老太太的请求。

"他们说要冲喜。"廖金兰在病床上奄奄一息，"我只有你这么一个儿子，看不到你成家，我死不瞑目。"

"妈，不要丢下我，我答应你。"君初已经不能再接受自己所爱的人离开自己，哪怕是再喜悦的事情也是不完美，伤心时也只有独自忍受。医生说病人的精神极其虚弱，不能受刺激。尽量做些让她高兴的事情，也许还有活下去的可能。

蓉妈对着医生眨了眨眼睛，表示感谢。

婚礼是最简单的那种，君初木然地磕头，老家的亲戚请了许多过来。本来以为沈家的婚礼大有看头，看了排场，有点失望。行的是旧式婚礼，让乡下来的想看婚纱装的妇女泄气。所幸菜不错，摆了二十几桌。新郎新娘轮流敬酒，没有向众人介绍认识的过程，相爱的过程，基本上没有过程。

君初逢酒必喝，因为喝醉了就不必去想如果在身边的新娘是曼丽该是多么好，一想，心里就痛得厉害。既然不能违背母亲的意愿，那就喝吧，喝死了最好。

昏昏沉沉倒在床上。那是张大床，从老家运过来的檀香木，刷的是红色油漆，帐子也是红色，枕头被套都是鲜艳的红。龙凤雕刻得精美，还有那些火红的云，瞄着金边，太阳在中间。太阳不会拐弯，如果会，为什么从阴沟里看不到蓝天？

那些红在君初的泪眼里渐渐模糊，他永远忘不了曼丽在车祸时充满期盼的双眼。她想说什么？可惜，还没听到曼丽就匆匆离开了。自己却继续可耻地活下去，为了生活,为了母亲,为了自己。现在身边的红,都是血。

三三的盖头被君初掀开,她梦想实现了,君初的眼神如此深情。她也是对君初有感情的。这一年的日子里,三三照顾着他的饮食起居,洗衣做饭都是亲自动手。君初经常酗酒,有一次冬天回来喝醉了,直接把尿撒在床上。三三半夜起来,冒着刺骨的寒风洗刷床单,如果不洗,第二天就不会干,他就不肯睡觉。因为那床单是曼丽家的,没有它,君初就不肯睡觉。结果三三累得病倒,却也无怨无悔——我爱你,辛苦一些又有什么所谓?

终于结婚了,名正言顺成了他的妻子,三三忍不住笑了。在旁人看起来,那是凄凉的笑容。

"曼丽。"君初喊道。

三三的眼泪掉下来,"我不是曼丽,我是三三。"

"曼丽,你今天真漂亮。"君初一把搂过三三,拼命地吻着,满嘴的酒气,"你还是逃不掉!你终于还是要嫁给我!"

看着身上起伏的男人,三三忍着痛,"我不是曼丽,我是三三……"

君初起得迟,三三向老太太请安去了,头发一丝不乱。她早已经摆脱乡下来的绣女形象,衣服也算是时兴的,发型仍然是盘在脑后。

醒来,君初发现床单上的血。

我干了些什么?

君初发疯似的卷起床单,冲到后院,打开水龙头,拿起刷子拼命地刷,我对不起曼丽,曼丽,别怪我,我以为是你!

廖金兰在屋里看见了,握着三三的手,"过一段时间会好的。"

三三不用再出去工作,在家伺候老太太。廖金兰盼着她的肚子能争气。三三是有苦说不出,自从新婚之夜后,君初就把床单直接搬到阁楼上,下班后一般都窝在上面。

自从曼丽死后,阁楼成了沈宅的禁地。君初对家里所有女性成员发出警告,"没有我的允许,任何人不要上阁楼去,否则休怪我翻脸不认人。"

蓉妈点点头。朝门外那些牌子看了一眼,是从寺庙里求的,插在门口的空地上。

君初还在回家的路上,老太太在屋子里诵经,晚上不跟他们一起吃饭。三三拿绣花针擦了擦头皮,这样能让针更滑,穿透崩得紧紧的布。绣花的时候可以不用去想其他的事情,这是三三逃避现实的一种方式,直针,缠针,旋针,单套,抢针,散错针,虚实针……动作细腻而熟练。她绣的是一方芦苇环绕的池塘。池塘里,一双鸳鸯游水缱绻……

如果一只是我,一只是君初,该有多好,三三平凡而秀气的脸上闪过一丝羞怯。忽然听到一声沉重悠长的叹息。

是谁,是谁在阁楼?

三三把绒布放在桌上,轻轻地上楼梯。阁楼门是反锁着的,有个通风孔。声音似乎是从里面发出来的。

三三很好奇,眼睛对准通风口往里看,天色渐暗,里面有些黑,看得见那些柜子和柜子上的红布。

忽然三三的视线被挡住,一只红色的眼睛跟自己对视着,眼球里没有一点黑,眼白里布满血丝,几乎没有睫毛。三三啊了一声,从楼梯上滚下来。

君初按了按喇叭,蓉妈赶紧去开门,见三三倒在地上,问道,"少奶奶你没事吧。"

"没事,刚才被楼梯绊了一下。"三三起来,惊魂未定。刚才一定是看错了。三三赶紧把头发用手抹整齐,丈夫回来了。

君初看了看三三,从鼻孔里哼了一声。外套脱下来,三三习惯地接了过去,然后是公文包、帽子和车钥匙。

蓉妈摆碗筷,饭菜做好了。热气腾腾的饭菜,在君初眼里是死气沉沉的,只想吃完饭赶紧去阁楼。那是他自己的世界,有他的回忆,只有沉溺其中,自己还能感觉到活着的意义。

三三从厨房里出来,兴致勃勃地对着君初笑道,"这是我今天下午做的几个开胃小菜,你尝尝吧。"

君初不想说话,跟这个女人,没有什么好说的。他盯着饭碗底下那块绣上芦塘、鸳鸯的绒布,绣花绣花,一天到晚就是绣花。

"我不是说让蓉妈做饭吗?"气氛就这样僵硬,桌上的菜一动也不动。如果心死了,所谓的吃饭只是动物的尸体在人的咽喉里做抽插式运动。蓉妈迅速瞥了两人一眼,情况不妙。

三三张口想辩解,又被君初不耐烦的声音打断。

"你不用那么费劲——是,我妈很喜欢你,当你是媳妇,但对我来说,你——不过是这儿的客人。你妄想在我这里得到什么! 我告诉你,你妄想!"

三三呆坐着,不知道该说什么,能说什么呢?下午在做这些菜的时候还喜不自胜:万一君初喜欢吃就好了,以后可以天天做给他吃。蓉妈出去了,心情十分复杂,两年了,君初的心还没有回到这个家,他心里有气,却不能发泄在老太太身上,只能是三三来代替。

君初看她连架都不跟自己吵,再看看她那张逆来顺受的脸,两年了,每天都是如此,一成不变,心里没来由的生出一股厌恶,几乎是用吼叫的声音,"要不是妈妈骗我说她的病治不好了,要我替她冲喜,我是不会让你进门的。你以为你是谁?"

三三仿佛没听见君初的话,笑着夹一筷子春笋送到他碗里,"别气坏了身体,我答应妈妈照顾你——"

君初爆发了,他推开三三的手,站起来,一个一个盘子轮流摔在地上,叭啦啦几声响,饭菜全部落在地上。巨大的声音让君初觉得心里舒服了些,"你只能一直重复这句话吗?——照顾我? 你了解我多少? ……你就不能为你自己而活吗!"

三三的泪水在眼眶里打着转转,她蹲在地上,收拾一地狼藉,"等下你想吃饭了,我再给你做。"

君初没有听见,他上他的阁楼。

曼丽的照片在床头微笑着,是爬山的时候最美的一张。阳光静静洒在她的脸上,她看着君初,眼睛弯成新月。

君初关好门,对曼丽说道,"我又发脾气了,你会怪我吗? 你不知道那个女人有多讨厌,我根本不爱她,她还这样。她越这样,我越不爱她。曼丽,我的宝,我想你。今天拍戏的时候我也想了,那女的对那男主角说,'往后,咱俩重新开始,就我跟你,好不好? '我就想起你了。你在下面过得好不好? 怕不怕黑? 想不想我? "

君初从怀里掏出一张照片放在一个盒子里,"你看,我今天又找人要到你的照片了,是找你的同学问的。你看你以前瘦弱的样子,为什么我不早点认识你呢? 那样就可以把你养得白白胖胖的。"

君初笑了笑,拿起床头的相框吻了一下,"每天都很想你,每天都睡在我们睡过的床上,你的枕头,你的被子,还有你的味道。"

衣柜是曼丽以前用过的,每件衣服君初都舍不得丢弃,心情不好的时候拿起某一件衣服,头埋在里面——是的,曼丽就是这样的味道,仿佛自己还在身边。

君初模仿曼丽的声音,"君初啊,你没有吃饭肚子不饿吗?"

然后又变回自己的声音,"我不饿,如果我饿了,我会听你的话,自己下去找东西吃。这样好吗,从此以后我都会听你的话。"

君初摆弄着机器,一边自言自语,"今天我去了霞飞路那家锦绣西餐厅,往里面看了看,你不在里面。原来你回家等我来了。你别着急,我今天要工作,你先睡好吗?"

君初站起来把相框放到枕头上,拿被子盖着,"不许说话了,早点睡觉,你明天还要去电台播音呢。"

君初笑了,"曼丽真乖。"

廖金兰在念经,她觉得这样让她愉快,结局如她所愿,但没有想象中的快乐。君初变了,变得苍老,他以前的活力随着两年前曼丽的去世消失了。君初表面上看起来正常,实际上却如行尸走肉一般,眼睛失去了神采。原以为时间可以冲淡一切,时间却把有些东西铭刻在人的心里。

卧室。三三独自在大床上,无法入眠。她还是听见人在叹气,天花板的上面是阁楼。耳边发出奇怪的声音……咔嚓咔嚓……咔嚓咔嚓……

——剪刀裁剪东西的声音。

裁!裁!裁……整个屋子几乎都听见了!阁楼阴暗,孤灯荧荧,在墙上投下巨大的影子。

那张书桌也是曼丽曾经用过的,都搬了过来,凭着昏暗灯火,君初认真低头,不停压下裁刀。

他无意识地,一下一下地剪,手中胶片散落一地。他专注地工作着,除了书桌和一张单人沙发,四周几乎全用白布遮盖着,静静流露出诡异气氛。角落里,放着君初家中的旧式收音机。

突然,荧屏亮了一下!指针晃动,旋又恢复死寂。

君初没察觉,他微笑着做这些事情,他要完成一部伟大的作品。在他身后,有一双眼睛注视他——先飘在他头顶鸟瞰,接着又缓缓下降,来到他身后,又转到他的侧面……

179

眼睛越来越靠近,望着他的眉,他的眼,还有熟悉的唇。

君初猛吸一口气,剧烈地咳嗽——是那种要命的咳,要把内脏咳出来的程度。手中胶片跌落,整个人像小狗一样蜷曲在角落里,身体止不住剧烈晃动,仿佛就要窒息……

那双发红的眼睛迅速退后!保持距离远远观察着。

君初的咳嗽逐渐缓和下来。可能感冒了,君初想。喘了一口气,用手肘撑住身体,勉强坐到沙发上,脸色惨白,汗珠从额头滑落,一滴一滴,一副刚从鬼门关逃回来的德行。

三三在床上反反复复听到叹气声,是女人的声音——君初跟谁在阁楼上?

君初的手臂伸出,搁在那座旧式收音机上。可惜里面再也没有曼丽的声音。君初温柔地轻轻抚摸机身,仿佛那不是机器,而是只毛发滑顺的小猫。

闭上眼睛,收音机荧屏亮了,又暗一下,亮,暗……

君初不知道,他在沙发上睡着了,他喜欢这样,睡着了就忘记一切了。

三三穿着拖鞋呼唤着君初的名字——今天晚上他还没有吃饭,顺便看看上面是否有人.想起下午在通气孔里看见的那双眼睛,心里怕怕的。

敲着门,君初没有答应。

再敲,门打开一条缝,君初探出头,睡眼惺忪,见是三三,眼睛一瞪,"你干什么?"

"你睡了么?蓉妈做了饭在厨房,吃完了再睡吧。"三三特意说是蓉妈做的,这样君初也许会容易接受些。

"不用了,你自己下去睡吧。"君初不耐烦地准备关门。

"我听到上面有怪怪的声音。"三三支支吾吾,"我就上来看看。"

君初面无表情道,"我没事,你别管。"说完立即关上门,在门后咳嗽着。三三一个人站在门口。那儿有个窗户,从窗外望出去,一只猫头鹰凄厉地叫喊。自己的处境大概也比猫头鹰好不了多少。

三三又回到床上。两年了,君初对自己始终是冷漠。那个女人已经去世这么久了,为什么君初还在留恋?三三觉得有些郁闷。好在活人跟死人斗,迟早自己是要胜利的,拼时间吧!反正这辈子跟定了君初,也许总有一天他会感动的。

太阳照着三三熟睡的脸，昨天晚上窗帘忘记拉上，听见汽车发动的声音，君初上班去了。廖金兰最近睡得晚，起得也晚，没听见堂屋有动静。

三三翻了个身，越想越奇怪，明明昨天听到有动静。现在是光天化日，难道还真有什么鬼不成？壮了壮胆子，披了件衣服蹑手蹑脚地又走到阁楼门口。深呼吸，对准通风口再次朝里望去——阁楼很大，眼之所见尽是白色绸布，跟灵堂的打扮一样。

桌上放着一个相框，看不清楚是谁的。

三三忽然觉得有黑影朝自己慢慢走过来，三三一惊，整个人往后一弹，摔了一跤，身体趴在地上——是蓉妈。

"你在干什么？"蓉妈盯着她责问道："少爷吩咐过，除他以外，任何人不能进阁楼。"

三三还想说点什么，蓉妈已经转身下楼。

三三追着下去，蓉妈在小厨房煮东西，见三三过来，赶紧把锅盖盖好。三三问蓉妈晚上有没有听到怪声，还有女人的叹息。

蓉妈手中的勺子掉在地上。

三三帮忙拣起来，诚恳道，"蓉妈，我的出身你也是知道的，你别把我当外人。你从小带着君初，你觉得君初为什么这么不开心？他总是缩在阁楼里，你不觉得奇怪么？难道是有鬼在上面？"

蓉妈表情严肃，瞥了瞥远处的木符，摇了摇头，"横竖老太太已经让你过门了，你就安心过日子呗！瞎想对你没有任何好处。"

三三点点头。锅子里的东西大概熟了，不停地冒着白汽。三三帮忙揭开锅盖，边缘的泡沫喷泄在三三的手上，她看见锅里煮的是——

蝙蝠。

并不是平常所见的蝙蝠，这只个头更大，小脸因为挣扎而狰狞扭曲，恶狠狠地看着三三。外面突然刮起一阵大风，从窗户吹进来。蝙蝠在锅里浮浮沉沉。风吹过屋后那片紫竹林沙沙作响，不知名的动物发出啾啾的声音。

天色突然暗下来，云低低的，像压抑的心情。

一场秋雨一场寒，雨点啪啪掉下来，带些灰尘的味道。门前的水沟里，癞蛤蟆不甘心就这样走开，它的背上布满毒疮，呱呱，呱呱，一声比一声凄凉。老太太念佛的声音越来越大，阿弥陀佛，阿弥陀佛，菩萨保佑，菩萨保佑。

菩萨管着好几千万信徒,有时候漏掉一些人的祈祷也不足为奇。三三想,菩萨一定很忙,她最近的愿望都是落空。

蓉妈坐在床头帮三三包扎刚才烫伤的地方,均匀地涂了烫伤油在上面。那片肉已经变成粉红色,约六成熟。手背上薄薄的一层皮肤卷起,蓉妈用力往外一撕,三三痛得喊了出来。

蓉妈一边绕着纱布,一边笑道,"在我们老家,别说蝙蝠,连蚂蟥都吃呢——把小公牛牵到水塘里,让蚂蟥爬满全身,吸饱血,再用刀子刮下,剖开,取出里面饱涨的血条,再淋点麻油,一拌……呵,可香了!"

三三几乎呕出来,示意蓉妈别再说。

蓉妈点点头,"对了,今天的事情别跟少爷说。"

三三答应了。手掌已经包好了纱布,最后系了个结子,像一只蝴蝶停在手背,振翅欲飞。三三觉得有趣,端详了半天。

蓉妈要出去弄晚餐了,对三三说道,"以前的事,你就别再想,也别再问了。少爷他不爱听这些。懂吗?"

三三又点头。蓉妈看了又不忍心,"真不尝尝?蝙蝠的味儿就跟山鸡差不多,给你留一碗?"

三三摇头,"不用了,谢谢你,蓉妈。"

三三靠在床上,听着雨声,闭上眼,想休息一会儿儿。不知道君初带伞了没有?思绪还没开头,却听见像有"东西"横过天花板的声音。三三猛的睁开眼,抬头——可知卧室上方,就是阁楼。阁楼里光影晃动,有不寻常的声音——像脚步声,又像木板倾轧声。叹息声越来越清晰,还有模糊的说话声,仿佛就在自己耳边。三三爬起身,站上床,发现上方墙壁也有一个通风小孔。她踮起脚跟,想靠孔口近些,却始终差了一截。她搬了枕头被子叠起来,扶着墙壁边缘,那声音却越来越清晰,清晰到仿佛有个女子贴着自己耳朵低语。

顺着通风孔看着,上面像个播音间,仿佛有个人坐在那,看不清她的面孔,只见到她艳艳的嘴唇对着麦克风,轻声细语,"今天要讲的,是一个无奈的爱情故事……"

"一个长沙来的乡下姑娘,爬上枝头变凤凰,嫁给了她多年来暗恋的对象。只不过,男人并不体贴她的情意,成天躲在阁楼里,根本不理她……"

三三踮着的脚有点酸,痴痴地望着通风孔,着了魔,留心听起来。那声音说道,"姑娘觉得自己配不上男人,也甘心每天这么看着他,等着他……"

三三越听越觉得不可思议,忍不住开口对着上面的阁楼喊,"谁?谁在说话?"

里面继续发出声音,"但她仍然在希望,希望有一天那个男人能正眼看着她……"

三三恐惧又生气。分明是在说自己,是的,说的就是自己。她站上床头,使劲攀住孔口的木栅栏,想扳开看个究竟。三三涨红了脸,使出全身力气,栅栏的夹层逐渐松动,传出低沉的□□声。

——孔口里突然出现一只红色眼睛,跟上次的一模一样!流着血,眨巴眨巴,光秃秃没有睫毛。

"啊!"三三吓得松手!被子本来就是软物,经过这一移动,一个跟跄跌到床下。那一小片栅栏也随之落下,啪的一声,扬起一片陈年烟土。

三三捂着嘴巴鼻子,呛得一阵咳嗽。尘土消散。三三发现床上一滩尘屑,当中躺着一把钥匙——显然是和栅栏一起掉下来的。

三三拿起钥匙,再看看头顶天花板上的神秘阁楼,上面究竟是怎样的宝贝,让君初痴迷成这样?

一只包扎白色纱布的的手,握着钥匙,插进阁楼深蓝色门上的锁孔里。

每一把锁,几乎都有两把钥匙,一把自己带在身边,一把备用。曼丽是君初的钥匙,三三是君初的备用钥匙,所以经常被君初遗忘,三三悲哀地想。

有人是万能钥匙,但会失去做钥匙的乐趣。

三三深吸了一口气,转动手腕。咔哒!门锁应声而开。

三三推开门——阁楼很大,落下了重重的窗帘,不知道多久没有打开过,房子里有怪异的气味。外面天色昏暗,雨啪嗒啪嗒拍打窗户,像在敲门。仿佛在说,"让我进来,让我进来。"三三拉开一道窗帘,她不喜欢这么黑——本来自己的世界就黑够了,来到上面还是黑。一道晦暗的天光,斜斜射进房内,更显得阁楼里灵堂的意味。除了书桌、单人沙发,及那座旧式收音机之外,东西大半都用白绸布盖着。地上还散落着许多剪碎的胶片。

三三捡起一截碎胶片,对着光看——胶片上,一格格黑白影像大同小异,像是一个小女孩在相馆拍的照片,面无表情地凝视镜头,说不上是悲是喜,感觉有些阴森。这小女孩是谁?

183

一块白布悄无声息地滑落在地上。底下是一个首饰盒子。另一块白绸布紧接着滑落——底下是个紫檀木箱。

三三小心地掀开箱盖，里面整整齐齐叠着一套碎花洋装，一双绣花高跟鞋，另外还有些丝巾，手帕，内裤……显然都是女性物件。

君初为什么珍藏这些东西？难道是变态？三三顺手继续拉开另一块白布……

——竟然是一张脸！

三三大喊了一声。

那只不过是一面雕花镜子，凹凸不平的镜面反映出三三惊恐的表情。原来如此！三三抚着胸口。窗外的秋雨还在下，风更大了。

这是曼丽生前用过的镜子，君初拿了回来。当初搬这些东西的时候三三在绣厂上班，并不在家。

三三没察觉在她身后，收音机的屏幕竟然缓缓闪动，指针晃动。猛的一声机器叫嚣，电波的嘶嘶啦啦声传来，好像有人正在调收音机频道一般。

三三吓得后退，身体缩成一团，不敢看前面……

半晌，房里响起轻柔的音乐，气氛渐渐缓和。角落里的收音机兀自亮着屏幕，低声播送音乐。

收音机里传来一阵女声，"这里是奥斯邦电台，现在为您播送的节目是'爵士风情'，我是节目主持人，徐曼丽……"

三三的脸色惨白，她不是死了么？怎么会有她的节目？这是在捉弄我吗？我现在是沈君初的合法妻子！一想到这里，三三不知道哪里来这么大的勇气，起身走向收音机，伸出手，喀地关掉旋钮。

音乐持续。屏幕也依旧亮着。

三三觉得郁闷。重新扭开，又关了一次。还是关不掉。怎么搞的？三三的手心轻轻拍打机身——收音机没什么特别的——只是无法关闭。

三三伸手摸索电线，低着头，佝偻着腰，顺着线绕了大半圈；往阁楼深处，往照不到光的角落慢慢移动。

周遭越来越暗，却浮现许多银色微粒，在空气中浮游、聚散……像光尘，又像萤火虫。终于，在一个矮柜后方，找到了插头。三三脸色大变，原来，插头根本没插上！

就在插座旁边，赫然是一双离地半尺的女人的脚，可以看见脚趾上淡淡粉红的指甲油,脚背上细细的青筋暴露着！与其说是发白,不如说是人体里的血流尽之后的那种暗黄。

三三惊叫！抬头慢慢往上看——穿着青黄色碎花洋装的曼丽飘浮在空中,目光幽怨,她的眼睛向下看,面带着微笑。三三跟她目光对视的瞬间,一下子晕厥在地上。

不知道过了多久,三三慢慢睁开眼睛。人影逐渐清晰,她看见的是一脸冰霜的君初。他浑身湿透,淋了雨。

三三勉强睁开眼睛,"是你……你淋湿了……会着凉……我替你拿毛巾……"

三三挣扎着起身,君初理都不理,看也不看,脸拉得长长,"谁让你进来的？你怎么开的门？"

三三无言以对。

她对于这样冷漠的表情已经熟悉,无论是白天还是晚上,看见的都是这张蒙着霜的脸。她默默地把头转过去,不让君初看见。

君初觉得她气色极差,本来想问问,但又觉得多余,"等下吃饭我不想让我妈生气,但你听好——如果你以后再敢上这儿来……我就让你滚出去！"

说完,君初头也不回地离开。

三三一脸凄惶,我爱你,我错了吗？你是我的丈夫,我担心你,我错了吗？这个让人绝望的黄昏,想崩溃却找不到绝堤的口子。雨在不停地下,眼泪也止不住似的。

廖金兰在房间懒洋洋地蜷缩着。她手里拿着根旱烟杆,不时抽两口,整个人笼罩在烟雾里。自从君初结婚后,廖金兰心头一块大石头落下。蓉妈半跪在她面前,手里捧着一个龟壳,像摇骰子那样摇着。可以听出里头窸窸簌簌的铜钱声。

蓉妈猛一甩龟壳！六枚铜钱飞出,跌在案上,各自旋转。蓉妈额头上豆大的汗水,睁眼细看。烟雾里,老太太精光四射的眼神。铜钱一枚接一枚躺平……或正或反,排出了一组卦象。蓉妈摇摇头,叹气。廖金兰慌忙问道,"怎么样？"蓉妈摇头。老太太说道:"会不会弄错了？……再卜一次！"

蓉妈收起铜钱,恭敬低头,"没用的。再卜也一样——这是命。"

廖金兰脸色陡沉,举起手上的旱烟管,照着蓉妈的身上使劲敲！一下,两下,三下……蓉妈不吭声，咬牙硬撑。廖金兰边打边骂，"都是你的话……先要我到庙里静修半年，又让我给君初娶妻……我都照做啦，现在又说化不掉劫数？"

她下手极重，连烟帽都打脱了。又打了几下，这才罢手。

老太太一声大叫，"——滚！"

老太太、三三、君初一起用晚饭，蓉妈也坐着，一股奇怪的气氛蔓延。三三瞥着君初，君初却望也不望她一眼，好像是个陌生人。廖金兰看着儿子，神色和蔼，全然不似方才责打蓉妈般严厉，"脸色为什么这么差？是不是受了寒？"

一边说，一边伸手探君初额头，"哟，好像发烧了！"

君初撇开头，躲开母亲的手，"没什么。工作忙，没睡好。"

话没说完，老太太就打断了，"你每天到底在忙什么？你不是片子也不拍了——我听三三说，要见你一面都不容易！"

三三头更低了。

老太太嘴巴不饶人，"我要是你，有这么个媳妇在家里，才舍不得出门呢！"

三三尴尬抬头，神情霎时惊呆！雨夜中，老太太身后的落地窗外，飘着一双赤脚！身影微晃，一张面色苍白，枯槁，凄凉的脸容赫然贴在玻璃上——是曼丽！

三三双眼发直，握在手里的筷子不停发抖，但她不敢做声……

君初麻木地把菜夹在嘴里。千篇一律。昨天跟今天有什么不同？明天跟今天又有什么不同？没有你在，阳光即使照我全身，我还是寒冷。

曼丽的脸容被散发遮掩，是阴森的美艳。她的眼神哀伤，充满哀求的意味，盯着三三一步步走近。

"这是什么肉？"君初皱眉吐在桌上。那块肉带着皮，上面毛茸茸的。

蓉妈答道，"山鸡肉，老家带过来的，少爷要多吃点。"

三三看着曼丽穿过窗户玻璃走向自己。她不敢正视，赶紧低头。只见曼丽的脚直直走到她跟前。

老太太疑惑地看着三三，"怎么了？你也不舒服？"

三三弯着腰，身体几乎蜷成一团，牙齿咯咯打战，无法说话，仿佛置身冰窖一般。

君初自顾自低头吃饭。

蓉妈又夹了几块蝙蝠肉在他碗里——这东西能够驱除君初体内的邪气。

见他冷漠的样子，廖金兰看不过去，"哎，你——三三不舒服你没瞅见吗？"

心中有鬼

君初抬头看了一眼，又低头继续吃饭。

老太太转身对蓉妈道，"蓉妈，拿点保济丸过来。"这时候，三三伸手扯住老太太手臂，摇摇头，示意不用了。

三三直起身子——神情像换了一个人。她从座位上腾的站起来，动作之大，连自顾吃饭的君初也忍不住抬头。搞什么鬼？三三进入厨房，不一会儿又走出来，手里多了一瓶好好牌蚝油。

老太太和君初瞪着眼看着三三。

三三在君初身边坐下，递过蚝油，语气轻柔，"你吃炒饭，不是要加点蚝油？"君初面带诧异，瞄了瞄母亲，伸手接过来。

三三对他嫣然媚笑——眼里竟然现出曼丽才有的眼神！

君初整个人呆住！为什么是这样？君初回过神来，眼前的面孔再度换回微笑的三三。君初疑惑，难道是我过于思念曼丽？

老太太唠叨，"打她在绣行里干活，我就喜欢这孩子。为人体贴，手上功夫又细致。娶到她，是你上辈子积德——"

话没说完，三三脸色剧变！一股热流冲到喉咙，呕吐的秽物喷出来，一古脑全吐到老太太身上，热气腾腾的半消化的粥，还有红色的辣椒末，绿色的白菜叶子。

老太太大叫一声，蓉妈匆忙赶到，扶着老太太去换洗衣裳。

曼丽回到玻璃窗外，恶作剧地咯咯笑着，"叫你夸她，叫你夸！你喜欢的媳妇吐了你一身，她在你心目中是完美的，因此她的呕吐物也是完美的嘛！既然如此，去洗干什么？"

浴室里，三三把冰冷的水泼向自己，以镇定神经。怎么了，我怎么会这样？刚才发生什么了？门外，又出现脚步声……

声音慢慢走近浴室。三三不敢动。浴室门缝下已见一个黑影站着。

三三眼睛睁得很大，门拉开！

是君初！

她松了口气，"对不起，可能我今天不舒服，我也不知怎么了……妈妈还好么？"

君初答道，"蓉妈陪着她回房间里睡了，没事。"说完递上一条热毛巾。君初第一次用带着点人情味的声音跟她说话，"把脸擦擦，早点睡吧。"

三三意外，不知怎么反应。君初的声音好温柔，是不是自己听错了？

君初又递了一次毛巾。忽然觉得三三很可怜，"难道你是怕被我传染感冒？"

三三笑笑说道，"不——"她赶紧接过毛巾。

君初转身，向楼梯走去。三三愣了一下，"君初，你不睡吗？"

君初犹豫了一下说，"我还有工作。"

说着，他转身上楼，直向阁楼走去。

三三脸上陡然浮出一丝温暖，毛巾紧压住嘴，强自压抑，又忍不住笑了出来。太棒了！君初终于对我好起来了！三三心情一好，一边洗澡一边唱歌。

君初拿起白布，将一切东西盖上，还原。他站在收音机前，小心谨慎地拭擦，"曼丽，你不要怪那个女人——今天她进来没有吵到你吧？"

他在书桌前坐下，依旧在剪胶片。君初自己买了一台二手放映机，他专注地盯着屏幕，剪着，接着。忽然，一截胶片掉下地。伸手想捡，胶片落到了桌底深处，很不容易够着。

黑暗中，忽然伸出了一条纤弱苍白的手臂来。君初蹲在地上，头朝桌子下面看，他没有发现身后的手臂。那只手越来越长，隔着空气，慢慢伸向君初的脸，无限温柔。手臂越接近，君初的呼吸就越急促，君初感到晕眩，闭上了眼睛。

眼看手指尖几乎就要碰触到君初的头发——

君初猛地咳嗽！手臂陡然消失！只剩下君初，整个人佝偻在沙发里，孤独又剧烈地咳嗽。

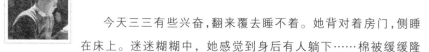

声声刺痛三三的心。他的咳嗽总是不好，一上阁楼就要咳嗽。

今天三三有些兴奋，翻来覆去睡不着。她背对着房门，侧睡在床上。迷迷糊糊中，她感觉到身后有人躺下……棉被缓缓隆起。"是不是君初？"半晌，没回应。三三只得转身一看——这一看魂魄差点飞了出去，跟自己面对面躺着的是曼丽！穿着上次那件碎花装，头歪向一边，神情苍白而幽怨！血红的眼睛呆呆地盯着三三。一股血腥味蔓延着整个鼻腔，三三张嘴要喊救命！

曼丽的嘴张得大大的，"别喊……求你，求求你别喊……"

三三退到床边，吓得已经哭起来。鬼，就在自己身边，谁能不怕。曼丽也流下了眼泪，她说话的声音有点变调，"我不是故意吓唬你的。我是为了君初留下来的，走不掉……"

三三简直无法置信自己竟然能够清楚地看到她，"别人能看见你么？"

曼丽长长叹息了一声,"我并不想让他们看见我,我找的人是你。本来我跟君初商量着要结婚,结果我出了车祸,你看我的脸就知道了。"

曼丽转头把死去时候的样子给三三看了:她的脖子上挂着一块鲜红的肉。手也是扁平的,有被车轮轧过的痕迹。

"君初把我所有的东西都搬了过来。每个晚上看着他无法入眠,我比你更难受……你知道爱一个人,却不能亲近他、照顾他的感受是怎样的吗?"

三三答不出来。她拼命摇头,她的脑子里只有一个念头:冲上阁楼,躲到君初的怀抱里去,她害怕。

"你应该知道那种感觉是痛! 是无底的痛!"

三三想到了她自己,每个下午都期待听到汽车的引擎声,那是君初回来的声音,然后是脚步声与敲门声。她默默地拿着他的衣服,她亲自给他洗内裤,自己一个人睡的时候抱着枕头幻想的全是君初。

曼丽继续幽幽道,"我没有怪你。我知道你对君初是真情真意……你可以替我做一件事——"

鬼要你替它做事,你敢不敢? 或者你心中有鬼?

"代替我! 让君初忘记我,重新过日子! 变成我,带给他快乐!"

三三暂时忘记了恐惧,慢慢地靠墙坐得直了些,"怎么可能!"

曼丽飘到她发抖的身体旁边,"可以的!我可以帮你!像今天晚上不很好?君初不但愿意同你说话,还给你递毛巾——要是凭你自己,你能做到吗? 你知道他吃炒饭最喜欢加蚝油么? 你知道他最喜欢喝什么酒么? 你知道他最喜欢怎样的眼神么? 告诉你,是那种充满活力和生命的清澈的眼神! 你学不来,真的! 你只是你自己,而不是他的那个你! 如果不是我,你觉得君初会主动跟你说话?"

三三忽然想起窗台上那一幕,问道,"是你?……你做了什么? 还有,我吐了老太太一身的污秽,也是你一手操作的?"

曼丽有点犹豫,想了想还是决定告诉她,"其实我上了你的身。我是故意整老太太的,如果当初不是她极力反对,也许现在睡在这张床上的不是你,而是我!"

三三几乎抓狂,"你……什么? ……你再说一次,我警告你,你给我说清楚!"

曼丽的眼泪几乎是透明的,未滴下来已经消失,"我借用了你的身体,我很想帮他,他不快乐你知道吗?你见过君初大笑的样子吗?没有吧?我告诉你,我见过,我们曾经笑到肚子抽筋。"曼丽陷入回忆中,很长一段时间不说话,"我想跟君初

189

聊天,碰碰他,哪怕就那么一下……可是,每当我靠近他,我身上的阴气,就让他生病……"

君初背后的手,就是曼丽的手,君初咳嗽,曼丽伤心极了。三三明白了君初一上阁楼就剧烈咳嗽的原因。

曼丽继续说,"你不是口口声声说爱他吗?你看着他这样折磨自己,你开不开心?我能帮他——只要你愿意,我就能帮君初。"

她殷切地看着三三,"让——我——上——身。"

三三脸色苍白,嘴唇发颤,半天才挤出一个字,"滚!"

曼丽有些不甘心,"三三姑娘。"

三三大吼,哭喊着,她崩溃了,"滚啊!我不想见到你这只鬼!你都死了,你放过君初啊!你死了你就走吧!你跟我抢什么呢?他不爱我是我的事,由不得你来掺和!"

她抽噎着,跳下床,奔出房门,到了阁楼门口,擦了擦眼泪,举起手准备敲门,又犹豫了。三三下了楼梯,坐在后院的台阶上无声地哭着。

曼丽没有出现,她在阁楼的角落里看着心爱的男人。我怎么舍得就这样离去?要你忘了我,你偏不听,这些照片,这些物什又有什么用?很想让你再抱抱我,可惜阴阳相隔,再见已经永无机会。

我只想让你开心地把我淡忘,君初,我的爱人,我只要你幸福。

　　廖金兰不在家,她去寺庙静心修炼,蓉妈也跟着一起去了。家里只有两个人,君初一整天都没有从阁楼上下来。饭菜凉了又热,热了又凉。三三准备叫君初吃饭,想着要不要跟君初说清楚那天晚上见到曼丽的事情。

　　门是虚掩的,三三轻轻地走进去。忽然,她瞪直了眼——只见君初倒卧,一动不动,脸色苍白,像个死人。

　　三三一声尖叫,跌跌撞撞地跑到楼下打电话给医院。

　　一个小时以后,君初在病床上熟睡。三三和廖金兰、蓉妈伴在一旁。君初睡得好像不肯起来,眉毛却还是认真地拧得很紧。

　　医生翻了翻病人资料,对廖金兰说道,"沈先生着了凉,哮喘病又并发肺炎,状况……很不好。"老太太急得快晕过去,扯住医生,"有特效药吗? 再贵都行——"

　　医生轻轻拍了拍老太太的肩,摇了摇头,"针药只能压住症状,最重要是病人的求生意志。我看你们也休息会儿,我晚点儿再来看看。"

　　三三在床边坐下。忽然,她的手被君初抓着了。君初迷迷糊糊叫着曼丽的名字。三三愣住了,"我不是——"

　　身边的廖金兰伤心欲绝,"人早都死了,为什么老是放不下? 你还是在怪我拆散你们,我知道,可我是为了你好!"

君初依旧闭着双眼,满头是汗,嘴里胡乱说些什么,谁也听不清楚。他在想念她,他心里只有她,君初甚至希望自己快些死去,这样就能见到曼丽,跟曼丽在一起。

三三的心里很痛,念来念去,都快死了,念的还是她!我走,我回去,我去找她!你高兴了吗?为了你能活着,我不要我自己了,如你的愿!三三冲出病房,蓉妈叫不住,任何人都无法阻挡她的脚步。

回到家,三三大喊,"出来啊,你出来!"房间、窗外、墙角、衣柜里,疯了似的找。忽然想起了什么,冲到阁楼上,颤抖地打开门进去,拉上窗帘,屋内顿时黯淡。

白绸布静静地遮盖着那些回忆。

"你出来啊!我知道你在。曼丽,我知道你就在我身边,你现身啊!君初不行了,他就要死了!你忍心看他死去吗?跟你一样变成鬼,你忍心吗?你不是说爱他吗!"三三的泪顿成两行。

没有任何声音,除了自己的心跳。三三想起医生说的话,哀求道,上气不接下气,"曼丽……求你……求求你……你说过你能帮君初……"

三三瞥见收音机,走上前,用力拍打着,"你快出来啊!君初他……不行了!只有你能帮他!你得帮帮他……他不能死的啊!"

又是一片死寂。

曼丽的声音在耳边响起,"君初怎么了?"

三三回头一看,只见曼丽站在阁楼最深处,几乎见不到光的所在。阴影笼罩,只能见到她半边脸,是烧过的,黑炭一般,牙齿却是雪白,笑起来露出红色的牙肉,分外恐怖。

三三顾不上害怕,只是抽泣道,"他病得很重……你要救他!"

曼丽低头不言语。

"你一定有办法!对不对?……你说,要我干什么都行!"

三三看着曼丽,眼神坚定。曼丽也用同样坚定的眼神看着她,"去浴室吧。"

曼丽放下栓子,塞住浴缸的出水孔,扭开水龙头,开始放水。

曼丽飘在半空中,三三不敢看她的脸,只是听她说话,"上回我趁你身子虚强行上身,虽然成了,但只能是一刹那。如果要我在你身体里待得久,就需要你配合——你必须暂时闭锁阳气……"

水哗啦流出,逐渐升高。水面回转的旋涡越来越大。

三三问,"闭锁阳气?什么意思?"

浴室的窗帘关得很严实,一丝光都不透。三三脸上也变得阴暗,绝望的时候,人跟鬼没有多大区别——比它们多一口气而已。她转身——曼丽已经出现在身后。

曼丽说,"就是完全屏住呼吸,维持在既生且死的状态……但人要长时间憋住气,光靠自个的意志力是挺不住的,所以,你必须在水底下待着。你放心,我不会害死你,我只想帮助君初找回快乐,让他爱上你,然后忘了我。这样我才能甘心地真正地离开他的世界。"

"水底下?"三三不解。

曼丽继续解释,"水是不阴不阳的物质,可以沟通生死。人在娘胎里就是浸在水里,能过十个月。但出了娘胎,在水里却一分钟都待不了,待两分钟能要人的命……这是很辛苦的。"

三三怕她反悔,擦了擦眼泪,"我不怕苦!"

曼丽忽然有点同情三三,接着又同情起自己,这么辛苦,自己为什么不能好好地活着?

浴缸里的水几乎放满了,三三脱下外衣,只穿着轻薄的睡衣,踏入水中。水从缸缘溢流出来一些。三三缓缓坐下,水逐渐淹过她身体:臀部,膝盖,腰部,胸部……最后淹到了颈部……

三三看着水面,无怨无悔的表情,她只想让君初活着,哪怕不喜欢自己,也要坚强地活着,摔东西也可以,骂人也可以,发脾气也可以,甚至跟自己不说话也可以,只要你活着。

曼丽面无表情地看着三三整个人潜入水底。

三三躺在水面,渐渐沉了下去,嘴里不断冒出细碎的气泡,闭着眼,双手握在胸前,好像死了一样。曼丽上前冷冷地看着她的表情,在水底,因为憋气的关系,三三的神情越来越痛苦……曼丽缓缓蹲下。她低头靠近水面,张开乌黑的嘴唇……三三的脸贴上水面,张开口。

两人几乎是面贴面——

水里,三三眉头舒缓,表情不再那么痛苦,却半张着嘴,大量的气泡从她嘴里涌出,朝水面升浮……水泡声越来越大,而曼丽的身影越来越稀薄。三三的气泡吐尽,曼丽的影子几近消失……

193

只听一声大叫，三三整个人猛地从水里弹出，水花四溅中宛若重生。

君初在做梦，梦见跟曼丽一起看电影，曼丽搂住他的脖子说悄悄话。他们经常这样看电影，这是一件浪漫的事。君初总是享受曼丽的耳语，那是说给他一个人听的。

"你说电影里那个好人怎么死得这么惨啊？"曼丽像只小兔子一样依偎着，电影院很黑，君初的手跟曼丽的手叠在一起。

"因为好人不长命，祸害活千年。"君初拧拧她的脸蛋，"怎么脑子里总是有这么多的怪念头？活那么久呢，当然是祸害，小妖精。"君初心里生出几分怜惜，喜欢的人，怎么看都是越来越喜欢。

曼丽笑了笑，"如果我死了你会怎样？"

君初轻轻扇了扇曼丽的嘴，"呸呸呸！乌鸦嘴！你死了我当然跟着一起去死！"

曼丽满意了。两人一起坐着。忽然，四周燃起熊熊火焰，君初看着曼丽漂亮的头发烧焦了，白皙的皮肤慢慢变黄，变黑，她的手仍然紧紧地握在君初手里。那些火焰舔噬着曼丽的双腿，两根黑色的枯柴棒在座位上立着。脸也变得焦炭一般。曼丽缓缓转过头来，声音完全嘶哑，骷髅张开大嘴，伸出黑色的长舌头，"君初，我这样你还爱我吗？"

火光中，君初抱着骷髅痛哭，黑色骨架渐渐坍塌，鲜活的肉体已经不复存在。

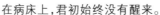

在病床上，君初始终没有醒来。

医生不忍心看白发人送黑发人，实际上肺炎再加上高烧，病人还有严重的气喘，这样活下去的几率真是很低。

廖金兰跟蓉妈在隔壁病房睡了，医生说病人最需要休息，不能有太多人在旁边说话，那样会打扰到病人。

深夜，医院走廊的日光灯发着青光。一个女子款款走来，乌黑的细眉，俏皮的眼睛，女子白皙的颈脖上挂着一根菱形项链，那女子摇曳的裙子下摆却没有移动，穿着绣花高跟鞋的纤细脚踝显得分外迷人。她的背影，投射在阴暗长廊上。仿佛是三三，又更像是曼丽。

咯噔咯噔的高跟鞋声在夜里格外响亮，仿佛敲在人的心头，到了柜台。护士抬了抬头，瞥见那女子侧影——是三三。护士认识她，"沈太太——找不到路？"

女子背对护士，停步点头。

护士打了个哈欠，用手指捂了嘴巴，"是在 208 房吧？往左边走。"

女子哦了一声，转往另一个方向。

曼丽抬头看了看前方，"君初，我这就来看你了。"

病房里，君初抽搐着，神情扭曲，全身出汗，衣服湿透了。曼丽坐在床边，一双纤弱的手，温柔地抚过他的脸，好像对待自己的小孩那般悉心温柔。"我终于能触摸到你了，君初！当时你在马路对面，我就想这样做。你的皮肤还有记忆吗？这是我的手指。"

曼丽的眼泪滴在君初的手背上，滚烫瞬间变成冰凉，"我多么想念你，只有今天我才能靠近你。两年的时间，你这么傻，还留着那些东西干什么？你既念着我，我便不忍心看你沉溺，只能看着你一点点神伤一点点憔悴。我能做什么？我只是一个女鬼，在阳光照耀不到的黑暗角落痴痴地看着你，看着你对我说话，看着你悲伤，看着你落泪。我想回应你，我想拥抱你，可我做不到，君初，你听到了吗？我在你身边，你听得到吗？"

君初勉强睁眼，他看到了曼丽！真的，是实实在在的曼丽！君初一激动，想强撑起身子，曼丽温柔地按住他。

君初紧紧地抓住曼丽的手，"对不起，亲爱的，对不起！我不是不爱你，我只是一时没反应过来……我以为自己还没准备好，但我现在想清楚了，我想永远跟你在一起……是真的！"

君初想起两年来自己煎熬的辛苦，如今终于见到了她，心里无法平静。紧紧地抱着曼丽，曼丽几乎喘不过气来，"君初，我知道，我都知道……你要好起来，等你好起来我就回来了！"

曼丽睡在旁边，俯身温柔地趴在君初胸上。

君初不肯放开曼丽，"都是我的错，我的错！曼丽，如果我当时不犹豫，你就不会有事，是我的错！"

君初流下悔恨的眼泪，哽咽着，"我戒指都买好了，我们一起准备婚礼，你穿白色的婚纱，我们去教堂，老式的婚礼也要进行一次……"

曼丽一阵心疼，"好，好……都依你。你说怎样就是怎样。"

"曼丽，你怎么现在才来看我？我想你想得很辛苦，你知道吗？我真怕这是个梦。我很久没有抱你了。你知道吗，我做梦都想你还能再回来见我一次！我不放开你！我一放开你就离开我！从现在起我也不睁开眼睛，我怕醒来后天亮了，梦就醒了……"

君初闭上眼睛,眼泪还是不停地涌出来。他的嘴巴嚅动着,不知想说什么,但终于闭上眼睡去。

　　曼丽站起来,抱了抱君初。君初的手抓得太紧,只能一个手指一个手指抽出来。看见君初完全消瘦的脸,曼丽泪奔而去。

　　老天为何如此不公?曼丽自己没有身体,她的身体要还给三三了。真舍不得,刚才为什么不多抱他一会儿?

　　我们很多事情舍不得,然而大舍大得,小舍小得,不舍不得的道理未必人人都能明白,留恋的是红尘,看破的也是红尘。假如有来生,我必然还愿意伴你身边做你爱人,人有来生吗? 也许只有鬼知道。

　　街道拥挤，黑色的出租车开在车阵中。君初坐在后座，望着街上的人潮车潮。他的脸色虽然略嫌苍白，但看起来神清气爽。君初出院了，呼吸着自由的空气。已经是深秋，落叶纷飞，法国梧桐的落叶在阳光下像自由飞舞的蝴蝶，银杏树的叶子更美，她们落得缓慢，在空中旋转一圈缓缓落地。每一片枯黄的叶子都心存绿色的回忆，犹记当年，犹如从前。

　　那个梦太真实，君初醒来的时候觉得手心里还有曼丽的温度，枕边还有曼丽的气息。是梦，总是要醒来的。

　　廖金兰满是皱纹的手放在君初手上，一脸安慰的说，"三三知道你要出院，整天忙着打扫。整屋子的床单枕头都用热水消毒了，说不能有任何微尘，怕会刺激你的病。"

　　君初觉得索然无味，"蓉妈呢？怎么不让蓉妈做？"

　　廖金兰沉了沉脸，"她呀……她前些日子算出我有劫数，叫我到庙里避避，这事到现在还没了……你一出事，又说要到她师姐那求符化解，这回老家了。反正家里的事情有三三照顾着，很周全。"

　　君初挺不耐烦的，"您也太信这些了。都什么时代了，还在谈劫数，求符？"

一席话堵得老太太脸色青白,"这……做作错了吗? 要不是她给卜了那一卦,你能娶到三三进门? 你啊,应该谢谢她! "

君初不说话了。他只在心里说话。他始终埋怨母亲所谓的天煞命,假若不是如此,也许曼丽现在还活着。

廖金兰继续念叨,"你不要不信劫数,这种事说邪不邪……遇上就知道厉害了。"

君初再度望向窗外,哦,芜湖电影院,有人在排队买票。城市每个角落都是曼丽的影子,真希望能再次相遇。

曼丽父亲那边也接受了现实,只是觉得曼丽这孩子没过什么好日子,并不追求吃穿,因为母亲去世得早,没有享受过几天家庭的温暖。现在自己也是早早离开人世,徐伟良总觉得是自己造的孽,因此看穿了很多东西。君初来的时候,徐伟良把曼丽小时候的照片统统送给他。从他的眼神里可以看出,他是爱曼丽的。可惜曼丽无福消受。都是命罢了。

到家了,君初看见院子后面熟悉的竹子,还有高高的阁楼。花园里开满了金色的菊花,看来女主人照顾得很好。三三听见汽车的声音赶紧出来迎接。

君初在车里看傻了,竟然是——

"曼丽? "

他不敢置信。三三已经来到车前,仔细一看,原来还是三三! 只是剪掉了一头长发,烫了一个与曼丽相似的短发,修了眉,还改穿上图案时髦又鲜艳的洋装,真的有几分曼丽俏皮的意思。君初看呆了。直到吃饭的时候,君初的眼光和神情依旧一样,目不转睛地望着三三。

三三总是被盯着,感觉很不自然。廖金兰坐在当中,瞄着两人笑。她起身要回寺庙,"你们聊吧,我回庙里去了。车在门口等着呢。"

三三赶紧拦着,"您别急着走,我已经准备晚饭了,那么多菜……"

廖金兰可不想当电灯泡,"不,不吃了。车在外头等我呢。玉佛寺居士厅有斋菜准备着呢。"

三三还想说什么,门已经关上。她背对着君初。屋里只剩两人。三三心里又十分忐忑,不知道君初会不会对自己发脾气。

君初修养的这段时间里,家里没有人,三三跟曼丽成了朋友。你试过跟鬼交朋友吗? 为了同一个男人,一个女人,一个女鬼坐在了一起。

198

三三自己动手剪掉一头长发。要下剪刀时还真有点舍不得——留了那么多年了。但为了让自己更像曼丽一点，只能狠狠心。

　　透过镜子，三三看向后方短发的曼丽，她变回她当初漂亮的模样。三三看了有些自卑——怪不得人家君初这么喜欢她，她长得那么好看。再看看自己，虽然也算秀气，但是却是呆板的，没有太多喜乐。

　　曼丽看了看她，"在想什么呢？快点剪啊。"

　　"哦。"三三对照曼丽的短发，一剪刀下去，地上一缕黑色长发，"我觉得很可惜。我留了很久的，我担心我短发不好看。"

　　曼丽劝道，"听我的，你留短发绝对好看，显得精神。"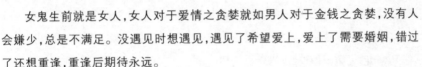

　　"谢谢你。"

　　"我还要谢谢你呢。上次同意让我上身，让我去医院见到他。"
曼丽的眼眶有些红，想着抱着君初的感觉，可惜却不能经常抱着。

　　女鬼生前就是女人，女人对于爱情之贪婪就如男人对于金钱之贪婪，没有人会嫌少，总是不满足。没遇见时想遇见，遇见了希望爱上，爱上了需要婚姻，错过了还想重逢，重逢后期待永远。

　　曼丽过来，几乎靠着三三的脸，她在依样修改三三的眉型，太远了看不清楚。化妆品都是曼丽推荐让三三买的。曼丽根本无法想象，三三在嫁给君初这两年期间，除了雪花膏以外，根本没有买过其他的化妆品。不可思议！家里又不穷，竟不顾打扮，直接从少女过渡成妇女，连蜕变期都没有。

　　"三三，我建议你喷点香水。"曼丽拿嘴巴努了努香水瓶，前味是橙花混合迷迭香的味道，中味是薄荷加松木，后味是青草味和樱桃。香水有个好名字，欢沁，法国产，曼丽生前最喜欢的味道。

　　三三拿起香水瓶，摁了一下，呛得直打喷嚏。三三觉得糗得很，"用这个鬼东西干什么？"

　　曼丽假装生气，"什么鬼啊鬼的？"

　　三三不好意思地吐吐舌头，"对不起啊，我忘记你是鬼了。"

　　曼丽慢条斯理地说道，"用香水会让他深深记得你的味道。人的视觉记忆是最容易消退的，比如一个人的容貌等等，但对于记忆里的嗅觉，记忆却是最深刻的。"

　　"嗯，"三三点点头，抬起胳膊，喷了些在胳肢窝里，真诚地感激道，"曼丽，你真是好人！"

两个女孩都笑了。

因为大病初愈,王颖带着同事过来探望。钟淑琴也过来了,趁机摸了摸君初的手,满足了多年来的愿望。钟淑琴的声音向来有点嗲,"君初,你怎么还不回来?我们都好想你哦!"

君初想把手从她的手中抽出来,又有点不好意思,用了点力,钟淑琴却握得更紧。君初只能说,"啊,我的头好痛。"说着赶紧用手抱住头,脱离了魔爪。

王颖笑着,"你慢慢休息,工作先存在那,等你回来后,让你做个够。"

君初也笑道,"你是个黑心老板,压榨我身上这点可怜的剩余价值。"

王颖拍了拍他的肩膀,"谁叫你是我们最优秀的摄影师呢!大家都很想你,赶紧恢复,我们需要你!"

君初心里一阵感动,因为这场病,电影厂给了他长假。旧剧已经杀青,新的还没开拍,正好也有足够的时间。肺炎病人最忌操劳,在家恬淡地修养最紧要。

老杜也来探望了几次,他的中文越来越了不得,动不动就是四字成语,还用"病来如山倒,病去如抽丝"来安慰君初。

君初在医院的时候经常盼望曼丽能再来一次,像那天晚上一般真实。可曼丽终究没有再来。君初抱着满足抱着遗憾出了院。

君初这段时间在家静心修养,老太太怕他嫌自己罗嗦,干脆住到庙里。反正交足了一年的钱,什么时候去住都可以。

君初闲适地躺在西式卧榻上看书。太阳晒在他身上不温不火,难得的一天清闲时光。君初偶尔想想,三三其实也没那么讨厌。

往外看了看,三三正给那些蜘蛛兰浇水。蜘蛛兰大片的叶子向四周舒展着,开了白色的花,花瓣很细,努力地绽放。打开窗户,闻见桂花的清新气息,又带些甜甜的味道。君初想起了小时候父亲给他带的桂花糖,手指般粗细,里面是脆脆的糖,外面裹着芝麻与桂花,吃的时候嘎嘣嘎嘣响,满嘴的桂花香。

很多时候,我们想的人已经不在。

中午,三三叫君初吃饭,两个人吃得很简单。

病人戒油腻辛辣,三三却是吃辣高手。

一叠清炒莴笋丝,在阳光下有些透明,盈盈的绿色。还有一道菜是西湖牛肉羹,是君初最喜欢吃的。粘稠的汤汁端上桌,散发出牛肉的浓郁香气。另外还蒸了一碗水蛋，文火慢慢熬，出炉后加几滴生抽调味。君初在医院吃腻了固定搭配的伙食，再吃家里的饭菜，简直是佳肴。尤其是那水蛋，嫩得出奇，在嘴里滚动一番后顺着喉咙直接滑下去，留下清香来回味。以前怎么没发现家里的饭菜那么好吃呢？

君初看着三三期待的目光，点点头，扬起勺子，"谢谢。"

三三的脸上顿时也有了可喜的神色，"中午你睡一会儿，医生说午睡对你的身体有好处。"

君初吃了两碗饭，三三高兴得不得了，帮他盛饭的时候几乎是跑着去的。中午君初依旧在阁楼午睡，抱着曼丽的照片，因为心里十分踏实，没有做梦。

君初醒来的时候闻到一股香气，三三不知道去哪里了，大厅的桌上放着一碗桂花藕粉，君初拿起调羹，慢慢地搅拌。小时候午睡醒来，父亲总会准备这一碗甜品。君初吃的时候，心生感慨。吃完饭仍是看书，闲着有闲着的好处，以前忙的时候没有发现原来家里的一切是如此可亲。

外面太阳落山了，君初在看书的时候三三向来不说话，只是忙着自己的事情。因为三三绣花的技术精湛，许多绣房要三三把绣品拿过去高价出售，三三也乐得接这份差事。家里虽然宽裕，不缺这点钱花，但不出去工作，白吃白做，心里总是怪怪的。因此偶尔也接些活自己做，反正时间大把。

夕阳照射下，客厅墙上出现三三凝固的影子，跟曼丽的影子几乎一模一样。

君初看呆了。借着阳光，君初将自己的手影也投在墙上。他用手影，轻抚墙上的影子。顺便拿书当枕头，鼻息匀顺，睡得很香。三三绣一阵子会习惯性地看看君初在做什么，见他睡着了，从房间里拿出自己的小毛毯，拉上窗帘，让他睡得更安稳踏实。

房内突然变得阴暗。三三一转身，吓了一跳——曼丽站在角落，看了看君初，在唇边竖起食指，示意三三别说话吵醒睡觉的那个家伙，又指了指头顶的阁楼。

三三进去，拉上窗帘坐下来，鬼怕光，喜欢黑。三三觉得如果曼丽不是突然出现在自己身后，其实她也没那么可怕——又不吃人。

三三心里没有鬼，她只是希望君初过得开心。只要君初开心，自己扮演谁又有什么关系？这些日子总是跟曼丽聊天，了解他们的过去，心里真是羡慕。什么时候自己也能跟君初这样快乐地生活就好了，只是仿佛那是遥不可及的事。他们是浪漫邂逅，真心相恋。而自己跟君初，只不过是廖老太太的一厢情愿，即使自己一心

201

喜欢他也无用。两年了，只有最近改头换面，一言一行模仿曼丽的举止才得到君初的笑脸。

三三觉得可悲之极。他现在是愿意同自己说话了，也会愉快地把加耗油的炒饭吃得一干二净，可事实上他爱的还是曼丽。时间能改变什么？有时候仅仅靠时间并不能改变什么。曼丽在君初心中是无可代替的，自己得到的那点可怜的宠爱，也只不过是沾了她曼丽的一点光。假如曼丽的鬼魂不出现，三三仍旧是以前那个低三下四，向君初求一点同情一点爱的可怜虫。

曼丽在君初心里占的地方太多了，什么时候匀出一小块给自己呢？君初爱着曼丽，他从不知道两年来三三一个人在夜晚是多么的孤独。她很想君初拥抱她，然而一次也没有。

爱情的世界里，永远没有平等二字，谁爱谁，谁欠谁，谁爱谁，谁倒霉。收音机屏幕亮着，播送着轻快的《欢乐颂》。

阁楼的角落里，三三和曼丽继续交谈，这是一副奇妙的情景，女人跟女鬼，宛若一对闺中密友，兴致勃勃地讨论着同一个话题。她俩已经讨论过很多次了，还是乐此不疲。三三显得有点憔悴，"休养了这么多天，他精神跟胃口都好了……饿了就吃，累了就睡……像个孩子似的。"

曼丽听着，笑了，"对啊，他有时真像个小孩，还说我！从前，他老爱跟我抢吃鱼眼睛。"

有一次君初带曼丽去吃河鲜，刚一端上来，君初首先就把两只鱼眼睛夹到嘴里，飞快地吃下去，然后对着曼丽露出胜利的微笑。君初知道曼丽也喜欢吃鱼眼睛，但就是不给她吃，喜欢看她发小脾气撒娇的样子。

曼丽气鼓鼓的，"下次你要是再把鱼眼睛吃了，我就吃你的眼睛。"

君初马上把眼睛弄成斗鸡眼状，"你来啊，你来吃啊。"

两人笑得让周围的人羡慕不已，多么相配的一对情侣。

三三喃喃道，"哦，他爱吃鱼眼？那我明天烧鱼给他吃，他一定会很开心。"

曼丽的脸上荡漾起甜蜜的笑容，"嗯，开心的时候，他还会在家里喝一点酒——不过他只喝纯麦威士忌。你知道吗，那时候我在家里存了一瓶酒，他每次都偷偷喝一点点，我根本没发觉，一直到酒瓶空了我才知道原来都被他喝光了。质问他，他还一脸无辜地说，'哦，不是我干的！'"

后来曼丽干脆买了几支纯麦威士忌放在酒柜里。君初高兴坏了，每逢高兴的时候就拿出来跟曼丽一人一杯，喝完酒后的君初特别兴奋，话也特别多。有时候直接就把曼丽扔到床上做爱做的事。酒精有刺激神经的作用，君初如果喝酒，在床上跟疯了似的折腾，不到一个小时根本不会下来。曼丽陪着他疯，既然是自己爱的男人，就竭尽所能，自己的身体也似乎着了魔一样，一次又一次地沸腾。

三三只顾点头。她觉得自己是个局外人，扮演着倾听者的角色，不是主角，是配角。主角是曼丽，艳光四射，即使死去，在君初心中的地位也无可动摇。

曼丽没有发现三三脸上的失落，继续说道，"当然，他最爱的还是电影，你一定要陪他去看电影。你还要搂着他的脖子说悄悄话，轻轻地吹气，他一定会爱你爱到发疯。"

忽然，曼丽停下来，感触地低下头，"三三，我好羡慕你！"

三三一愣，真正让人羡慕的应该是曼丽，她那么漂亮，又与君初拥有那么多的回忆，自己呢？回忆里最多的是君初把一桌的饭菜全部掀翻的情景。

曼丽的声音变得哀伤，"我跟他只剩下回忆……你和他，却有好长好长的未来！"

三三拼命摇头，"不！我羡慕你，他现在虽然对我好，但我很清楚，这一切都是因为你。他心里没我，他爱的是你。"

曼丽喃喃，"我们……都过去了。"

曼丽似乎有千言万语，却不知从何说起，那些甜蜜、缠绵的每一天，那些激情的日子，还有每个在爱中滋生的细节，每个拥抱，每个热吻，任由你留恋，它们终于是不会回来了。

三三看着曼丽，鼓起勇气问道，"我能问个问题吗——"

曼丽看着三三迟疑的样子，鼓励她说下去。

三三点头，悄悄问道："你，和他……睡过吗？"

听完这句话，曼丽瞪大了眼睛，她的眼睛本来就很大，这么一瞪跟小彩灯似的，三三也忍不住脸红，怎么聊到这个上面去了？

两人各自撇开头，背对着。三三赶紧赔礼道歉，"不好意思，我不知道不可以问。"

曼丽嗫嚅着，"没事……我只是没想到你问这个。"

这是曼丽与君初最隐秘的事，怎么能像告诉三三君初喜欢吃鱼眼睛喝纯麦威士忌一样随意提起？

三三挺局促，"算了，你不用回答，没关系的，我……问别人吧。"

曼丽忍不住扑哧笑了，"你要问谁啊？"

三三更加不好意思了，新婚之夜君初喝得酩酊大醉，对着自己的脸喊曼丽，紧接着把三三的裤子脱光光，拖到被子里胡插乱插一番，三三痛得要晕死过去，还没明白怎么回事，一股红色混合白色的液体就从两腿之间流了下来。这就是他们所谓的最简单最快乐的事情？这世界真让人绝望。

曼丽惊喜道，"难道……你，你还没跟君初亲热过？"

三三愣了一下，不敢回忆所谓的新婚之夜。她避开脸，手搁在脚边，局促地拨弄鞋子上的花结，仿佛那是一只蝴蝶。

曼丽看着她，有些心酸，为什么？为什么活着的不是我？"没关系……我可以教你。"

她的脸靠近三三，轻声细语，脸几乎要贴到三三脸上去，"把身子再借我一回，让我上你的身——"曼丽脸上的表情很认真，望着不知所措的三三，手腕搭在三三的手腕上面。曼丽渴望君初的爱抚，渴望最后一次的缠绵，也许这样自己才能心甘情愿地离开。三三不由自主地打了个冷颤，好冷！一股寒气从曼丽的方向袭击过来。三三站起来，本能地往后退——毕竟人鬼殊途，"不了，谢谢你这些日子给我的帮助。其实这样是欺骗君初，我自己心里也很难受。这并不能解决问题。"

曼丽沉默着。三三的这番话有些道理，悟出了其中的道理，却是凄凉。本是自己心爱的男人，却要拿去给人分享，偏偏自己是只鬼，不能与日日相思夜夜想念的君初见面。曼丽泪流满面，而三三却是低头不语，她习惯这样，有话说的时候尽量憋在心里。

"你的意思是我错了？我不应该留恋凡尘？我死了变成鬼就活该赶着去投胎，不该干涉你们的夫妻生活？三三，我告诉你，如果不是我死了，你有机会嫁给沈君初吗？你有资格被人叫做沈太太吗？这个称呼，你配吗？你照照镜子看看你自己的模样！你配吗？他是我的！当初也是你苦苦哀求，我才上你的身！你现在说我在欺骗君初，你说这些话有没有想过我的感受？"

三三抬了抬眼，只见曼丽神情悲凉。

曼丽继续说道，"只怪我不能一走了之，必须每天这么看着他，却摸不到他，他也触不到我——这真是上天给我最大的折磨啊！"

三三突然起身。她厌倦听这些，她厌倦扮演别人来讨君初欢心。可又能怎样？他不爱我。既然他不爱我，我为何还要这样苦苦相求。他不爱我，可是我爱他，是上天的捉弄吗？三三避开曼丽的眼神，"唉，晚上说了要给他做党参炖鸡汤，都还没弄呢。我得走了。"说完赶紧快步离开阁楼，只剩女鬼曼丽一脸落寞。

　　我徐曼丽在跟她争什么？她有一个最大的筹码：她活着。她可以给君初炖鸡汤，我能做什么？陪他看电影还是帮他生孩子？我什么都做不了！我只是个不甘离去的冤魂！曼丽悲从中来，蹲在角落哭泣。现在他已经喜欢上三三了，渐渐地会越来越喜欢，然后就会把我忘记，这不正是我期待的结局？我现在又在伤心什么？我应该高兴，可为什么心里就是高兴不起来？曼丽蹲在阁楼的黑暗角落抽泣，没有人能听懂。别人以为是风刮过树林的呼啸声。

　　三三梳头洗脸,心情也不错。君初跟以前相比,态度缓和许多,吃饭也不再挑剔,看来上次那碗桂花藕粉是合了他的胃口,吃完了中饭以后还嚷嚷着提醒三三别忘记了。

　　廖金兰隔三差五地回来看看,家里的事情清清楚楚。看君初长胖了些,也慢慢恢复了以前的脸色,心里很是高兴,凑过来看,"哎哟,桂花藕粉,好东西呢!老头子以前最爱弄的——是不是三三给你做的,这个偏心的丫头,我住这里这么久了,一次都没弄过。"

　　三三哭笑不得,"您不是说您最讨厌吃甜食的么?所以没有给您做。您喜欢吃,我给您弄一碗,厨房里多着呢。每天下午三点,您准时来,保准吃个够。"

　　蓉妈也跟着起哄,"我也要,我也要。"

　　廖金兰本来也就是开个玩笑,谁知道老实的三三信以为真,捧着两大碗桂花藕粉出来,还加了点糖。

　　蓉妈也是嗜辣,但人家一番好意,不得不走下来享用。

　　君初舔了舔勺子,"味道真的不错,三三的手艺越来越长进,尝尝吧。"

　　廖金兰看了看蓉妈,蓉妈也看了看老太太,两人一勺子吃下去,又是面面相觑,好甜啊。吃不惯甜食的人,就觉得有点腻。

蓉妈看穿了老太太的心思,对着三三道,"不知道上次腌的辣萝卜还有没有?"

三三取了来,小小的青瓷坛子,里面红红的全是剁辣椒。廖金兰舀了一勺子出来,直接往藕粉碗里一放。君初咂了咂舌头,果然是湖南人辣不怕,这三个辣妹子加在一起,可真够狠的。

廖金兰呼哧呼哧吃完藕粉,喝口热水,顿觉无比畅快,对君初说道,"你看看,谁说我不喜欢吃甜食了!这碗我吃了个底朝天!"

君初和三三对视一眼,笑得颇有默契。

廖金兰陪君初聊了一会儿,又叫蓉妈整理些日常换洗衣物拿到寺庙里去。无非是嘱咐君初注意穿衣保暖,别感冒,别淋雨之类的话。

厨房里,蓉妈在传授厨艺,"也别尽弄些清淡小菜,会弄汤吗?三巴汤会弄吗?"

三三眼睛瞪得很大,"什么汤,三八汤?吃了会不会变得很三八?"

蓉妈快被气晕,"冬天来了,那个汤很补的,而且——"蓉妈关上厨房的门,"而且对男人那里很有帮助。你不想赶快弄个小君初出来?你不觉得两个人太冷清,三个人才热闹?"

三三快懵了,"什么,男人哪里,你说什么啊蓉妈?"

看她真的不懂,蓉妈便耐着性子解释,"所谓的三巴汤啊,要从一个故事说起。以前八仙之一张果老未成仙的时候,经常去深山采些珍贵草药给穷人治病,以此积德。有一年冬天,进了深山,大雪封路,到了山顶往下走,迷路了。张果老又冷又饿,在山腰上看见一间茅屋,里面住着一对夫妇,别人穿着棉袄还觉得冷,他们夫妻只是穿着夏天的单衣还是热汗淋漓。张果老觉得奇怪,说明了来意。夫妇二人热情地招待他住上一晚,吃饭的时候,请张果老喝汤,只见那汤颜色纯白,汤汁细腻美味,汤里的肉的那个香气张果老之前从未品尝过。"

三三越听越有趣,赶紧催道,"那后来呢,那汤是什么做的?"

蓉妈笑了笑,"张果老睡到半夜,忽然觉得热血沸腾,被子都不用盖了,浑身上下一阵畅快。早晨起来的时候问昨天那碗乳白色的汤是什么材料做成的,自己想学着做,到山下熬给那些饥寒交迫的穷人吃,可以抵挡严寒。那夫妇便将材料和做法告诉了他。从此一传十,十传百,成了众人皆知的秘密。一直到今天。"

三三急了,"这么好的汤,一定要做给君初吃——是什么材料做的?该怎么做?快说快说!"

207

蓉妈坐在厨房的椅子上，"三巴汤就是牛鞭、牛尾、牛唇，然后用当归、党参、天麻、人参这些中草药及香料调配，煨炖十二小时。之所以叫做'三巴汤'，皆因为三种特殊的锅底配料。汤色白如玉，似乳汁琼浆。汤料中虽用了多味中草药，但更能提取药的精华，造就汤的鲜香，食后起到调理内脏、舒经活血的作用。"

三三听得入了迷，"哦，原来三巴汤就是牛的嘴巴、牛的尾巴跟牛的……"

那个字眼三三突然卡在嗓子里说不出来，蓉妈笑了，"还有牛的什么？"

三三转过头去，"蓉妈，我以前没发现——你其实挺坏的，尽逗人家讲脏话。"

廖金兰在厅里喊，"蓉妈，走啦，等下晚了回去不方便。"

蓉妈出去，君初与三三送他们出门。

回到屋里，因为下午老太太突然回来，三三没来得及淘米煮饭。正要去厨房忙碌，君初说道，"算了，今天不如去外面吃，我也两三天都没外出了，憋死了。"

三三简直不敢相信自己的耳朵，结婚两年以来，这还是君初第一次邀请自己出去吃饭，一时间不知道该怎么才好，傻傻地站在原地。

君初笑道，"你还不去换衣服，想饿死我么？"

三三这才如梦初醒一般，解下围裙，飞快地跑去房间。关好门，拉上窗帘。这个房间说是两人的卧室，实际上住的只有三三一人，君初几乎不进来，更别说在这个床上睡觉了，衣柜里也尽是三三的衣服。君初的衣物都放在阁楼上，穿脏了需要洗的时候就在出门前放到大厅的沙发上，他知道三三会拿去洗。晒干熨平整后，三三会仔细叠好，放在之前君初扔衣服的地方，她知道他会拿上去。久而久之，成了一种默契。两人虽然疏远，但这疏远中，也渐渐形成一种奇特的关系。这些也只有君初跟三三能够了解，这些是时间惯出来的。

再历久弥坚的高尚爱情，敌不过时间和琐碎的生活。我们喝咖啡，吃面包，接吻，送玫瑰，看电影，我们送礼物，看焰火，说浪漫的情话，做完爱以后彼此安慰。但我们更多的时间是吃白米饭，打盹，自己一个人睡着，上班，领工资，问候父母。白色衬衣穿几天就要洗，领口和袖口是最难洗的，要用洗衣膏涂抹后用温水泡半个小时，除了用手搓还要用上刷子，遇上特别顽固的污垢还要到汽车的油箱里弄些汽油，涂抹均匀，然后再洗。裤子可以穿久一些，内裤和袜子却是每天都要换的，如果不换，袜子就有味道，内裤的中间就要出现淡黄的尿渍。一个有妻子的丈夫如果外表衣着光鲜，身段潇洒风流倜傥，裤子中间的内裤有尿渍，那里散发难闻的腥臭味，白袜子的脚尖跟脚跟都是黑色，脚趾头还从里面出来呼吸新鲜空气，那这个丈夫的妻子肯定是不负责任的。三三是个好妻子，所以她总有洗不完的衣服，做不完的饭菜。

三三拉上窗帘，脱下身上的衣服，在镜子前看着自己。

曼丽的脸也出现在镜子里，是平静中带些哀伤的，"你要出去吗？"

三三害羞中掩饰不住喜悦，"是啊，君初说带我出去吃饭，你说我穿什么衣服好啊？"三三拉开衣柜，很多新衣服，都没来得及穿，买衣服的钱是卖绣品得来的，款式大多参照了曼丽提供的照片。

曼丽飘到衣柜前，看了看，"穿那件月白色的裙子，上衣用蓝色公主袖的那件，看见没有？"

三三犹豫着拿了出来，穿上，简直漂亮极了，回头对曼丽道，"谢谢你，曼丽，我这人笨，不懂搭配衣服，幸好你在。"

"没什么，这些衣服我看起来都熟悉。你再瘦点就跟我差不多了。"曼丽好像看见自己活着时候的样子，充满活力和新鲜感，"你还要化妆，打香水，抓紧时间吧。"

三三拿长长的发卡把头发往后暂时固定，露出光洁的额头，曼丽在旁边指挥着，"打粉底不是这样的，不要擦，而是轻轻压在上面，你看看我的手势。教你那么多次也学不会。"

三三看着曼丽，她左手假装拿着粉扑的样子，熟练地左拍拍，右拍拍。

"我不化妆行吗？"三三觉得特别特别麻烦。

曼丽说道，"你以为你是天生丽质？"

三三无语。

"化妆是一种礼貌，你跟君初出去吃饭你也不想他的熟人说他没眼光找了个这么难看的老婆吧？你又不是去菜场买菜，打扮漂亮点有什么关系？"曼丽白了她一眼，继续热心指导。

描眉毛是最麻烦的，曼丽看着三三小心翼翼的样子，想起以前跟君初吃饭前的熟悉情景。君初知道曼丽是爱化妆的，也尽力耐心等待。后来习惯了，吃饭前会提前提醒曼丽，"亲爱的，我们要出去吃饭了，你慢慢打扮吧。"

曼丽会很响亮地答应一句，"那你要等我哦。"

君初每到这个时候都会习惯性地往沙发上一倒，"好的，宝贝，我先睡一觉，你走的时候叫醒我就行了。"

"你在笑什么,我的眉毛画得不好吗?"三三从镜子里看见曼丽的笑容。

"不,画得不错,继续啊,嘴唇别涂得太鲜艳了——你的衣服就够抢眼的了。"曼丽从回忆走入现实。

半个小时以后,三三终于明白三分人才七分打扮的道理,想不到自己认认真真收拾收拾,也还不赖。那件裙子很合身,宝石蓝的高腰上衣显得身段尤为苗条。穿了细高跟鞋,鞋的侧面是黑色丝绸扎成的蝴蝶结,蝴蝶中间是粉色的水钻,这双鞋子是三三绣了一个星期才换来的。三三从首饰盒里拿出一条粉红色珍珠项链戴上,刘海有点遮眼睛,用花格子透明质地的发卡一别。

看来看去,仿佛还缺了点什么,三三瞥见桌上的香水,对着半空中喷了四五下,然后在水雾缓缓落下时,赶紧站在中间转了个圈,这是曼丽教的办法,说能让香水在身上洒得均匀。

一切大功告成。

"去吧,你真漂亮!"曼丽由衷赞叹。

三三捧着自己的脸,看着镜子中的人儿,是我吗?原来我也可以这样!脸滚烫,配上淡淡的胭脂,更红了。

走出门,三三忘记跟曼丽说再见,她只想着给君初一个惊喜。

君初正瞌睡着,恍惚中见曼丽走到自己眼前,是的,连味道都是一模一样。曼丽,曼丽回来了!赶紧睁开眼,曼丽两个字还没来得及喊出来——看清楚了,是三

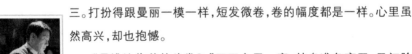

三。打扮得跟曼丽一模一样,短发微卷,卷的幅度都是一样。心里虽然高兴,却也抱憾。

"是谁让你剪的头发?"三三心里一寒,转身准备离开,君初脸色十分严肃,他在等待她的回答。

三三停住了脚步,"没别人告诉我,是我自己。你昏迷不醒时,我发了誓说,如果你能康复,我就把长发剪掉,后来果然你没事……"

三三鼓起勇气继续说道,"你觉得我这样不好看吗?"

君初愣了愣,觉得自己的态度有些过于强硬,肚子里发出咕咕的声音,"不……挺好看。咱们出去吧。"

三三在车上强忍着笑,有时候善意的谎言,能够避免不少争吵。

是一家装潢考究的中式饭店,饭桌上,君初大口大口吃饭。君初最近胃口特别好,三三却只顾捧着碗看着君初。

君初问道，"呆什么，吃饭。"

三三使劲点头，"嗯！"

君初问道，"你老家到底在哪儿？是一直生活在长沙吗？"

三三答，"安徽。后来去了长沙。"

君初喝了一口花雕，"好像我们五年前是见过的对吧？"

三三有些黯然，原来那段自以为珍贵的回忆在君初这里只是偶尔记得。君初见她这个模样也有点不好意思。

"其实，对于一个十四岁之后就独自过活的我来说，那画面，我永远不会忘记。那个清冷的除夕，有你在我的身边，好像是上天派来的一样。当时我就在妄想，如果有一天能成为你的妻子就好了，无论付出怎样的代价都可以。虽然我知道，你根本看不上我……"

君初叹了一口气，"你这傻孩子。"

三三说得眼睛泛出泪光，"其实我不想跟你说这些的，但今天不知道怎么搞的，在心里的话不说出来不舒服，不管你怎么看我，我都要说出来。"

三三举起酒杯，一饮而尽。很多时候，我们可以借着酒的遮掩说出自己的心里话，"那时候曼丽到你家里，我在心里告诉自己，'三三，徐曼丽才是沈君初的爱，只有她才配与君初在一起一生一世。你只是个陪衬，一个愚蠢的花痴！'你带我出去，我也只是工具。你跟曼丽在一起的时候那么开心，我在旁边看着，我知道我永远无法介入你们的世界。这两年证明了这个事实，你的心从来没有容纳过我，从来没有离开过她，我说对了吧？"

三三苦笑着，又想再喝下去，君初抢过她的酒杯。

"那时候每次见到你，心里就祈祷，我要当你妻子！当你妻子！你说我是不是个傻瓜？愿望实现了，我可以天天看见你，但你从不正眼看我，两年来都是如此。我不是埋怨你什么，我只是想告诉你，过去的都过去了，你好好活着才是对死去的她最好的纪念。你不知道妈跟我多担心，你在阁楼上的那些日子，我们的心都是揪得紧紧的。我一个人不怕黑，也不怕孤独，我只是怕你不吃饭，怕你不休息，怕你生病，怕你离我而去，就像曼丽离你而去一样。"君初第一次听她说心里话，一阵感动，突然伸手抓住她的手。三三顿时痛哭，君初掏出手绢擦她的眼泪，"别哭了，我心里难受。"

三三吸了吸鼻子说道，"其实你今天叫我出来吃饭我真的好开心，为了让你高兴，我特意模仿曼丽的样子，我知道只有这样你才会多看我一眼，我就是个

211

可怜虫。"

君初笑了，"你是个人，不是条虫，你再哭就成鼻涕虫了。"

三三噗哧一声笑了出来，刚才哭的时候的确流了鼻涕出来。

觉得喝得差不多了，君初付了账，两人一起回家。君初对三三说，"坐前面来。"

夜色中，三三从侧面看着君初，三三觉得君初很英俊，鼻子挺挺的，轮廓仿佛是用刀精心雕刻过一般，他认真而专注地看着前方，握着方向盘，也不说话，脸上是坚毅的表情。这么英俊的男子，竟然是自己的丈夫，三三心里涌起一股骄傲。

到了家，君初回阁楼前，对三三说道，"看你把妆都哭花了，跟大花猫似的，去洗洗脸，早点休息，别忙得太晚。"

三三点头，又是一阵感动，君初两年来第一次说关心的话，还有什么比这个更开心的？开了热水放在脸盆准备卸妆。真可惜，画了那么久，还是要洗掉，要是总是这么漂亮的留在脸上就好了。

傻三三，如果是这样，世界上生产化妆品的商人不全都跳搂了去？

浴室的镜子很大，三三细看自己的脸，神情有些担心，脸色比以前苍白，眼圈也有些发青……

三三梳头，忽然一大撮头发赫然跟着梳子掉下，带着一小块头皮，头顶生疼。三三吓了一大跳，脸盆里，水满溢泻，滴落一地。

三三铺了一条毯子在腿上，就着灯光绣花，家里静静的，只有墙上挂钟的声音，一切都很习惯，哪怕是那些咔嚓咔嚓的剪刀声。君初在阁楼，他已经不再咳嗽，曼丽是爱他的，她不会再如以前一样随意地靠近君初。

看来活着的好处不仅是可以随便吃饭睡觉晒太阳，还可以看见心爱的人，等待他回来的脚步，跟他说话，自由地拥抱。三三鼓励自己，要好好活着，这样才有资本跟那只鬼去斗，去进行一场没有硝烟的战争。

老杜过来的时候,君初高兴万分。本来约好的是中午,却在上午十点就早早过来了。君初朋友不多,老杜算是其中一个。

刚从法国回来的老杜戴着一条时髦的领巾,塞在衬衣里面,露出俏皮的一角,君初眼尖,"嗨,真是帅!领巾在哪里弄的?"

老杜向来是个直性子,一听这个,赶紧把领巾从脖子上扯下来帮君初戴上,"你喜欢,送给你,反正我今天也没给你带什么礼物。"君初欣然接受。这么多年的朋友,他知道老杜的脾气。泡了茶,两人一起喝着聊着最近发生的大事小情。老杜最近在银行忙不过来,抱怨着,忽然闻到一股香气从厨房飘出来,鼻子咻咻道,"这是什么味道?"君初答道,"是三三在煲汤,听说你要来,今天天还没亮就出去忙这忙那,说怕汤煲的时间不够。"

"老太太呢,不在家吗?"老杜深呼吸一口,在这秋风萧瑟的季节里,闻到如此温暖的香气,真是享受。

"哦,她啊,最近住在佛堂。老人家吃吃素也好,那里的菜没放那么多辣椒。"君初笑了笑,一边朝厨房里喊着,"三,杜先生来了。"

三三从厨房里出来,手在围裙上擦了擦,过去握手,"你好,杜先生。"

老杜觉得眼熟，这位杜太太跟君初以前的女朋友曼丽是如此相似，发型，衣着，打扮，甚至连笑起来都差不多，但他知道曼丽是车祸去世了，也不便提起。握着手，他感觉三三的手有些粗糙。

　　"沈太太真是典型的东方美人，小家碧玉，君初的福气真是好！"老杜由衷地赞美，"要是在法国，肯定会关进动物园的。"

　　三三纳闷，"动物园？"

　　老杜说道，"国外的女子大多牛高马大，毛孔又粗，要是突然见到沈太太这般小巧玲珑的走在大街上，肯定关进笼子，让法国男人参观。"

　　三三呵呵笑了，还有这般夸奖人的！招呼着老杜坐下，从柜子里拿出些桂圆干、桂花糖、松子糖招待，自己也泡了杯茶陪着聊天。

　　君初满意地看着她。

　　三三心里还是惦记着火上的汤，有点心不在焉。

　　"吃啊，味道真是不错。"老杜反客为主，招呼着君初跟三三。君初自小爱吃这些甜食，抓了一把松子糖扔进嘴里。

　　三三却没有行动。

　　"沈太太，你别客气，就当是自己家里一样啊。"老杜开起玩笑来是防不胜防。

　　三三又是呵呵的笑，家里要多来这样的朋友才好，多点开心，推辞道，"你们慢慢聊，我得去守着我煲的汤去了。"

　　看着三三的背影，君初打趣道，"人家在减肥呢，这几天吃饭跟吃猫食差不多。"

　　其实三三最近是在减肥，因为曼丽有一次在三三外出吃饭前说了一句"你再瘦些就跟我差不多了"，说者无意，听者有心，从那时候起，三三就刻意减少自己的饭量，腰围也比以前细了很多。那天听广播说有种魔鬼减肥法，就是一天别的不吃，光喝水和吃苹果，饿了就吃苹果。结果君初一打开柜子，一柜子的苹果。

　　君初带着老杜去后院看竹子。今天并不太冷，太阳穿过青青竹叶撒下斑斑点点的薄薄金色，风吹过去，竹尖弯腰，层次分明，远处看去很像跳舞的摇摆女郎。菊花家里也种了好些，老杜饶有兴致地欣赏着，跟君初学如何辨认品种，墨菊，黄菊，还有狮子头，香菊，绿菊，文菊，悬崖菊，案头菊，独本菊，五头菊……一时兴起，顺便卖弄一下自己的诗文修养，吟诗两句，"荷尽已无擎雨盖，菊残犹有傲霜姿。"

214

君初拍手叫好，"厉害，厉害。"

老杜得意地看了他一眼，哈哈大笑，"A PIECE OF CAKE.（小菜一碟）"

回屋的时候，桌子上架起一个小炭炉子，往外冒着小小的火焰。三三见二人回来，从厨房里端出一道道菜，还有汤圆，"你们先吃，汤马上就好了。"

老杜早就饿了，为了蹭这顿饭，早餐都没吃。双手合十祈祷了一番，君初见他睁开眼睛，递过去筷子，"吃吧。"

汤圆是正宗的宁波汤圆，因为君初偏好桂花的香气，所以汤圆馅是桂花的，一口咬下去，热热的馅从汤圆里流出来。君初不必担心老杜吃汤圆烫嘴，关于吃，他甚至比君初这个地道的中国人更有心得，只见他嘟着嘴唇轻轻对着勺子吹了吹，然后闻了闻香气，这才将汤圆送入口中，然后竖起大拇指，"美味！"

君初笑着，一边给他夹菜。

"你准备什么时候回你的电影厂拍电影？上次拍的《海上奇缘》票房不错，看到报纸了么？"老杜眨着眼睛问，他的眼珠是绿色的，跟波斯猫似的，三三还盯着看了半天。

"看了，准备过段时间回去上班，对了，电影好看吗？"君初有点好奇，毕竟是自己亲手接生的孩子，到现在还没看到它长什么模样。

老杜神秘地笑了笑，凑着君初的耳边悄悄说什么。

三三刚好端着汤从厨房里出来，看见这番情景，觉得老杜很可爱，两个男人还讲什么悄悄话。

一揭开锅盖，热气腾腾的汤呈现在眼前。

老杜从未见过这样乳白色的汤汁，不等三三招呼，舀了一勺子吹了吹，喝下去。两只眼睛瞪得滚圆。

三三慌了，"怎么了？是不是不好吃？还是烫着了？"

老杜回味了一下，这汤既带了牛肉的香气又有植物的清新，可喜的味道。老杜对于美食一向是孜孜不倦地追求，连忙问三三，"这个是什么汤？怎么做的？怎么那么好吃？"

君初不相信，也捞了一片肉吃下去，果然跟以往吃过的牛肉味道大不相同。

三三红着脸，"这个……这个是蓉妈教我的。"

"什么名字，下次我出去吃饭就点这个。"老杜已经舀了满满一碗，慢慢品位着。

君初也是一副好奇的神情。

三三更不好意思了，"这个汤，叫三……三……三三汤，因为是三三做的。"说完松了一口气，"好吃就赶紧吃。"

三三自己也落座。君初帮三三盛了一碗，三三感激得要命，天，怎么可以这样！味道果然新鲜，满嘴的香气。看着那锅沸腾的汤，三三到厨房拿了些做菜剩下的豆腐皮，菠菜和羊肉，统统倒进去，"干脆吃个火锅吧。"

三人一起说笑着，房间里满是香气。

送老杜走的时候，老杜说道，"君初，三三是个好妻子，你要好好珍惜。"

君初点头，"我会的。"

"记住，下次再做三三汤的时候一定要记得叫我啊。"老杜不改顽童本色，对君初招手上了车。

三三在收拾碗筷，等下要洗碗，下午不用去买菜，中午还有许多菜没来得及做，都怪那锅"三三"汤，把所有菜的风头都抢尽了去。

想到这里，三三嘴角浮现出得意的笑容。君初在门口凝视着，她真的是辛苦了，早上在阁楼往外望去，就见她穿着单薄的衣服拎着篮子出去买菜。原本是要请个佣人的，好歹她也算是沈太太。但她不答应，说家务事自己做惯了的，说君初赚钱也不容易。

君初知道她自己绣花被人收了拿去出售。她并不欠君初什么，甚至，连钱都不欠。她从来不问君初要家用，家里的零花钱放在客厅茶几的抽屉里，君初生病住院的那段时间，抽屉都是空的，三三也没有去要。

三三见君初走了过来，也没觉得奇怪，只是把堆成小山的碗抱着进去。

"别洗碗了，三三。"君初说道。

"啊？"三三回过头来，觉得奇怪，"不洗碗做什么？你下午有其他事情要我做吗？还是你要出去等着我熨衣服？"

"下午带你出去买东西。"君初温柔地看着她。

三三吓呆了，是不是听错了？脚下一滑，一个趔趄，碗摔在地上，手撑着地面，姿势颇为滑稽。

以前也摔碎过碗，那是君初在饭桌上发脾气的时候。同样是碎片，收拾起来心情截然不同。

君初扶起她,也陪着她一起蹲下,帮忙收拾掉在地上的碗,"我来收拾,你去化妆吧,别又让我等到睡着了。"

三三欢天喜地地到房间里,因为是第二次化妆,扑粉的手法熟练了很多,化妆对于女人的乐趣就是可以看着自己一点点变得漂亮。

曼丽的脸色狰狞,她在角落里蹲着,看样子三三又要出去了。君初就要这样把自己忘记了么?自从上次上了三三的身,自己的阴气减弱了许多,只能老老实实在角落里蹲着。

三三哪里还顾得上她,因为不想让君初等太长时间,只是匆匆描了描眉毛,唇膏涂得飞快,而不是均匀地、从中间到两侧缓缓地涂。

君初见三三出来,笑了,"今天怎么会这么快?"

三三也笑,"怕你真的睡着了。"

猛然间,君初在她笑的时候发现曼丽的影子,多么相似,性格却是截然不同。三三很自觉地坐在车的前面,歪着头问君初,"今天这样好看吗?"

君初点点头,"好看。"

三三的笑是憨厚,曼丽的笑是娇艳,一个是白米饭,一个是威士忌,白米饭朴素,威士忌浓烈。

三三是第一次正正式式被君初带出来逛街,心里也是突突的,看见喜欢的东西,也不好意思说想要,她怕他花钱。

逛了一圈,什么都没买。

他们没有去好好百货公司。三三怕君初想起曼丽。觉得自己挺自私。在爱情的世界里,人人都自私,宽容了,爱人就被人抢走了——或许被鬼抢走了。

偌大的屋子,只有曼丽一个人飘荡在阁楼与房间,她凄厉地喊着,却只是风声。走吧,曼丽,君初终于发现了三三可爱的地方,他要彻底将你抛诸脑后了。可心里不甘心,怎么办?只是左右为难。

落叶铺满了小路,君初跟曼丽一前一后的走着,踩在上面是清脆的沙沙声,这声音在三三听来分外悦耳。前方,君初在等着他,两年后,终于有了第一次有希望的等待。君初在前面站着,等三三的脚步跟上来。

"秋天真美。"君初感叹道。

"是啊,这些叶子以前都很漂亮。"三三有些伤感,"但现在枯黄了,不要紧,明年又是绿叶满枝头。"

"三三。"君初看着她的脸认真地说,"这两年来委屈你了。"

三三愕然,"没什么,我觉得很值得,两年来我能时时看见你,跟你生活在一起,我已经感谢上天对我的恩宠。"

君初端详着她,从来不知道她的心里有多苦,只顾着沉迷在失去曼丽的悲伤中,那是徒劳的悲伤,他没想到自己也在给别人制造悲伤。三三从来没有抱怨,只是默默地每天做重复的事情。

君初一时语塞,"我们去看场电影吧,《海上奇缘》,我们剧组拍的。"

"真的吗?"三三高兴极了,她知道君初是最爱看电影的。

君初觉得她像个孩子,容易满足,给她一枚糖果,她就以为世界是甜的。

芜湖电影院的门口仍然排着长龙,三三急了,扯了扯君初的袖子,"你看那么多人买票,轮不到我们了,不如看明天的吧。"

君初得意地看了看他,"我自有办法。"

卖票的仍然是东北口音的男子,收着钱,把票从铁栅栏里扔出去,"给!"

君初从旁边伸过头,"不好意思,打扰一下,我来拿杜先生留的票。"

东北男人看了君初一眼,好像以前曾经见过,"银行的杜老总的票,"那男子自言自语翻了翻本子,"几张啊?"

三三在旁边伸出两只手指。

君初的眼睛一下湿了,曼丽,你现在好不好,你还记得我们看电影的情景么?也是这样的天气这样的时间,如果一切可以重来,曼丽,我想我会在第一次见到你的时候就不再松开你的双手。

"几张啊?"东北男人有些不耐烦,后面排队的人催促着。

君初这才回过神,"两张。"

电影开演,两人一人一杯汽水,一大盒子爆米花,是奶油的,吃起来是玉米混合糖精的香气,君初的手无意碰到三三的手,也没在意,只顾欣赏着自己拍摄的镜头——近乎完美!

钟淑琴的演技不错,她扮演的海员妻子惟妙惟肖,那副哀怨的样子,自然而不做作。有一幕哭戏是她跟从海上归来的丈夫重逢,十分感人。

三三看着看着眼泪掉下来,两个相爱的人为什么要经历过那么多的风波和磨难才能在一起?一时感触,跟周围的女观众一样,发出低低的抽泣声。再看君初,因为这个戏是自己亲身经历的,拍这场哭戏的时候女主角到处在叫人寻觅

218

生姜给她擦，说是今天心情好哭不出来。想到这里，君初笑了起来，还好只有三三一个人看见，否则笑出声音来会被周围女观众群殴——没良心的东西，人家在哭你在笑！

但凡一件事情，知道了它的内幕，也许会清醒很多，看电影一样，任何事都一样，可真正了解内幕的又有几个人呢？

看见三三在哭，君初从口袋里掏出手绢递了过去，三三擦了擦眼泪，"谢谢。"然后继续看着。

灯光亮的时候，三三趴在君初肩膀上睡着了，这几天几乎都没有睡好，以前是君初冷落她，一个人睡不着，现在是跟君初改善了关系，每天晚上高兴得睡不着。女人啊女人，恨的爱的念的怨的永远是男人。男人就不同，他们的眼里还有工作，父母，兄弟姐妹，朋友，车子，房子，威士忌，电影，郊游，广播，战争……

一滴口水从三三的嘴角滑了出来，拔了几秒钟的丝，掉在君初膝盖上，被裤子吸进去了，没了痕迹。君初哭笑不得，不忍心推醒她，却不知道该如何处置。

君初假装咳嗽了一声，三三倏的一下醒过来，看见电影屏幕一片白，灯光耀眼。迷糊地向四周看了看，只有几个清洁工在地上清扫着瓜子壳。电影散场了，错过了，连结局都没赶上，因为太疲倦了的缘故，看着看着就睡过去了，手里还拿着君初的手绢。

三三突然一下明白过来，伤心地哭了。

"你哭什么？"君初问道。

三三继续哭，说话断断续续，"我……好不容易看场电影……我竟然……我竟然睡着了，浪费了……我连结局都不知道……"

君初站起来，"我们出去，我在路上说结局给你听。"

三三嗯了一声，也准备站起来，忽然大惊失色，"君初，我的鞋子不见了。完了，我的新鞋子。"

"一定是刚才人多，散场的时候人挤啊挤的，我鞋子是脱在地上的。"三三低头寻找，一边嘀咕着，"没错啊，我就是放在这里的。"

看电影为什么要把鞋子脱掉？因为三三穿不惯高跟鞋，平时在家里都是穿平跟的黑绒布鞋，柔软宽松。但出去看电影，总是需要打扮漂亮些的，穿起来脚尖卡得痛，十只脚趾都挤在一起去了，乘电影开场时关了灯，就把鞋子给脱掉了，谁知

219

道这下不见了。

"怎么办啊？"三三抬头看看君初，君初一副幸灾乐祸的样子。

"光脚走回去喽。"君初模仿廖金兰说的长沙腔。

这么冷的天，从电影院走出去……下一场进场的观众陆陆续续就座，看来外面的人还真不少，谁见过光脚穿旗袍的女人？一定当傻瓜看。

三三正在后悔着，身体突然一斜，君初把她横抱着，嘴里大喊道，"快让开快让开！有人晕倒了！"

这一路喊着还真有效，众人纷纷让开，三三被君初横抱着，两只手勾住他的脖子，怕掉下去，靠得近，听得到他心跳的怦怦声，看得到他的胡茬和喉结。

三三吞了吞口水。

君初跑得飞快，一会儿就到了停车的位置，把她放到座位上，擦了擦汗，"下次出来看电影就别再脱鞋子了，说不定会把观众们臭晕过去的。"

三三咯咯的笑着，以前怎么没发现原来君初也挺喜欢说俏皮话？

开着车，君初故意做出一副被熏着的表情。三三既尴尬又好笑，很快就到家了。正想开车门下车，君初拿背对着她，"上来吧，送佛送西天。"

曼丽听见有声音，赶紧躲在客厅柜子下面，躺着，从侧面可以看见门口，只要强光不照在自己身上，就不必担心魂飞魄散，就能苟活在这个不属于她的世界。

虽然不能参予，只要能看看，也是好的。

她的脸色比以往更青，她看见君初背着一脸笑容的三三回来了，三三光着的两只脚在君初身体两旁自然地晃荡。

她想冲出去，却没那样的勇气。

把三三放在沙发上，君初气喘吁吁，看来三三的分量不轻。三三赶紧下地找了鞋子穿，给君初倒茶，"谢谢你喽。"

君初喝口茶，"想不到你看起来不瘦，背起来更不瘦。"

三三气得腮帮子鼓鼓的，君初明明知道自己最近在减肥还这样奚落人家，真够坏的。拿起绣花绷子作势要绣花。

"某些人不是要知道电影的结局吗？现在倒绣起花来。也好，免得我劳神来说。"君初斜着眼睛看着三三。

三三一听，赶紧放下手中的活，坐在君初身边，"你说嘛。后来那个女主角跟男主角怎样了？他们在一起了吗？"

君初转了转眼珠，"他们啊——后来啊，结果呢，然后呢，最后呢。"

三三急得要命，"你倒是说啊！"

君初做出一副欲言又止的样子，"本来想说的，但现在肚子有点饿了。"

三三赶紧到厨房把之前放在炉灶旁边热着的荞麦玉米馒头端了出来，还有一叠咸菜，"现在可以说了吧？"

君初更加得意，慢慢地剥着馒头的皮，"这个结果嘛，结果当然是他们结婚了。婚礼办得好热闹，那女主角捧着一大束玫瑰花，幸福极了，男主角抱着她向远方走去。就是这样的结局。"

三三陶醉在剧情中，真是完美。为什么喜欢看电影？因为电影能够实现普通人的梦想，王子与灰姑娘终于突破险阻，克服重重苦难，快乐地生活在一起。灰姑娘常有，王子不常有，灰姑娘爱上王子常有，王子爱上灰姑娘不常有。

"真替他们感到高兴。"三三把头上的发卡取了下来，刘海一下遮住了头，这个动作是极美的，君初呆呆地看着。

忽然停电了。是曼丽做的。看着心爱的男人跟三三调情，曼丽怒不可遏，更可恨的是，君初现在竟然接受了三三，至少表面上是接受了。

"停电了。"三三的身边一片漆黑，"我去找蜡烛。"

蜡烛没找到，找到了两片滚烫的嘴唇。

君初吻了她，双手温柔地抱着三三的肩膀，在黑暗中说，"对不起，这些日子委屈你了。"

三三的眼泪无声落下来，这句话，她日等夜盼，仿佛因为这句话，以前吃的苦不是苦，是蜜。三三是为了自己哭的，这一次真正的只为自己。

君初抚摸她的手，并不细嫩，是三三的手，不是曼丽的手。曼丽的手像充了气，软绵绵，没有骨头似的。三三的手却是粗糙得很，像老了的树皮。这双手帮他洗衣，给他做饭，收拾家里的一切，是双操劳的手。

君初感觉到有泪水跌落在手背上，心里一阵愧疚，真的难为她了，这两年无怨无悔地在他身边默默地存在着。顺势抱了过来，是真切的拥抱，不是把她当成曼丽的错觉——君初抱的是三三，是绣女三三，是第一眼见到自己就希望成为自己妻子的三三。

221

吻了她的脖子，散发着一股熟悉的味道，三三靠在沙发上，旗袍的第二粒扣子已经解开。三三完全陶醉在君初的热吻下，有些情不自禁，发出嗯嗯的呻吟声。

看来那个三巴汤还真不是开玩笑的，即喝即生效。

忽然！屋内响起熟悉的爵士钢琴乐，是从收音机里发出来的，钢琴声突然变得急速又仓促。两个人都呆了。

灯亮了，君初松开三三，抬头，这莫名的声音是从哪里来的？难道是阁楼？

三三紧张地捉住君初的手。再看看自己，很尴尬，内衣都露了出来。

君初神情恍惚，"是她的广播，没错。"

音乐突然停了下来，君初一脸惘然，一动不动望着阁楼，看也不看三三，"对不起……我想我肯定是疯了……真的对不起……"

他抛下衣衫凌乱的三三，独自走开。

看着他的背影，三三走到自己房间里，没有开灯，一片漆黑，三三大喊，"出来，徐曼丽，你给我出来。"

空气中，飘荡着怪异的气氛，就在三三背后，微粒聚合，逐渐形成一个人影，曼丽冷冷地看着三三。

三三看也不看曼丽，刚才的一幕想必曼丽已经看得一清二楚，否则也不会用停电和放音乐来挑起君初的回忆，"你何必介意他这样？由始至终，君初只是把我当成你的替代品！"

三三的语气有些酸楚，她觉得通过两年的时间已经了解了君初。

曼丽也黑着脸说话，"我可无意破坏你们……我只是有些情不自禁罢了。"

三三打断她的话，转过头来用鄙视的眼光看着曼丽，"你口口声声要帮君初忘掉过去，让他开心，你指点我扮演你的样子，模仿你的一举一动，重演君初跟你在一起的点点滴滴。其实你做起来却完全是另一回事！你这样纠缠不清，他只会越来越陷入你的圈套！不是吗，你说爱他，这就是你伟大的爱的体现吗？对不起，我三三生来愚笨，我看不出来这样对他又有什么好处！"

曼丽悠悠地说道，"三三，你终于找到真正的自己了。你找回了自己的灵魂，你说得对，我是该走了——可我就是走不掉，也不甘心走……"

三三顿时心软，她知道爱一个人却不能接近他是怎样的感受——她已经体验

心中有鬼 No.35

了两年。门吱呀一声打开了，君初走进来，他听见三三在跟谁说话。三三看向曼丽——不知什么时候她已消失不见。

君初觉得疑惑，"你在说话？"

三三有点紧张，"没有，我……没有啊，我刚才在念叨着怎么会突然停电，不知道上次弄电线的人怎么这么不细心。"

君初环顾房内，的确没有别人，"晚上我还得工作，你不如先睡吧。"

三三的脸上明显写了失望两个字，张了张嘴，却是什么也说不出来，她本来想说，我一个人睡觉害怕，你陪着我好吗？你继续像刚才那样好吗？

丢脸。三三觉得在喜欢的男人面前说出自己的欲望丢脸，这个可怜的女人。君初离开，顺便把门关上，而曼丽就直挺挺地光脚站在门后。

三三别过头，不想理她，"我累了，你走吧。我听你说话很无聊。"

说完，她上床拉过棉被蒙住头。心情不好的时候，连鬼都懒得理，她爱吓谁吓谁去。曼丽看着三三，脸色突然变得铁青而狰狞！曼丽在三三旁边躺着，等她把头伸出来。

　　君初又恢复了以前的样子，下楼的时候看见三三虽然不似以前那般冷漠，却也只是敷衍地笑笑，吃完饭后直接回到阁楼里。

　　君初的手指很长，抚着阁楼里的白色绸布，两年了，这个思念的灵堂一布就是两年，这是他与曼丽的世界，悔恨与愧疚的世界。那天晚上君初赶上来时发现收音机开着，曼丽放在床头的照片摔在地上，玻璃的碎片溅得四下都是。

　　曼丽生气了，是的，她肯定会生气的。她爱着我，而我却吻别的女人。我真该死，君初跪在地上傻傻地抱着镜框不停地说对不起。

　　今天，他又习惯性地呆呆望着铺满了白布的阁楼。拉开白布，白布下，曼丽的物什一一重现。她的衣箱，大提琴，帽子，多么熟悉的一切。往事历历在现，君初的手指细细触摸着，仿佛每一件东西都是曼丽的身体，曼丽的皮肤。曼丽用过的那面镜子映衬着自己憔悴的脸，像要把自己吸进去。

　　打开唱盘，放上一张唱片。这张唱片君初在阁楼上几乎听过几百次，还是忍不住拿了出来。

　　留声机的转针轻轻搭在黑色的木纹唱片上。杂音过后，是曼丽的说话声——

　　"君初我的爱，你好吗？今天我一个人在播音室里，突然想跟你说些话。如果有一天，我俩不在一起了，希望你偶尔还能听听这段录音，记得我，记得我说过的话……"

君初站起来把抽屉拉开，几百张照片摊放在桌上，全部是曼丽：娇笑的，欢快的，沉思的，惘然的，全都是她。还有她童年时期、少女时代、学生时期的留影。各式各样。还有许多当年在山顶拍摄的曼丽翩翩起舞的照片。

曼丽的声音如流水一样倾泻，"我的君初，是个有点害羞的家伙，但他敢在大街上，抱我抱得很紧。他睡得比我迟一点，醒来却比我早一点。他记得我的生日，鞋号，最害怕的事。他会一边吹口哨一边修马桶，会说，'多希望你是我女儿啊。'雨天散步，背我过积水，会说，'你可以再胖一点啊。'错了会认错。我说笑话的时候他笑。他常常说，'别怕，有我呢。'会帮我拧开死紧的汽水瓶。说谎时结巴。我感冒了，他还是用我的杯子喝水。他和大人在一起像大人，和孩子在一起像孩子，和狗在一起像狗。他身上的味道很好闻，但他自己不知道。他很少叹气。他不想当官。不想干大事。真的可以随时找到他，和他在一起不怕死，也不怕活下去，不怕活到很老……

"君初，你是不是觉得我很傻，对你说这些？现在外面下着雨，我在等你接我下班。在认识我之前，我不知道你的世界是怎样的？但在认识你之后，我的世界却完全改变了。你给我带来了希望，让我在一成不变的生活里找到了快乐的线索。人海茫茫，遇见你，是我的幸运。感谢你给我那么多的宠爱，我是世界上最幸福的女人。以后的事情，谁也无法预测。倘若有一天，我真的不在你身边，你依旧会记得我们曾经的那些点点滴滴对吗？君初，我最大的快乐，就是希望你能快乐。你一定要记得这句话。哎呀，时间快到了，我仿佛可以从窗外看见你穿着风衣在街上的样子，又好像听见你从电梯奔向我的脚步声，改天再给你录吧，嘿嘿，君初再见。"

君初的手在照片堆里摸索，听着曼丽的声音，他终于忍不住，哭出来了。曼丽为什么要离开？过了两年，心里仍然如当时在马路上抱着她那般痛苦。

怀念，过去的用来怀念，完美吗？当然。因为已经过去，不必追究细节谁对谁错，死去的，离开的，却丢下留下的那一个，孤零零地像小孩守护心爱的玩具一样固执地守着那堆渐渐发霉的回忆——那是离开的人在心底一刀一刀描绘的美景。真舍不得忘记，每天都会在睡觉前像复习功课一样复习跟你在一起的日子，怕记得不牢，怕将来老糊涂了什么也想不起，哭也哭不出来。你留下的那些你曾经活着的证据冷冷地看着我，它们还在，你不在。

阁楼的灯彻夜亮着。

世间恐怖之事千千万万,见到真鬼固然让人害怕,心里发毛。比这个更让人害怕的是照镜子的时候以为自己是个鬼。

三三半夜起来上厕所,往镜子里看的时候吓坏了,眼圈乌黑无神,嘴唇也略略散发着青色,白天因为化妆根本没发现。蹲在马桶上,头皮有点痒,顺手抓了抓,指缝里全是发根,又一把头发掉下来。

三三有点倦意,一步步朝房间走去。想去阁楼敲门,又忍住了,想想还是回房间吧。这两年来不是已经习惯了吗?跟平时一样,抱着枕头就当抱着君初。

一直睡到了早晨,三三走出卧室,一脸倦容。最近晚上根本没睡好,老是觉得有人压在自己身上,想大喊却喊不出声音,无法动弹,直到天明。

三三去厨房给君初准备早餐,他总觉得牛奶腥味大,所以每次都要弄点姜汁进去。正拿着生姜,习惯性地看看阁楼,赫然发现阁楼的大门竟是开着的!人出去了吗?门都不锁。

阁楼里,君初正在收拾东西,只见白布已经全部掀开,曼丽的遗物也已分类整理成好几堆。君初听到脚步声,抬头打了招呼,"早。"

三三有点害怕,阁楼是禁地,自己又冒失地闯进来。于是慢慢往后退着,"早。我看见你的门打开着,我以为你出去了忘记锁门,所以就上来看——"

君初说,"你进来吧。"

三三没想到君初会邀自己进去,有些迟疑。见他招手,三三这才小心翼翼进去。君初走到窗边,把厚重窗帘嘶的一声拉开,明媚的早晨,太阳照着每个角落,阁楼出现前所未有的光明。三三有些担心,曼丽应该不会在这里吧?否则见光就死了。

君初环顾一下四周,摸了一把,窗台上厚厚一层灰,转头对三三说道,"该打扫了。能帮我吗?"

三三拼命点头。

两人一起打扫房间。三三到楼下拿了块抹布四处擦拭。君初则把书桌上剪剩的底片放入一个棕色大皮箱内。那本完整的胶片放在放映机里,叫三三帮忙擦拭。

三三好奇,"这里面是什么啊?"

君初回答道,"哦,是一部片子,已经差不多了,只是个纪念……不过,现在暂时没用了。”

他将棕色皮箱关牢,上锁,推入衣柜深处。衣柜也锁上,机器用白布盖起来,君初的眼睛熬得红红的,很显然一整夜没睡觉,望着柜门。君初似乎有很深的感叹,“三三,曼丽的事你知道吧?”

三三点点头。心想,我知道曼丽的事情比你还多呢,说出来你也不会相信。

君初继续长叹一声,“其实,车祸发生后,我想念她,就把她曾经的东西全都搬到阁楼里来,可又无法面对,看见了心里就很难受,只好又用白绸布把它们盖起来,但半夜又忍不住翻出来看……人有时真的是可怜又可笑。”

君初的语气看似平静,但可以感觉声音在微微颤抖,“昨天,我想了一晚上,我听了曼丽给我的录音,实际上我已经听过很多次了。她说最大的希望就是我快乐,但我觉得我这人真是一塌糊涂!糟透了!我一辈子都这样痛苦下去,曼丽看见我这个样子肯定不会开心。我连我自己爱的女人对我的希望都无法实现,我算是什么?她已经死了!不管我多痛苦,多么思念她,这辈子我不可能再见到她!”

三三不自觉地说道,“这不一定——”

君初望着她,不明所以。

三三接着道,“你们可以在梦里相见……在回忆里相见……”

君初苦笑,“曼丽一定不愿我这样下去。我了解她,毕竟,眼前的日子,才更需要力气去过……”

君初诚恳的眼神看着三三,“我不能再伤害任何人——尤其是你。”

三三感动得落泪,这次她是主动地静静地走入君初的怀里。被阳光照射的两个人紧紧拥抱着,君初的手温柔地抚摸她的后背,像在安慰。

两人就这样抱着,阳光下爱人的拥抱,不是每个人都能拥有的。曼丽以前得到,现在失去,一切都是注定。

谁也没发现背后的收音机屏幕逐渐亮起,曼丽俯瞰两人——依旧抱得好紧好紧。几丝头发在天花板阳光未及之处垂下来。

是曼丽,她就飘在两人正上方,阴影中,她的脸上有一股说不出的怨。君初,我的君初!

　　君初觉得三三其实挺乖的,想起自己以前对她那么凶,心里颇为内疚。阁楼重新上了锁,君初搬下来住,晚上跟三三过着夫妻之间应该有的正常生活。

　　三三最初还很羞怯,后来也慢慢懂得,原来投入地做爱,会让人得到身心的愉快。君初怜惜她的身体,因此一个晚上绝对不超过两次。三三在枕畔跟君初聊天,"知道你睡的这个枕头叫什么名字么?"

　　君初说道,"枕头有什么名字?"

　　"叫君初啊。"三三笑着钻进君初的怀里,吻了吻刚好在自己唇边的君初的肌肤,"你知道吗,这两年我都抱着这个枕头入睡,所以索性给它起了个名字。开始你睡在这里的时候,抱真正的君初还没有抱着枕头君初习惯呢。你说我是不是傻孩子啊?"

　　君初摸摸她的头,"傻孩子?你怎么会是傻孩子呢!"

　　听了这句话,三三笑得快晕过去,哈哈,傻孩子?你怎么会是傻孩子呢!那不是傻孩子是什么?

　　君初按着她的头叫她别乱动,"好了,小猴子,明天我还要去上班,你给我老实点。"

三三安静地睡了。看来爱情的确能改变一个人，以前的三三变成了现在的三三。有的男人真是一所好学校，比如君初。

　　其实君初有时候有些冷幽默。三三在离家很远的面包店里给君初订了他最喜欢吃的日式泡芙，外面是炸过的面粉，撒了细细的糖，里面是奶油，经过特殊处理，有椰子的清香口味。买的时候因为人多，没货了，就留了地址给店主，说是第二天送过来。结果一个多星期也没吃到口。

　　君初对三三道，"家里有杀虫的药水吗？"

　　三三四下找了找，"这大冬天的，哪里要杀虫？"

　　君初说，"订了一个多星期的泡芙面包还没送来，长虫了，要杀杀才好。"

　　三三打了个哆嗦，"真冷啊。"

　　君初还有一个著名的冷笑话，是君初在下班回来的路上讲给三三听的。因为下雨，三三怕他没带伞，就过去送，结果自己淋湿了，到了电影厂门口，雨突然停了，而且出了很大的太阳，天空中挂着一道彩虹。

　　君初出来的时候看见三三盯着彩虹看得出神，"彩虹有那么好看吗？"

　　"我只在五岁的时候见过一次，现在是第二次。"她的头发滴着水，固执地看到彩虹消失。

　　在车上，君初问三三，"企鹅和猪同时关在冰库，企鹅冻死了，猪却没冻死，请问这是为什么？"

　　三三啊了一声，"不知道啊。"

　　君初说，"对啊，猪也不知道。"

　　等三三明白过来，两人已经到家了，君初躲在厕所里不肯出来，怕三三打。

　　廖金兰觉得两人关系越来越亲密就是得益于自己经常吃斋拜佛。蓉妈也是非常高兴，家门口贴了几道符，这让三三放心了不少。曼丽看见自己的愿望得以实现，应该已经满足地离开了。她最想要的，不就是自己代替她，帮君初找回快乐么？

　　廖金兰算计着，好不容易总算凑齐了一个完整的家。过了年以后就可以催他们生小孩了，有了小孩，才算有了真正的血缘关系。

　　三三最近对镜化妆总是忧心忡忡,春天是思念的季节,难道也是掉头发,生黑眼圈的季节?她检视自己的眼圈——看得出明显青紫。手背上的也出现青黑色淤痕,那是曼丽以前触摸过的地方。

　　桌面上,满是脱落的头发。

　　三三拿起粉底,厚厚涂敷,这样可以掩饰青紫的眼圈。今天穿了一身新装,是君初发薪日买的,浅绛碎花洋装,还有一顶斜插着羽毛的草编帽子,非常时髦。

　　三三弯腰从床底下拉出鞋盒,熟练地穿上高跟鞋。她不再讨厌这玩意,反正也不是天天穿,穿的时候还能治疗自己驼背弯腰的坏习惯,让自己的身姿更为挺拔。

　　君初看表,显然等得心焦。女人怎么都是一个德行?今天晚上是要参加老杜的五十大寿,礼物都准备好了,她还在化妆。终于,他起身上楼,三三正好起身下楼。

　　君初说道,"你看,我都睡醒一觉了。"

　　三三有些歉意,"对不起,让你久等了。"

　　君初看了看她那身打扮,的确得体,说道,"值得等,下来吧,沈太太。"

　　老杜家门口人头攒动,车水马龙。不愧是商界的风云人物。谁都知道银行有钱,穷人喜欢银行,因为可以存钱在里面。有钱人喜欢银行,因为可以把许多穷人存在里面的钱借出来做更大的生意赚穷人的钱。

老杜穿着红色中式夹袄在门口迎接客人,拱着手,脸上喜气洋洋。见到三三,惊为天人,"君初,沈太太,你们来了。"

老杜热烈拥抱三三,三三的脸通红。

又见到王颖带着几个导演,其中有一个叫罗正秦,认识君初,远远的就大喊,"沈先生啊,想不到在这里碰见你。正好,下月中我开新戏,找了几个摄影师都不合适。你来帮我吧? 怎么说你也是业界一把手——"

王颖说道,"你这小子,想挖我墙角怎么的? 君初是我兄弟,不跑你那去。"拍拍君初的肩膀,"沈太太真是漂亮,你真是福气。"

席间,三三频频举杯,君初的光芒都被她掩盖了。君初脸上也是得意万分,三三现在已经是名正言顺的沈太太,她符合这个角色。

沈老太太和蓉妈刚进屋,有一阵子没回来了,回来看看,顺便拿换洗衣物。

蓉妈看了看四周,"咦,小两口不在? "打开灯,客厅变得很亮。

廖金兰喊着,"君初! 三三啊! 呵,真出去啦? 这时候出门,该是一起出去吃饭吧? 看来又有进展! "

她看向蓉妈,蓉妈有点心不在焉,她觉得气氛有异,四下查看着。

老太太自言自语道,"这样我也安心了。当初慧明师父算得真是准,倒让我把三三和君初拉在一块儿,成就了一段良缘。"

蓉妈说道,"我烧点热水,给您下碗素面吧? 我看您也饿了吧,赶了这么老远的路。"

老太太摇手,"算了算了……你把该带的东西准备好,咱们早点赶回庙里,应该还赶得上晚斋。他们肯定帮我留了吧。"

蓉妈点点头,去里屋收拾东西。

廖金兰在沙发上坐下,在车上颠来颠去,的确有点头昏脑胀的。廖金兰有点倦,打了个哈欠,揉揉眼睛。

这时手腕上的菩提新月珠落了一地! 叮叮咚咚向四下散落开来。"真可惜,"廖金兰唉了一声,弯下腰捡珠子,边捡边喊,"蓉妈! 蓉妈! 帮忙拣东西来! "

蓉妈并未听见,她关着门在叠衣服。

廖金兰拣了几颗，又发现几颗珠子滚到沙发底下，老太太整个人蹲下，伸手去捞。这串佛珠是有灵气的，开过光，能保人平安，掉了可惜。

她的手在沙发底下四处摸索。忽然，摸到一样东西——

一样不是珠子的东西。

廖金兰神情疑惑，低头，侧头往沙发底下看，里面黑乎乎的。廖金兰把手上的东西往外拖了拖，手上抓的是一把头发。再看，竟然是一张死人的脸，苍白狰狞，两只眼睛愤怒地死死地盯着廖金兰！两个人几乎鼻碰鼻！

是曼丽，是死去的曼丽！她想喊，却喊不出声音。曼丽的脸渐渐靠近，面无表情。

廖金兰发出一声尖叫！

蓉妈正在折叠衣服，准备起身去看看，忽然停电了。整栋沈宅在一瞬间暗下来。从外面看，毫无生机。

三三跟君初在老杜的宴会上喝得很愉快。散了席，君初开着车，吹着口哨。三三心情也不错。他们的车跟一辆救护车擦肩而过。

回到家，君初抱着三三刚想亲热一番，三三推开他，看了看地上散落的珠子，"君初，妈刚才来过。"

电话响起来，是蓉妈，焦急的声音，叫两人赶紧到医院，老太太住院了。君初发了疯似的赶紧上车，三三紧跟其后。

病床上，廖金兰恐惧而痴呆的表情，流着长长的口水，"是……我的错……都是我的错……放开我……"

她反复说着同样的话，似乎疯了。

医生对君初与三三说道，"老人家的精神状况很不稳定，意识不清，我们很难判断原因，初步判断似乎是遭到了极大的惊吓所致。"

正说着，廖金兰大哭起来，"我错了曼丽啊，你放过我吧！"

君初听到曼丽两个字，心急如焚。三三也傻眼了。

"妈，妈！你说什么！"

三三转身，快步向外走。蓉妈坐在走廊的椅子上喃喃自语，"在劫难逃啊！"

蓉妈头也没抬，依旧陷在自己的世界里恍惚着。

三三急了，"怎么回事，老太太到底怎么回事？"

蓉妈张嘴,却哑着,说不出话。三三握着她的手,想安慰她。蓉妈看见三三手背上青黑色的淤痕。

蓉妈大吃一惊,伸手扳过三三察看她的眼球、眼圈,又扒开她的嘴,按住舌头,看三三的舌根——三三的舌根居然是青黑色!

三三被弄痛了,甩开蓉妈,"你在干什么!"

蓉妈不知该怎么说,忽然扯住三三,朝盥洗室走去。三三的手被抓得牢牢的,几个趔趄,差点撞到墙上。蓉妈关好门,反身放水。

三三生气极了,"你是不是也疯了?

蓉妈不理她,从怀里掏出一张黄符,一弹指,符焚烧起来。三三看傻了。水盆渐满。蓉妈将焚烧的符投入水中,唰地冒出一阵白烟,成了一盆符水。她弯下腰,猛喝了一大口。

三三转身要逃,这太可怕了。哗的一声,三三被淋得满头满脸。

蓉妈也懵了,念叨着,"你这恶鬼!居然不怕符水!"

三三奇怪地问,"谁是鬼?"

蓉妈沉下脸,"别想唬我,你分明就被鬼上过身!不然怎么连舌根都变黑了!你最好一五一十告诉我,否则,恐怕还得赔上几条人命。老太太是被鬼吓的!"

三三忽然明白了什么,是曼丽,就是曼丽,"其实曼丽她……她是个好人。"说到人字,三三有些心虚。

蓉妈叹气道,"你果然在和鬼打交道。你太善良了,三三,鬼就是鬼,无所谓好坏。就像野兽一样,不管养多久,感情多深,饿急了,照样反咬你一口。"

三三沉默了。

蓉妈继续说道,"你阳虚阴亢,血气败衰,不但招鬼上身,到最后,还会被取而代之!所谓的借尸还魂,你就是那具尸!你还帮她说好话!"

三三摇头道,"不是的,她告诉我,除非我自愿,否则不会在我身上待很久。我以为她已经离开我身体了。"

蓉妈端详着三三,"你果然是个傻孩子!你没想过鬼会说谎?鬼是人变的,自然也跟人一样,为了达到目的,不择手段!你仔细想想,她到底要什么?"

三三被蓉妈逼到墙角,非常不安,回答道,"她要君初。"

蓉妈自己瘫软在地上,像一摊烂泥,缓缓地说道,"一切都是注定,欠的,总是要还。当初那位徐小姐过世,你不知道啊,咱们少爷像疯了似的,搬了一堆她的遗物回家,说要跟她一起住在阁楼,任谁也拦不住。我当时就感觉不对劲,觉得有脏东西跟着一起进了门。但少爷不许人碰,还把门锁起来,除了他,谁也不许进阁楼。我担心出事,又无可奈何……只好在院子里请我师姐立了三块符板,镇邪安宅,让鬼无法作祟,没想到,还是挡不住啊!"

三三听到这里,便道,"你说的符板……是不是又脏又旧,上头还写着奇怪的字?"

蓉妈一惊,赶紧问道,"怎么?你见过?"

三三心虚地支吾说,"当时觉得那些板子旧了,又有很多灰尘,用抹布擦过几次。"

蓉妈捶着胸口,"这样咒语都模糊啦,难怪镇不住鬼!注定的,都是注定的!我得马上走,鬼魂一定依附在某样东西上,得先找出来。"

三三道,"我知道她在哪。"

蓉妈从身上掏出一张符,按在三三手里。"回去之后,找机会把符贴在那东西上,能保一晚平安。想法子撑到我赶回家!她肯定还会来找你。你就尽量顺着她,千万别让她起疑,否则难保不跟老太太一样下场!别让少爷知道有她在。等我回来,记得啊。"

三三点头,告诫自己冷静,一定要冷静,我与她迟早要做个了断。

廖金兰的病暂时控制住了，打了镇定剂，量不敢用多。

君初与三三在旁边守到她睡着。

医生说，"你们也一晚上没睡，休息后再过来吧。这里我会照顾的。"

君初感激地看了医生一眼，拉着三三的手出了医院门。在车上，彼此都不说话，各自有各自的想法。

此时的天只是蒙蒙亮着，太阳露出小半边脸，街道还很安静，只有寒风吹着落叶的声音，呼呼的，几片叶子被风卷在半空中，疲倦地舞蹈，又落下来。收马桶的，卖早点的，送菜的，早早起来，吆喝着。人人活着都不容易，即使人生充满磨折，大部分人都会撑着活下去，哪怕第二天又要更加辛劳。

君初躺在床上，叫三三过来一起睡，休息一阵后再去医院。三三说，"你先睡吧，我去洗澡。"

阳光照着君初的脸，"麻烦把窗帘拉下。好亮，睡不着。"

三三犹豫着拉上窗帘，屋里顿时阴暗下来。看着君初发出轻微的鼾声，肯定累坏了。睡着的样子真好看。

三三深呼吸了一下，猛然转身——曼丽不在房间里，身后什么都没有。

三三快步走向阁楼，把门打开。她下意识地捏了捏衣兜——蓉妈给的那张符，还躺在她兜里。

经过上次的整理，阁楼变得窗明几净。阳光透过窗户肆无忌惮地照进来，空气中，充满闪闪发光的灰尘。曼丽的遗物大半被移开，集中堆在阁楼深处，依旧盖着一块白绸布。

三三咽了咽口水，给自己打气，"我要勇敢一点。"三三哗的掀开白布，疯了似的，埋身在遗物堆里，翻箱倒柜。收音机哪里去了？三三喘着气，要快，要快。

楼下传来熟悉的咳嗽声，是君初的咳嗽声，起初是慢慢的，越来越激烈、清晰，是那种要命的咳法。

三三跑下去的时候脚一歪，从楼梯滚下来，顾不上膝盖的伤，赶紧推开门——曼丽在抱君初，正是她。君初在睡梦中疯狂地咳嗽，眉头紧皱。

曼丽看见三三跪在地上磕头，"求你！求求放过他！我求你了！"

曼丽缓缓抬头，眼神充满冷漠，"我要带他走。"

因为缺氧，君初的脸色逐渐发青，嘴唇也颤抖着。

三三的额头已经肿得老高，破了皮，流着血，"不可以啊！你放了他！要怎样我全依你！"

曼丽微笑着，"真的全依我？"

三三哽咽，说不出话，一个劲地点头。

曼丽松开君初的手，身体飘到三三这边，君初顿时停止咳嗽，呼吸也缓过来，还在打鼾。他是无辜的，他什么都不知道。

曼丽有点不相信，"你愿意让我上身？"

三三咬牙点头。

曼丽的脸色恢复正常表情，声音温柔悦耳。如果她愿意就好办了，自己就可以一辈子跟君初在一起，"你明白的，我也不愿意见君初这样。可是我们两人应该在一起。老太太就凭一个和尚算了一卦就否定我们的感情，我不给她点厉害瞧瞧怎么行。"

三三乞求道，"能不能给我一点时间，让我和君初再待一天？答应我，就像我当初答应你上身一样。"

曼丽不说话。

236

三三继续说道,"我……求求你,就让我跟他好好吃顿饭,你就当这是我这辈子最后的请求,你以后跟君初的日子还很多,让我心甘情愿地离开吧。"

　　她眼里充满泪水。

　　蓉妈在乞求师姐,也在磕头,那白发尼姑看也不看她一眼,但还是对周围的几个尼姑道,"你们告诉她地点,叫她自己去挖,不许用工具。"

　　野外的坟地,蓉妈拿手指一块一块土挖着,从太阳上山到太阳下山,终于用已经鲜血淋漓的手指挖到了一个铁盒——那是救命的,里面是一支小小的生锈的金刚杵。

　　三三精心准备了丰盛的晚餐。

　　君初这个家伙还在睡觉,不肯起来吃饭,在床上翻了个身。

　　三三见状坐在他身边,抚摸他的额头,"你昨儿忙了一晚上,接下来还得照顾妈,总得吃饭。"

　　君初终于坐在桌前,感慨万千,"妈说,她看见了曼丽。"

　　三三安慰道,"妈现在病成这样……她说什么,怎能当真?"

　　君初觉得三三吃饭的时候眼神特别奇怪,总是盯着自己看着,也不吃饭,只是看着,仿佛永远也看不够一样,他的眉毛,他的眼睛,他的鼻子,还有他拿筷子的手指。

　　三三走过去,拥抱着君初,这个拥抱是坚定的。

　　君初心头震了一下,"你怎么了?"

　　三三平静地问,"收音机在哪里? 我要听音乐。"

　　君初说放在卧室的衣柜里。

　　三三飞快地朝卧室走去,把柜门打开,木头架子上,旧收音机和一堆杂物搁在一起。

三三不敢呼吸,小心翼翼地捧起收音机,抱入怀里,右手从兜里掏出符咒,犹豫着要不要贴。

从衣柜另一边的黑暗中,缓缓伸出一只手臂,向三三的后脑勺探过去,猛地扼住她的脖子。三三知道是谁,张开嘴,却发不出声音。另一只手从身后冒出来,曼丽的脸涌现在黑暗中。

收音机重重地摔落,掉在床上,没有发出声音。卧室里一片漆黑。

君初正在吃饭,他不知道三三被曼丽捉去了。他只是听见浴室关门的声音,心想,吃饭时间去洗澡干什么?

浴缸里的水已渐渐满了,水龙头却还大开着。三三喘息着,用冷水洗了把脸让自己清醒,一看白色毛巾上全是血——脸上的皮就这样生生搓下来,没有皮肤的红肉因为紧张而一颤一颤。

三三跪在浴缸边,脸火辣辣的疼,左手紧扒住缸缘,脖子使劲上抬;右手却抓住后脑,往下死按——她自己和自己抗争。

我们人人都在跟自己抗争,你不能控制它,它就控制你。

三三的右手按着自己脑袋拼命地往洗脸池尖锐的角上撞去,疼得失去知觉。苦啊,哭啊,痛啊,为什么不能简简单单爱一场?

鼻尖已经触到水面,渐渐窒息,终于整颗脑袋被自己右手按入水中,鲜血从缸底冒了出来。三三睁开眼睛,水底是曼丽苍白的脸,越来越近。

"进入你的身体,以后君初就真正跟我在一起了——是你答应我的。"曼丽的嘴唇对着三三的嘴唇。

一串细细密密的泡泡急速从水底冒出来。

君初觉得三三洗澡的时间长了点,"三三!快点啊!"浴室门口的灯泡灭了。君初见三三擎着蜡烛走出来,低着头。

君初抓住三三的肩膀,抬起她的下巴,"身子这么凉?"

这女子不是三三,而是曼丽!两眼汪汪地看着君初。两人就这样恍惚地对视着,远远近近,收音机里的音乐扬起。

原以为不会见了,偏又再相遇,曼丽垂着眼睛,"你难道不想抱我吗?"

君初嘴唇颤抖,"曼丽,怎么可能?怎么可能是你!"

曼丽靠在他的肩膀上,紧紧地,眼泪流下来。

原来我盼望那么久的，仅仅是爱人一个真正的拥抱。现在终于可以亲近了。

君初紧紧地抱着曼丽不松开，"你知道吗，我日日夜夜想的都是你……但你就是不在，一直到我终于说服自己，你，真的不在了。"

曼丽痴痴地看着他，"君初，我以为你不要我了。"

君初不说话，只是牵起她的手，引她上阁楼。楼梯上，曼丽身后，每个脚印都是血迹斑斑。

君初牵着曼丽的手，他要给她看一样东西。

君初兴致勃勃地把放映机架了起来。曼丽站在一旁，好奇地看着他动作。君初笑着转头看看曼丽，管他是做梦还是真的。

君初正准备插电源开关，蓉妈从外面闯进来，降魔金刚杵刺中曼丽雪白的手臂，血飞喷出来。在痛苦尖叫声中，曼丽在地上打滚，空气中尽是肉体烧焦的味道。曼丽瘫软在角落里，不停地干呕抽搐，拿手指插入喉咙，想呕些什么东西出来……

君初用力推开蓉妈，因为用了太大力气，蓉妈的身体狠狠撞在墙壁上。君初走过去护住曼丽，抬头大吼道，"你干什么？你神经病！你们害得我们还不够吗！"

蓉妈扶着墙，摇摇晃晃站起来，"君初少爷，让我灭了她，她是鬼！你娘就是让她弄疯的，你还不明白？"

君初看着怀抱里的曼丽。曼丽的头埋在君初的肘里，浑身打战，无助地看着君初，"不要！君初，我们不分开了，好不好？君初！"

曼丽喉头发出咕噜咕噜的怪声，再抬头是三三的脸，眼睛流着血，"君初，救我！她在我身体里面，她要害你！"

一瞬间，曼丽发现君初惊恐的表情。她无限温柔地依偎在君初的怀抱里。

三三呢？这个屋子的女主人三三呢？为自己痴痴等待七年的三三去哪里了？

蓉妈挣扎着爬起来，指着曼丽说道，"少爷别被她蒙了！鬼只会越来越凶，她上了三三的身！"

曼丽张嘴要骂蓉妈，发出的却是三三的求救声，"君初，你快走！"突然又变回曼丽的声音，"君初，我要你跟我在一起！"

曼丽猛捶自己的太阳穴，一会儿微笑，一会儿痛苦，看着君初，"不要怕，一会儿就好了。"

君初一步步往后退，看着这个奇怪的女人，仿佛从不认识。

曼丽一步步走过来,"怎么了? 你不喜欢我了? "

"三三呢? 你把三三怎么了?"

曼丽绝望地看着这个曾经熟悉现在陌生的君初,"你说过,你不会变心,你要永远抱着我……"曼丽的眼泪突然掉下来,失望,失望,原本以为他跟自己重逢会很高兴,谁知道君初的心已经不再属于自己。

蓉妈缓缓靠近! 挺起金刚杵刺向曼丽后背,谁知曼丽头也不回,一伸手,左手扭住蓉妈手腕,右手攥住她脖子,用力朝后一甩,蓉妈重重落地。劫数来,劫数去,算命的总是算不到自己的劫数。蓉妈的嘴角颤抖着,什么也说不出来。

曼丽冷冷地转向君初。

那张脸在瞬间变成三三,她的太阳穴被自己捶得青紫,满是瘀血,三三想把曼丽赶出身体,可是徒劳。

蓉妈用微弱的气息说道,"快……把杵刺进她心窝……才能灭她。"

金刚杵远远地躺在角落里。

曼丽大口喘息,脸色变得铁青狰狞,"你们该死,你们把我和君初活活分开,难道死就是我注定的命运吗? 不,不! "

她一脚踹向蓉妈的脑袋,蓉妈昏死过去。

曼丽瞪着君初,"你不是口口声声说爱我, 忘不了我吗? 你现在又和别人一起——"

君初含泪摇头。寒冷的月光照着一颗寒冷的心,做梦都想的人,就在自己眼前,她应该知道这两年自己是怎样熬过来的。

曼丽继续说道,"你变心了! 男人不都这样喜新厌旧吗? 你知不知道,我看着你们拥抱,看着你吻她,我心里多难受! 既然如此,大家都别活! 我宁愿毁了你,也不愿看见你被别的女人拥有! 君初,你不爱我了,我知道你真的不爱我了,你的眼神都不一样了! "

曼丽伸手狠狠地掐住君初的脖子,自己的眼泪扑簌簌落下来。

我们的爱,是一朵并不常开的花朵,花期逝去,凋零的是盼望的心。

君初并不抵抗,只呆望着这个自己曾经最心爱的女子,呼吸渐渐困难。他闭上眼睛。

三三看到自己的手掐着君初的脖子,他的脸色已经变青。三三使出浑身力气

241

推开君初,他踉跄后退,插头被君初的后背推进了插座。

放映机的开关咔嚓一声启动,一道白光射出,墙壁上是一个小女孩。

曼丽眼神迷蒙,渐渐松开双手。那张照片是母亲给她拍的。

然后是少女时代的许多照片。那时候的笑如春日杜鹃。女校时候的照片,打扮很朴素,带着水袖的青色校服,头发用发卡别在一边,跟好朋友在野餐。那是在满园拍的,当时曼丽正拿着一只鸡腿往嘴里送。还有毕业时候的照片。

君初站在她身后,"我说过,要替你拍一段影片,留下最美的你。你走得突然,没来得及拍。"

曼丽眼眶里泪水汹涌。

"我到处搜集你的照片——从你老家,同学,同事那里搜刮……我一张一张找,一格一格拍,拍完了,再一格格剪……你不在身边也行,我一定要让你活在我的世界里。"

曼丽哭出了声音。

君初缓缓走过来,抱着曼丽一起观看。

静态的照片影像开始动了起来,就像电影一样——在餐厅里翩翩起舞的曼丽,全身都是蝴蝶的曼丽,在山间奔跑的曼丽——由一张张连续动作的照片串起的电影。

君初认真地看着曼丽,抚摸着她的脸,"我对你,从来没有改变。我沈君初,愿娶徐曼丽为妻,从今以后,无论环境顺逆,疾病健康,相伴相随,生生世世……你,愿意吗?"

曼丽像受了极大委屈的小孩一样号啕大哭,"君初,对不起,对不起……"

君初将痛哭的曼丽抱着,抬起一只胳膊帮她擦眼泪,"别哭了,今天没戴领巾,袖子要不要?"

曼丽抬头,深深吻着君初,像以前一样,熟悉的亲切的热吻。

"放下你的怨念,放了三三——她是无辜的。你要不甘心,就带我走,带我一起走。"

曼丽的瞳孔深处忽然一变,三三的声音再次响起,"不!君初,你不能跟她走!"

曼丽脸色难看,喉咙里发出呕吐的声音。三三急喘着气,忽然现身,转头拣起金刚杵,毫不犹豫地刺向自己心窝——

君初大喊,"三三不要!"

曼丽凄厉尖叫的声音响彻夜空。

君初狂吼，"不要！不要！不要离开我！不要！"

曼丽的魂从肉体里窜出。

我难过的时候总是孤独地蹲在角落看着你，总是看着你，你明明就在我身边却不可以接近，我的君初。这次我是真的要离去了。记得我的样子么，我的泪和我的笑……

君初眼前的曼丽变得越来越透明，君初跑过去拥抱她，手指却穿过她的身体。

曼丽悲哀地看了看君初，透明的，透明的，如烟雾般散去。

三三的胸口汨汨流着血。

君初扶起她，"你……怎么能这么做？你怎能！"

三三神色安详，"你要好好活着，你怎么能跟她一起走……"

君初抱着三三下楼，三三已经气若游丝。

黑暗中，关于曼丽的影片还在继续放映，墙上的画面缓缓流动着。每个人心中都有一座阁楼，上了锁，不准别人进入，阁楼里有时光机，夜晚自己放给自己看，回忆的残骸在那里静静留下爱曾经存在的证据。

月光照着孩子，照着大人，照着富人，照着乞丐，照着过去，照着将来。坦荡的时候抬头看，月光是温柔恬淡。心中有鬼时抬头看，总有些凄惨悲凉。生命轮回着，有人离开有人留，你的爱人，也曾经回来过？

尾声之一

电台里，工作人员忙碌地操作机器。门口红灯显示正在播音中。

曼丽对着听筒说道，"多情的鬼魂认命走了，三三是死是活尚未可知，君初要怎么承受这一切？如果是你，你会做什么样的选择呢？也有人说，这是一个关于错过与遗憾的故事，亲爱的听众，你们认为呢？一部缠绵悱恻的《心中有鬼》，至此全部播送完毕，谢谢收听。我是节目主持人，徐曼丽……"

老张趁隙递来一封信。曼丽打开，读着，脸上从严肃到微笑，信的最后一行是，"曼丽，答应我，嫁给我好吗？我就在南京路口等你。"落款是沈君初。曼丽拿起坤包冲了出去。

好好百货公司里，两名妇人逛着，一个手上戴着佛珠，一个消瘦些，但眼神分外坚定。右边的妇人扭头问那个瘦点的，"小蓉，昨天广播里说的故事后来怎么样了？"

蓉妈失笑，"后来？我哪知道后来会怎样！昨天不是陪你去庙里了吗？我也没听到结局。赶明儿买本书看看。"

迎面一个穿洋装的女子冲了过来，蓉妈赶紧拉开右边的老太太，避到一旁。女子风也似的跑过。

蓉妈评价道，"现在的女孩子，一点淑女风范都没有，这么急，赶着去投胎似的！"

繁华街道，曼丽走得飞快，转眼已到南京路十字路口。马路另一边，君初的眼光匆匆穿过人群，曼丽应该快到了。

曼丽边擦汗边张望，迎着阳光看过去，看到了站在对街的君初，不禁笑了。

君初也在对着曼丽笑。

曼丽朝对面走去，一辆自行车从后面朝曼丽撞过来，一个平凡而秀气的女子慌忙下了车。她似乎刚学会骑，一点也不熟，自行车的后座上夹着用羊皮纸包着的一件绣好的衣服。

黄包车司机邓亮对在旁边焦急等候的君初道，"先生去哪里？坐我的车吧！"

君初张望着曼丽，曼丽退到另一条车道。黑色轿车猛然驶到她面前！一阵尖锐刺耳的刹车声。黑色小车停下来，张少廷探出头，指着曼丽骂道，"我说小姐啊，你不长眼睛的啊？"

戴碧珠招呼着儿子，"上来吧，毕业典礼别迟到了！"

曼丽惊魂未定，君初松了一口气。君初赶到马路对面，看见那名冒失女子，她叫三三。她怀里抱着的布料是一个叫廖金兰的老太太要她帮忙绣的衣服。

看着她，曼丽率先露出抱歉的微笑。三三愣了愣，也松了口气，回以笑意。君初也笑了。

曼丽站立的脚下方，电车铁轨缝隙里，隐隐闪着光亮。近看，是一枚戒指，也不知在那儿待了多久，露出那仍未褪色的一丁点寒光。

尾声之二

电台里,工作人员忙碌地操作机器。门口红灯显示正在播音中。

曼丽的眼睛有点红——昨天晚上君初犹豫的表情让人有些失望——但还是认真地对着听筒说道,"多情的鬼魂认命走了,三三是死是活尚未可知,君初要怎么承受这一切? 如果是你,你会做什么样的选择呢? 也有人说,这是一个关于错过与遗憾的故事,亲爱的听众,你们认为呢? 一部缠绵悱恻的《心中有鬼》,至此全部播送完毕,谢谢收听。我是节目主持人,徐曼丽……"

老张趁隙递来一封信。曼丽打开,读着,脸上从严肃到微笑,信的最后一行是,"曼丽,答应我,嫁给我好吗? 我就在南京路口等你。"落款是沈君初。曼丽拿起坤包冲了出去。

好好百货公司里,两名妇人逛着,一个手上戴着佛珠,一个消瘦些,但眼神分外坚定。右边的妇人扭头问那个瘦点的,"小蓉,昨天广播里说的故事后来怎么样了?"

蓉妈失笑,"后来?我哪知道后来会怎样!昨天不是陪你去庙里了吗?我也没听到结局。赶明儿买本书看看。"

迎面一个穿洋装的女子冲了过来，蓉妈赶紧拉开右边的老太太，避到一旁。女子风也似的跑过。

蓉妈评价道，"现在的女孩子，一点淑女风范都没有，这么急，赶着去投胎似的！"

繁华街道，曼丽走得飞快，转眼已到南京路十字路口。马路另一边，君初的眼光匆匆穿过人群，曼丽应该快到了。

曼丽边擦汗边张望，迎着阳光看过去，看到了站在对街的君初，不禁笑了。

君初也在对着自己笑。他手里紧紧握着那个小盒子。

曼丽朝对面走去，一辆自行车从后面朝曼丽撞过来，一个平凡而秀气的女子慌忙下了车。她似乎刚学会骑，一点也不熟，自行车的后座上夹着用羊皮纸包着的一件绣好的衣服。

君初向曼丽的方向张望着，曼丽不自觉地退到后面另一条车道上。

这时一辆黑色轿车猛然驶过，曼丽在空中飞舞的样子像极了蝴蝶。

落地，离开这个世界，离开这个爱她的世界。

君初疯了似的跑过去，人群拥挤着，曼丽的后脑勺下一片渐渐扩大的血迹，她的眼睛含着没有掉出来的泪，睁得很大很大，呆呆地看着头顶的蓝天，眼睛眨也不眨。这是多么好的天气，秋高气爽，万里无云，彩旗招展，瓜果飘香。

是的，我选择在好的天气离开他，他会不会记得我久一些？

曼丽比她肚子里的孩子更幸运——不知道是男孩还是女孩，还来不及看到父母的模样就匆匆夭折。

漫长黑夜，君初经常在阁楼听自己伤口裂开的声音，伤口是可耻的，羞于见人。

我们留恋过去，过去离我们而去，我们期待未来，未来却还未来，等未来已到来，你却已经过去。一辈子，就这样过完了。

心中有鬼
THE MATRIMONY

后记

　　熟悉我的读者和编辑都知道,一枚糖果有三不——不约稿,不赶稿,不改稿。这次独独例外了。

　　平时在网上写小说,今天写一段贴一段,明天就玩去了,用以消磨时间逃避现实。有编辑找我约稿一律都是没时间,偶尔答应人家也是不了了之,去年约的稿子今年还没写一个字。曾经出版的小说也是一个字都懒得改,气得编辑吐血。

　　直到遇见《心中有鬼》。

　　策划人约我的时候我有些敷衍地回答,嗯,看看吧。那天无意中顺手点开了,看完后眼泪啪嗒啪嗒掉下来。好吧,我写,谁让它感动了我。

　　男女邂逅,要有感觉才能相爱。写东西也是如此,这是最原始的动力。自己都不喜欢,怎能强求别人喜欢。答应约稿,这是这三年来的第一次。

　　然后是赶稿,我并不是专业作家,在深圳还有一份普通而忙碌的工作,这段时间下班后立即坐到电脑前码字,谢绝一切娱乐活动,谢绝闲聊,谢绝朋友来访。我只是被这个剧本吸引了。宿舍住了四个女孩,要静心下来写字要等到晚上十二点大家都睡了我才伸出冰冷的双手敲打键盘。赶稿,一枚糖果又破例了。

然后是修改，大修三次，小修无从统计。因为时间比较紧张，有些情节很粗糙，我用从未有过的耐心自己一遍遍地读，改之又改。算是破了第三例。

　　曼丽是君初自己遇见，然后正常地、热烈地相爱，她的热心、直接、活泼，但又体贴、大方，是男人心目中理想的女朋友。相配的，不意味就能相守，跟我们共度一辈子的，大部分不是我们最爱的那一个。因为生辰八字不对君初母亲的胃口，这段热恋暂时雪藏，君初依旧想尽办法与曼丽见面，但又不想伤害母亲。

　　人生，哪里有两全其美的事！如果有，何来牺牲与成全？

　　君初终于因为一时犹豫，阴差阳错失去了曼丽，他并不是妥协，他只是犹豫，被命运开了个大玩笑，曼丽死在他眼前。

　　内疚、自责、怀念纠缠着，干脆把她所有的照片都搜集，干脆把她用过的东西都搬来，自己惩罚自己，自言自语，对着空气说话，仿佛她还在身边。你经历过吗？幻想着彻底失去的东西重新回到身边。

　　三三是可悲的，守着不爱自己的男人过了两年。引起他的好感也只不过是听了曼丽鬼魂的建议——她做不了自己，只能做别人。君初伤害了一个，又继续伤害着另一个。如梦初醒，同情也是爱，爱是珍贵的同情。

　　曼丽的魂一直不甘心离去，她以为他快乐就足够了，无论这种快乐自己是否能够继续参与。女人总是不了解男人，也不了解自己。然后报复着，报复着，落得个烟消云散，爱恨徒然落空。

　　它不是单纯的爱情小说，也不算是恐怖小说，这是它迷人的地方。只是写的时候，让我哀伤。现实中，消失的就消失，过去的就遗忘，绝不会如《心中有鬼》里的曼丽再回到君初身边。写这个小说，我得到了现实中得不到的补偿。

　　心里很惶惶然，不知道好看不好看，这个只能让读者去评价。我只是尽力用微薄的想象，为看故事的红尘男女勾勒这幅简单的图画。

2007 年 1 月 20 日 22 点 18 分